KB094458

saturday's master

1604

토요일의 주인님

saturday's master

섬온화 장편소설

3

결

※

차례

※

| 외전 |

토요일의 이서단

아스팔트에 내리쬐는 정오의 햇볕이 제법 따가워서 그런지, 실내가 더욱 서늘하게 느껴졌다. 혹시나 싶어 노크해 보고 30초 정도 기다린 나는 키패드를 눌러 열 자리 비밀번호를 톡톡 눌렀다. 드러난 현관에는 그의 구두가 없었다.

내내 팔에만 걸치고 있던 얇은 겉옷을 걸어 두러 옷방 쪽으로 가는데, 주머니의 핸드폰이 지잉 울렸다.

[회의가 길어져서 조금 늦을 것 같습니다.]

[배고프면 뭐라도 먹고 있어요.]

옷방 문턱에 멈춰 서서 답장을 적고 있는데 뒤늦게 한마디가 더 떴다.

[오늘은 현관 앞에 서 있지 말고.]

건조한 목소리가 귀에 들리는 것 같았다. 화면을 길게 눌러 쓰던 것을 지우고 답장을 보냈다.

[집 안에 들어왔어요. 저는 배 안 고프니까 걱정 마시고, 회의 잘 마치고 들어오세요. 밖에서 점심 드셔야 할 것 같으면 연락 주시고요.]

회의 중이니까 핸드폰의 소리를 꺼 두었을 것 같았지만 혹시 몰라서 전부 다닥다닥 붙여서 보냈다. 잠시 기다려 봤지만 돌아오는 답은 없었다.

그의 냉장고에서 차가운 물이 든 병을 꺼내 유리컵에다 따랐다. 냉동실에 있는 네모난 얼음도 퐁퐁 두 개 밀어 넣고 컵을 든 채로 거실로 돌아갔다. 볕이 잘 드는 거실 한가운데는 햇볕이 웅덩이처럼 금빛으로 둥그렇게 고여 있었다.

가방에 자료를 챙겨 온 것이 다행이었다. 오는 길에 지하철에서도 보던 폴더를 꺼내 몸을 탁자에 바짝 붙여 앉았다. 녹으면서 모서리가 없어진 얼음이 물을 마실 때마다 컵 안에서 달그락거렸다. 유리 바깥에 작은 물방울이 자잘하게 맺혔다. 발에 닿은 러그가 푹신했다.

1시가 다 되어 갈 때쯤 핸드폰이 울렸다. 규칙적인 진동이 이어졌다. 나는 펜을 떨어뜨리며 핸드폰을 집어 들었다.

“여보세요?”

-화면에 내 이름 뜨잖아요.

그가 평온하게 말했다. 운전 중인지 핸즈프리를 통해 들리는 목소리가 먼 곳에서 들리는 것처럼 까마득했다.

-지난번에 보니 직급까지 뜨던데.

"……팀장님 핸드폰에는 제 이름 앞에 'TF팀' 붙어 있지 않아요?"

-지금은 아닙니다.

소음이 섞였다. 깔끔한 목소리에 "그 이후로 바꾸셨어요?"라고 물었다.

-지금은 '컨설팅2'라고 붙어 있습니다.

웃음기가 미세하게 스며 있는 것 같은데, 확실하진 않았다. 별 내용도 아닌데 나는 올라가는 입꼬리를 붙잡지 못하고 소파에 기대앉았다.

-뭐라도 먹었습니까?

"아니요, 아직이요. 팀장님은 식사하셨어요?"

-안 먹고 나왔습니다. 특별히 먹고 싶은 게 있으면 말해 봐요, 집 들렀다 같이 나가면 되니까.

"특별히는…… 없는 것 같아요."

-그럼 가는 길에 아무거나 사서 들어가겠습니다. 밥 종류나 빵 종류, 뭐가 나아요?

"팀장님 괜찮으시면 저는 빵 종류요."

알았습니다, 라고 그가 대답했다.

-이십 분 정도면 들어갈 겁니다. 운전해야 해서 끊습니다.

"네, 무사히 오세요."

-이서단 씨도 무사히 있어요. 다른 데로 새지 말고.

전화가 끊어졌다. 나는 핸드폰을 내려놓았다. 바닥에 물이 남은 컵을 집어 들고, 식탁에서 휴지를 뽑아 와 탁자의 물기를 닦았다.

15분 정도가 지났다. 나는 부엌에서 몇 주 만에 제법 능숙하게 다루게 된 커피머신을 한 손으로 조작하다가, 멈칫 뒤를 돌아봤다. 눈앞의 커피 그라인더가 시끄러웠고, 그의 집은 방음이 잘 되는 편이었다. 그럼에도 나는 왠지 집 밖에서 엘리베이터가 멈추는 소리, 복도를 가로지르는 발소리가 들리는 것 같았다. 예감에 이끌리듯이 들고 있던 것들을 내려놓고 부엌에서 나왔다.

현관 앞에 다다랐을 때였다. 문 바로 앞에서 인기척이 들렸다. 키패드를 누르는 소리가 들릴 줄 알았는데, 문을 누군가 세 번 일정한 간격으로 두드렸다.

"……누구세요?"

대답이 없었다. 벗어 둔 신발을 구겨 신으며 질질 끌고 문까지 몇 걸음 다가갔다. 문 중앙의 동그란 구멍에 한쪽 눈을 가져다 댔다. 눈이 적응하자 볼록 렌즈로 일그러진 복도가 보였고, 문 앞에 선 남자가 보였다.

문을 한달음에 열어젖혔다. 내 얼굴을 물끄러미 본 한 팀장이 미간을 슬쩍 찌푸렸다.

"번호 까먹으셨어요?"

물었더니, 대답 없이 활짝 열린 문틈으로 몸을 들인 그가 등 뒤로 문을 닫았다. 한 손에 들린 봉지를 잠시 내려다보더니 현관에 그대로 내려놓았다. 나는 받아 들려고 팔을 뻗었다가 손목이 붙들렸다.

"팀장님."

"요즘 미세먼지가 심하다던데."

두 손목을 다 잡은 그가 나를 닫힌 문에 기대어 놓았다. 내 발이 구겨 신은 운동화 위에서 미끄러졌다. 맨발에 닿은 대리석이 차가웠다.

"이왕이면 마스크 쓰고 다니세요. 얼굴 반 이상 가려지는 걸로."

"웃."

"아니면 아예 집 밖에서는 웃지를 말든가."

단단하게 잡힌 손목에 안정감이 느껴졌다. 그를 올려다봤더니, 어느새 다가와 있는 입술이 내 양쪽 입꼬리를 다그치듯이 가볍게 물었다. 아랫입술을 머금고 장난치듯이 입술의 경계선을 따라 핥았다. 나는 입술이 깨물린 채로 또 웃었다가 이번에는 눈가에 키스를 당했다.

입술을 떼고 물끄러미 내려다보던 그가 손목을 놓아주며 내 팔을 당겨 품 안으로 끌어 들였다. 등을 둘러 나를 빈틈없이 꽉 안아 주었다. 나는 산뜻한 옷감으로 감싸인 단단한 어깨에 뺨을 얌전히 묻었다. 들이쉰 숨에 따뜻하고 낯익은 향이 묻어났다.

"집에 왔는데 이서단 씨가 벌써 있으니까……."

귓가에 대고 그가 낮게 잠긴 목소리로 말했다.

"기분이, 색다른데."

"……갑자기 노크하셔서, 다른 사람인 줄 알았어요."

"다른 사람한테는 문 열어 주지 마세요."

그가 나를 놓아주었다. 떨어져 나간 온기가 허전하고 아쉬웠다. 나는 그가 집어 든 봉지를 건네받고 재킷을 벗는 그를 따라 거실로 들어갔다.

"커피 내리고 있었어요?"

묵직한 봉지 손잡이를 벌려 들여다보는데 그가 물었다.

"네, 팀장님도 드실 거죠?"

"이서단 씨가 내려 주면. 옷 갈아입고 나올 테니까 배고프면 먼저 먹고 있어요."

옷방으로 들어가는 그의 뒷모습을 잠시 지켜보다가 봉지를 식탁에 내려놓았다. 달칵, 하고 유리가 부딪치는 소리가 났다. 손을 집어넣어 잡히는 대로 꺼냈더니 로고 스티커가 붙여진 맞춤형 플라스틱 상자에 든 세모난 샌드위치, 그보다 크기가 작고 네모난 샌드위치, 바게트 빵 샌드위치 같은 게 다양하게 나왔다. 다 꺼낸 봉지 바닥에서는 차가운 유리병의 감촉이 느껴졌다. 음료수인가 싶어 꺼내 보니, 푸딩이었다. 두 개나 있었다.

나는 유리의 매끄러운 표면을 만지작거리다가 한 손에 하나씩 들고 부엌으로 갔다. 냉장고에 넣어 놓고, 커피를 두 잔 내려 가져왔다. 샌드위치를 담을 큰 접시도 가져와 식탁 중앙에 놓았다. 그새 한 팀장은 편한 옷으로 갈아입고 나왔다. 빈틈없이 넘겨져 있던 머리도 대충 헝클어져 있었다. 나는 허공에 멈춰 있던 손을 움직여 앞접시를 내려놓으며 말했다.

"푸딩은 냉장고에 넣었어요."

"계산대 옆에 있길래 그것도 사 왔습니다."

자리에 앉으며 그가 대답했다.

"캐러멜 맛이라던데."

"……네, 저 그런 거 좋아해요."

"압니다."

샌드위치 상자를 집어오며 그가 말했다. 내리깐 눈가에 희미한 웃음이 매달려 있었다.

"나는 안 먹으니까 이서단 씨가 둘 다 먹어요. 지금 먹어도 되고 저녁에 먹어도 되고."

"네. 저녁은 진짜 집에서 해 주시게요?"

"그나마 덜 바쁜 토요일이 오늘입니다. 재료도 벌써 사 왔고."

그러고 보니 냉장고를 열었을 때 재료가 칸마다 정갈하게 정리되어 있긴 했었다.

나는 샌드위치를 한입 베어 먹었다. 여러 장 들어간 양배추가 사각거리는 소리를 냈다. 시리얼을 우유에 말아 아침으로 먹었는데도 첫 끼니인 것마냥 배가 고팠다. 심지어는 한 팀장보다도 먹는 속도가 빨라서, 그가 아직도 첫 번째 샌드위치를 먹고 있는 동안 나는 큰 것 하나와 작은 것 하나를 해치웠다.

다음 샌드위치를 고르기 위해 내용물이 표시된 스티커를 꼼꼼하게 읽고 있는데 시선이 느껴졌다. 고개를 들자 한 팀장이 나를 물끄러미 보고 있었다.

"왜 그러세요?"

"……아니."

그가 갑자기 웃었다. 입꼬리가 슬쩍 들리고 하얀 이가 드러났다.

“잘 먹어서 쳐다봤습니다. 언제는 내가 맞은편에 앉아 있으면 하얗게 질려서 깨작거리더니.”

그 말에 들었던 샌드위치를 내려놓았다. 그는 무엇을 떠올렸는지 미묘한 얼굴이었다. 나는 접시를 내려다보며 말했다.

“그래도 초밥 사 주셨을 때는 잘 먹었던 것 같은데…….”

“거기 호텔 초밥이 먹을 만하죠.”

그가 동의했다. 그리고 건조한 목소리로 덧붙였다.

“그날이 이서단 씨가 나랑 자기 싫다고 엘리베이터에서 운 날이었고.”

“…….”

귀에 열이 올랐다. 기억을 더듬어야 할 정도로 오래된 것처럼 느껴지는 일이었다. 그때는 이런 분위기, 이런 관계가 되어 그때의 기억을 끄집어내게 되리라곤 생각조차 할 수 없었다. 같은 공간에만 있어도 숨이 막힐 정도로 한없이 무섭고 까마득하던 남자가 이제는 햇빛이 밝은 토요일 오후에 샌드위치와 커피를 놓고 내 앞에 마주 앉아 있었다.

“이서단 씨.”

침묵 끝에 그가 나직하게 말했다.

“열쇠는 가져왔습니까?”

“……아.”

잊고 있었던 것이 주머니 안에서 달아오르듯 묵직해졌다.

“네…… 드릴게요.”

뒤적거릴 것도 없이 주머니에 손을 넣자 열쇠가 딱딱하게 바로 잡혔다. 식탁 위로 천천히 팔을 뻗어 그에게 내밀었다.

몇 주 전과 비슷한 상황이었다. 그때 내게 열쇠를 다시 돌려주었던 한 팀장은 이제 거리낌 없이 고리를 손가락에 걸었다. 두어 번 느리게 돌리더니 손바닥 위로 감싸 쥐었다.

나는 미니 바케트로 만들어진 샌드위치를 꺼내 귀퉁이를 입에 넣었다. 한 팀장은 식탁 위에 떨어진 올리브를 휴지로 집어 들며 평온하게 말했다.

"예전에 부산 쪽으로 내려가다 찾은 괜찮은 카페가 있는데."

"……네."

"외진 곳에 있어서 아직 영업하는지는 모르겠네요. 거기 샌드위치가 맛있었습니다. 커피도 괜찮았고, 정원도 잘해 놨고."

"네."

먹느라 발음이 뭉개져 나왔다. 큰 빵 조각을 삼키고 눈을 들었더니 한 팀장이 내 얼굴을 보고 있었다.

"입가에 소스 묻었습니다."

"……여기……."

"아니, 거기 말고. 왼쪽."

입술 옆을 더듬었더니 그가 팔을 뻗어 반대편을 슥 훔치며 건조하게 말했다.

"이서단 씨 입장에서의 왼쪽을 말한 겁니다."

"……저는 팀장님 쪽에서의 왼쪽으로 알아들었어요."

손가락이 닿았던 곳이 화끈거리는 것 같았다. 그는 휴지를 뽑아 손에 묻은 소스를 닦고 말을 계속했다.

"부산에는 가 봤습니까?"

"네, 어렸을 때……."

"부산에 생각보다 볼 게 많습니다. 먹을 것도 많고. 나중에 일박 이일 정도로 내려가면 되겠네요."

그가 이런 말을 할 때마다 나는 가슴속이 꿈지럭거리듯이 기분이 이상해졌다. 빈말을 하는 사람도 아니면서, 지금까지 쌓아 온 약속만 해도 차례차례 이행하는 데 1년은 걸릴 것 같았다.

빈 커피잔의 손잡이를 만지작거리다가 입을 열었다.

"나중에 팀장님이랑 기차도 타러 가고 싶어요. 느린 기차……."

힐끗 눈을 든 그가 망설임도 없이 고개를 끄덕였다.

"기차도 괜찮죠. 어디 가고 싶은 데는 있습니까?"

"특별히 생각나는 데는 없는데…… 가는 길에 경치가 좋으면 좋을 것 같아요."

"그래요, 기억해 두겠습니다."

그가 휴지를 뽑아 건네주었다. 손을 닦고 나서 나는 부스러기만 남은 접시를 포갰다. 식탁 저편에서 끌어온 그의 잔도 비어 있었다. 아직 뜯지도 않은 샌드위치 상자들이 수북했다.

"먹을 만큼 먹었습니까?"

그가 물었다.

"네. 팀장님은 별로 못 드신 것 같은데……."

"충분히 먹었으니까 걱정하지 말아요."

그가 포개어진 접시를 집어 들며 몸을 일으켰다. 나는 샌드위치 상자를 최대한 많이 품에 안고 그를 따라갔다. 두 번 왔다 갔다 하면서 남은 상자들을 냉장고 한 칸에 차곡차곡 채워 넣었다. 그동안 한 팀장은 설거지를 빠르게 끝마치고 식탁까지 닦았다. 내가 하려고 했던 일이었는데, 가 보니 벌써 부스러기 하나 없이 나무의 표면이 깨끗했다.

나는 계단 위의 닫힌 문을 힐끔 올려다봤다. 계단 난간을 잡으며 짧게 심호흡했다.

"이제 올라갈까요?"

부엌에서 나온 그에게 물었다.

"어디를?"

한 팀장이 되물었다. 나는 할 말이 생각나지 않아 손가락을 위로 뻗어 침실 문을 가리켰다. 그는 눈썹을 치켜올렸다.

"왜? 피곤합니까?"

"……저한테 옷장 보여 주시려는 거 아니었어요?"

"……내가?"

의아한 얼굴을 한 그가 식탁 쪽으로 다가왔다.

"내가 언제 그렇게 말했습니까? 열쇠 가져오라고 했지."

"……플레이 얘기할 거라고, 열쇠 가져오라고 하셔서…… 저는 뭐 있는지 보여 주시고, 그러면서 얘기할 줄 알았어요."

"플레이는 이서단 씨가 짜는데 왜 내 옷장을 참고해요."

그거야 나한테는 옷장이 없기 때문이었다. 나는 김이 새듯이 한 순간에 긴장이 빠져나갔다. 며칠간 옷장 안의 풍경을 다시 마주할 각오를 다졌는데, 알고 보니 전혀 필요 없는 일이었다. 여전히 어이없다는 표정을 한 그가 내 옆을 스쳐 지났다. 서재로 들어갔다가 나온 그의 손에는 회사에서도 쓰는 절취선이 있는 노트 패드와 만년필이 들려 있었다.

"혼자 무슨 생각을 했는지 모르겠는데."

그가 계단 난간을 만지작거리는 나를 보며 말했다.

"열쇠를 가져오라고 한 건, 내가 따로 쓸 일이 있기 때문입니다. 플레이 얘기를 하기로 한 것과는 별개의 문제고."

"……네."

"소파로 가 있어요, 과일이나 씻어서 갈 테니까."

배가 불렀지만 나는 고개를 끄덕였다. 그는 내게 노트와 만년필을 들려 주고 부엌으로 사라졌다. 나는 그의 러그 위로 몸을 말고 주저앉았다. 지금 보니 그가 낸 문제는 객관식이 아니라 주관식인 모양이었다.

"거기 있을 겁니까?"

탁자 위로 딸기가 든 오목한 접시와 푸딩 하나를 내려놓으며 한 팀장이 물었다. 나는 소파와 멀리 떨어진 러그 위에 앉아서 고개를 끄덕였다.

"좋을 대로."

그는 소파에 앉으며 내가 탁자 위에 두었던 노트를 무릎 위로 펼쳤다. 만년필 뚜껑을 빼서 꽁지에다가 꽂았다. 회의실에서 노트 테이킹을 준비하는 것과 똑같은 자세였다.

"적으실 거예요?"

펜까지 꺼내 든 마당에 대답이 뻔했지만 나는 그래도 물어봤다. 고개를 든 그가 당연하다는 듯이 대답했다.

"적어야 나중에 참고하지."

"내용이 많은 게 아니라, 굳이 적을 필요까진 없을 것 같은데……."

"이서단 씨."

"……네."

"이서단 씨가 얼굴 마주하고 이런 대화를 하는 걸 불편해하는 건 이해하겠는데, 그렇다고 보고서 형식으로 제출하고 내가 코멘트 달아서 돌려주는 것도 이상하지 않습니까."

지금 와서는 나는 차라리 그게 더 나을 것 같았다. 말 한마디 꺼내지 않았는데 뻣뻣한 긴장으로 온몸이 다 아팠다. 열이 나는 것처럼 뺨과 귀까지 전부 붉게 상기되어 있었다.

한 팀장은 꼬고 있던 다리를 풀며 등받이에 편하게 기대앉았다. 펜을 느슨하게 잡은 채로 말했다.

"준비되면 말하세요, 급한 일 아니니까. 먹을 것도 좀 먹고."

그의 시선이 비스듬히 종이를 향해 있었다. 나는 물기가 맺혀 있는 딸기를 들어 입안에 넣었다. 씨가 박혀 있는 홈들이 까끌까끌하게 느껴졌다. 꼭꼭 씹고, 삼키고, 붉은 물이 남은 손가락을 입술에 닦아냈다. 햇살이 들이치는 오후의 거실은 현실감이 없었다. 그를 올려다보지 않고 입을 열었다.

"저 일단……."

"네."

"개목걸이를 하면 좋을 것 같아요."

시야 끝에 잡히는 펜이 멈칫했다. 짧은 정적이 흘렀다. 이윽고 펜촉이 슥슥 종이 위로 휘갈겨지는 소리가 났다. 노란 종이 위로 단정한 필체가 '개목걸이'라고 쓰고 있을 것이다. 나는 몸이 증발해 버렸으면 좋겠다고 생각했다.

"가죽으로 만든 걸 말하는 겁니까? 쇠로 된 징이 박혔거나 구멍이 뚫린?"

들려오는 목소리가 완벽하게 무심했다. 나는 고개만 끄덕거렸다. 슥, 펜이 또 움직이는 소리가 들렸다. 몸을 움츠리며 시선을 들자, 시야 끄트머리에 펜을 그러쥔 길고 잘생긴 손가락이 잡혔다.

사무적이기까지 한 목소리로 한 팀장은 이어 물었다.

"개목걸이를 하고 싶다는 건, 다시 말해 개처럼 행동하고 싶다는 겁니까?"

"……네?"

"개 소리를 내면서 짖고 싶다든가, 네 발로 기어 다니고 싶다든가."

그는 친절하게 팔을 뻗고 손가락을 탁자 위에 짚어 네 발로 기어 다니는 모양을 만들었다. 개처럼 생긴 손이 탁자 위를 돌아다녔다.

나는 그의 말이 끝나기도 전에 문을 닫아 버리듯이 대답했다.

"아닙니다. 그런 게 아니라, 그냥 개목걸이만……."

"알았습니다. 또?"

펜촉이 멈춰 서서 나를 기다리고 있었다. 탁자 위 햇살이 만드는 그림자까지 하나하나 디테일이 섬세한 악몽 같았다. 나는 몇 주간 손가락 사이로 봤던 영상물이며 길게 이어지던 문서들을 떠올리며 자포자기의 심정으로 빠르게 입을 열었다.

"묶는 거랑, 엉덩이 맞는 것도, 너무 많이 아프지만 않으면……. 그리고……."

"천천히 하나씩 하세요. 묶이는 건 뭐로 묶이고 싶어요?"

나는 뚝 멎었다. 한 팀장은 내가 말만 하면 세상의 어떤 끈이라도 가져와 묶어 줄 것처럼 인내심 있게 내 대답을 기다리고 있었다.

"……별로 상관없을 것 같아요. 넥타이나, 아무거나……."

"참고하겠습니다. 스팽은?"

목이 탔다. 딸기라도 입에 넣으려고 시선을 들었는데, 하필이면 시야 정면에 노트를 잡아 고정하고 있는 그의 손이 보였다. 긴 손가락 끝의 손톱의 모양까지 선명하게 눈에 들어왔다. 뒷목에 서서히 붉게 열이 올랐다. 입을 열었는데 말이 나오지 않았다.

"내 손?"

그가 무심하게 물었다. 나는 목에 덩어리가 걸려 아무 말도 할 수 없었다.

"핸드 스팽이 무난하긴 합니다. 조절하기도 쉽고."

"……."

"몇 대 정도가 적당할 것 같습니까?"

"……그것도 제가……."

"내가 정하게 되면 이서단 씨가 후회할 텐데."

올려다본 눈이 웃고 있었다. 아무래도 이 상황이 빨리 끝나기를 바라는 건 나 혼자인 것 같았다.

나는 숨을 한 번 깊게 들이쉬고 자세를 고쳐 앉았다. 머릿속에서는 경매장에라도 온 것처럼 계산기가 빠르게 돌아갔다. 마침내 한 번 더 숫자를 고치고 조심스럽게 입을 열었다.

"사십 대 정도……라고 해도 괜찮으세요?"

나름대로의 철저하고 치밀한 계산 끝에 나온 답이었다. 대답이 없어서 눈을 들었더니, 한 팀장의 미간이 슬쩍 좁혀져 있었다. 생각에 잠긴 것처럼 펜 끝으로 노트를 툭툭 두드리던 그가 상체를 일으켜 앉았다.

"이서단 씨가 원한다면 그렇게 해 주겠지만, 좀 많은 것 같은데."

"……네?"

"참을 수 있는 최대치를 얘기하라는 게 아니라, 가벼운 마음으로 즐길 수 있는 게 어느 정도인지 묻는 겁니다. 내 생각에는 열 대나 스무 대 정도면 충분할 것 같은데."

"……엄청 세게 때리시게요?"

그 말에 그가 설핏 웃었다.

"그것도 이서단 씨가 정할 문제인데, 그럴 생각으로 꺼낸 얘기는 아닙니다."

"하지만 그러면……."

"그러면?"

"너무 제 기준에만 맞추면, 팀장님은 재미없으시잖아요."

대답이 없어서 눈을 들었더니, 한 팀장이 어이없다는 표정으로 나를 뚫어져라 보고 있었다.

"내가 이서단 씨한테 내 눈치 봐 가면서 플레이 짜 오라고 했습니까?"

"그래도…… 저 혼자 재미있고 팀장님은 지루하시면 안 될 것 같아서요."

"그거야 말로 쓸데없는 걱정입니다. 난 지금도 재미있고 앞으로도 쭉 재미있을 예정이니까."

그가 웃는 얼굴로 의심의 여지도 남기지 않겠다는 듯이 힘주어 말해서, 나는 더 이상 할 말이 없어졌다. 무릎을 끌어안고 앉아 러그의 푹신한 털만 내려다봤다.

"또."

그가 재촉했다.

"빨리 말해야 빨리 끝나지."

"……구체적인 게 아니라, 아무거나 생각나는 거……. 아니면, 안 되겠다 싶은 걸 말해도 괜찮아요?"

"말하고 싶은 건 뭐든 말하세요."

이쯤 되자 낮은 목소리에 대놓고 웃음기가 묻어 있었다. 나는 체념한 상태로 입을 열었다.

"발로 차거나 뺨을 때리거나 그런 건…… 아무리 플레이라도 저는 기분이 서러울 것 같아요."

"그래요."

"너무 복잡하게 묶거나, 너무 전문적인 도구를 사용하거나 그런 것도 싫고……."

"알겠습니다."

"치마나 옷 이상한 걸 입히는 것도…… 아프거나 그런 건 아니니까 괜찮은데, 별로 감흥이 없을 것 같아요."

눈이 마주쳤다. 한 팀장이 평온하게 대답했다.

"내 취향도 아닙니다. 이서단 씨가 입고 싶다고 하면 그건 또 나쁘지 않을 것 같지만."

"……또…… 관장은 제가 집에서 알아서 해 오겠습니다."

말끝이 오늘 중 가장 확고하게 내려앉았다. 긴장하며 고개를 들었는데, 그가 의외로 선선하게 고개를 끄덕였다.

"알겠습니다."

"그럼…… 저는 그 정도면 된 것 같은데……."

뭘 말하고, 뭘 말하지 않았는지도 잘 기억이 나지 않았다. 머릿속에 적어 온 목록도 뒤죽박죽 섞여 있었다. 어디론가 도망치고 싶어서 발바닥이 간지러웠다.

중간부터 아예 펜을 내려놓았던 한 팀장은 노트를 쭉 훑어보더니 덤덤하게 말했다.

“재료가 빈약해서 오히려 도전 정신이 생기네요.”

나는 사과하려다가 입을 다물고 잠자코 푸딩의 뚜껑을 뜯었다. 부들부들한 표면이 흔들렸다. 고민하듯이 뚜껑 닫은 만년필로 종이를 톡톡 치던 그가 물었다.

“설득하려는 건 아닌데, 이서단 씨는 플레이에서 섹스를 아예 빼길 원하는 겁니까?”

“네?”

나는 티스푼을 놓쳤다. 푹, 하고 둥근 스푼 끝이 푸딩 속으로 깊숙이 잠겨 들었다. 표정을 수습도 못하고 겨우 말했다.

“저는 그건 당연히 들어가는 줄 알고……”

“꼭 그렇지는 않습니다. 경우에 따라서는 성적으로 느껴질 만한 행위가 일체 없는 플레이도 있고.”

“그런 건 싫어요.”

그가 말을 끝내기도 전에 대답했다. 말이 생각보다도 단호하게 나왔다. 내뱉고 보니 당신과 섹스하고 싶다는 의사를 대놓고 밝힌 셈이었다. 한 팀장은 눈을 접어 느른하게 웃었다.

“나도 그런 건 싫습니다. 다행이네요, 취향이 잘 맞아서.”

“……그럼…… 이제 어떻게 하면 돼요?”

“뭘?”

“제가 더 해야 되는 거나…… 준비해 와야 되는 거나…….”

“없는 것 같은데.”

그가 표정 변화 없이 대답했다.

"빈칸은 내가 채워야겠지만, 대충 윤곽은 나온 것 같습니다. 지금 내 스케줄상으로는 다음 주 주말은 어렵고, 그다음 주 토요일 정도에 이 내용대로 플레이해 보면 될 것 같은데. 이서단 씨 마음이 내킨다면. ……왜 그런 표정입니까."

"……그냥, 막상 하려고 하니까 실감이 안 나서요."

기분이 이상했다. 내 입에서 나온 내용이 2주 후에 그대로 일어나게 될 것이라고 생각하니 어색하고 기묘한 고양감으로 마음이 들떴다. 불안감과 기대감이 벌써부터 손끝을 저리게 했다. 한 팀장은 무릎을 끌어안고 앉아 있는 나를 물끄러미 보다가 물었다.

"푸딩은. 안 먹을 겁니까?"

"아…… 네, 지금 먹을게요."

나는 잊고 있던 푸딩에서 스푼을 끄집어냈다. 스푼에 담길 정도를 떠서 입에 넣었다. 진하고 달콤한 맛이 혀 위로 녹아들었다. 이번에는 바닥에서 캐러멜을 잔뜩 퍼 올려서 부드러운 푸딩에 섞어 먹었다. 한 팀장은 휘젓듯이 느릿느릿 움직이는 내 스푼을 보다가 말했다.

"빨리 먹어요. 반만 먹든지."

"……네?"

그가 노트를 탁 닫아 옆으로 치우며 소파에서 일어났다. 내 시선이 그를 따라 올라갔다.

"아니, 많이 먹은 것 같으니까 냉장고에 갖다 넣으세요. 위층 올라가게."

"위층에요?"

이해를 못 하고 멍하니 쳐다봤다. 옷장은 보여 줄 일이 없다더니, 갑자기 그럴 필요가 생겼나 싶었다. 내 앞에 멈춰 선 한 팀장이 허리를 굽혀 내 손에서 스푼을 빼앗아 갔다. 얼떨결에 나는 손목이 붙잡혀 일으켜졌다. 손에는 아직 푸딩 통이 들린 채였다.

"으……."

얼굴이 가까워지고, 입술이 부딪쳤다. 등에 그의 팔이 감겨서 확 몸이 앞으로 딸려 갔다. 입술이 더 깊게 맞물리고, 벌어진 틈으로 뜨거운 혀가 파고들었다. 안을 난잡하게 헤집어 놓고 빠져나가는 짧은 키스였다.

입술이 떨어졌을 때는 둘 다 호흡이 거칠어져 있었다. 그가 낮아진 목소리로 다시 말했다.

"갖다 놓고 오세요."

나는 눈도 못 마주치고 고개를 끄덕였다. 더듬더듬 그에게서 몸을 물렸다. 키스하던 내내, 그의 바지 옷감을 뚫고 내 아랫배에 뜨겁고 딱딱한 감촉이 닿아 있었다. 열이 옮아온 것처럼 온몸으로 순식간에 번졌다. 심장 뛰는 소리가 그에게 들리고도 남을 것 같았다.

⁂

뒤척이다가 늦게 잠들어서인지, 맞춰 둔 알람 세 개 중에 첫 번째와 두 번째는 아예 놓쳤다. 새벽이라고는 하지만 평소 출근하기 위해 일어나는 시간과 비슷했는데, 그래도 주말의 새벽은 느낌이 달랐다. 나는 비몽사몽한 상태로 침대 밑으로 굴러 떨어지다시피 일어났다. 핸드폰을 집어 들어 시간을 다시 확인하고, 두 손으로 눈두덩을 꾹 눌러 비볐다.

꼼꼼하게 씻고 나서 빠르게 관장했다. 아직 배 속이 들끓는 감각이 불쾌하긴 해도 이제는 기다리는 동안 딴생각을 할 만큼 익숙해져 있었다. 이를 닦고 세수를 하고 머리를 대충 말렸다. 욕실 거울에 비치는 내 얼굴은 하얗고, 졸려 보였다.

왜 이렇게 이른 시간이어야 하는지 나는 묻지 않았고, 그는 굳이 설명하지 않았다. 차라리 대낮이었으면 지하철을 타고 그의 집으로 가는 길이 일상적으로 느껴졌을 것이다. 토요일 이른 새벽의 지하철은 텅 비어 있었고, 환승 통로도 사람 한 명 없이 넓고 환했다. 무빙워크에 얌전히 실려 가며 나는 문득 내가 꿈속에서 걸어 다니는 것 같았다. 그것도 아니면 게임 속으로 들어가는 것 같았다. 내 입에서 나온 말 하나 때문에 개목걸이를 준비했을 남자가 지금 나를 기다리고 있다고 생각하니, 손바닥에 땀이 차오르는 긴장 속에서도 실없이 웃음이 터졌다.

역 입구로 올라오자 하늘이 새벽의 짙은 푸른색이었다. 이제 곧 여름이라고는 하지만 새벽 기온이 쌀쌀했고, 들이마신 숨에서는 매캐하고 시린 향이 났다. 약속시간까지는 아직 여유가 남아 있었다. 멀찍이 보이는 그의 아파트 건물을 향해 걸어가던 중에, 주머니 속의 핸드폰이 진동했다. 문자였다.

[문 열고 들어서면 곧바로 시작할 겁니다.]

[걱정되는 점이나 하고 싶은 말이 있으면 그 전에 하세요.]

네모난 폰트가 그의 글씨를 닮아 있었다. 나는 화면을 내려다보다가 손가락을 느리게 움직여 통화 버튼을 눌렀다. 그는 신호음 한 번 만에 전화를 받았다.

-무슨 일이에요?

목소리가 낮고 부드러웠다. 지나치는 사람에게 길을 비켜 주며 나는 아직 불이 켜져 있는 가로등 옆에 멈춰 섰다.

-오는 중입니까?

"……네, 거의 다 왔어요."

-기분은 괜찮고?

다정한 말끝, 다정한 질문. 나는 긴 손가락으로 핸드폰을 쥔 채 귀에 대고 있을 그를 생각했다. 눈앞에 보이는 건물에, 수도 없이 들어가 본 집에 그가 있는데, 갑자기 아득하게 먼 곳에서 그의 목소리를 듣고 있는 것 같은 기분이 들었다.

"……팀장님."

-왜.

"……."

말로 내뱉을 수 있으면 가슴이 덜 먹먹했을까. 사람을 좋아하는 것에도 한도가 정해져 있을 텐데, 일정량 들어찬 후에는 더 이상 담지 못하고 넘쳐야 정상이었을 텐데, 나에게는 그런 게 없는 느낌이었다. 그를 생각하면 마음이 하늘을 뚫고 소리도 없는 깜깜한 진공까지 끝도 없이 날아올랐다. 때로는 새벽에 눈이 떠지고 온몸이 벌벌 떨릴 정도로 무서워졌다. 이렇게까지 누군가가 좋은 것이, 갈수록 더 좋아지기만 하는 것이, 멀쩡하고 정상일 리 없었다.

"아침은…… 드셨어요?"

내 귀에도 목소리가 위태롭게 들렸으니, 그가 모를 리 없었다. 짧은 침묵 끝에 그가 담백하게 대답했다.

-간단하게 먹었습니다. 이서단 씨는?

"두유랑 바나나랑 먹고 나왔어요."

-잘했어요. 출근하는 날도 아닌데 일찍 일어나느라 고생했습니다.

평소와 다를 것 없는 목소리였다. 그의 집 문을 열고 들어서자마자 나를 무릎 꿇리고 차갑게 몰아붙일 거라고는 쉽게 상상이 되지 않을 만큼 평온한 어투였다. 나는 입을 다물고 핸드폰을 고쳐 쥐었다. 느린 숨소리가 수화기를 타고 넘어왔다. 이윽고 그는 웃음기를 뺀 목소리로 조용하게 말했다.

-이서단 씨.

"……네."

-나와 어울려 주기 위해 이서단 씨가 들이는 노력을 가볍게 여긴 적 없고, 앞으로도 그럴 일은 없을 겁니다. 나를 만났기 때문에, 또 나를 이해하기 위해서 이서단 씨가 원래라면 마주할 필요 없었을 일들을 마주해야 했다는 걸 잘 알고 있고…….

나직하고 담담하게 그가 말을 이었다.

-말로는 충분하지 않겠지만, 늘 고맙고 미안하게 생각하고 있습니다.

나는 목이 꽉 막혀서 대답을 할 수 없었다. 가슴에 울렁거리는 것이 가득 들어찼다. 소리 없이 머리 위의 가로등이 꺼졌다. 하늘이 어느새 밝아져 있었다.

-밖이면 추울 텐데.

그가 평소와 다름없이 말했다.

-슬슬 들어오세요. 감기 걸립니다.

"……네, 지금 갈게요."

-기다리고 있겠습니다. 문 열어 놓을 테니까 들어와요.

전화가 끊어졌다. 입 다문 핸드폰을 쥐고 나는 걷기 시작했다. 눈을 들어 그가 있을 곳을 확인했다. 여러 번 아래에서부터 건물의 층수를 세었다.

지하철에서만 해도 스멀스멀 아랫배를 갉아 먹던 긴장은 그의 집 복도로 들어서자 어느새 죽은 듯이 잠잠해져 있었다. 나는 빠르지도 느리지도 않은 걸음으로 그의 현관문 앞에 도착했다. 그의 말대로 키패드를 따로 누르지 않아도 손잡이가 매끄럽게 내려갔다. 소리 없이 문이 열렸다.

천장이 높은 거실은 어두웠다. 발코니가 내다보이는 넓은 창의 커튼이 작은 틈새를 남겨 놓고 닫혀 있었다. 한 팀장의 모습은 보이지 않았다.

나는 현관에 서서 신발을 벗었다. 평소대로 깔끔하게 정돈된 집

안이 어슴푸레한 어둠 때문인지 이상하게 낯설어 보였다. 거실 소파 앞에 있는 낮은 탁자가 어디로 갔는지 사라져 있었고, 그 아래에 깔려 있던 푹신한 러그가 평소보다 넓어 보였다.

"……아."

탁자의 빈자리에 정신이 팔려 있던 사이에 닫혀 있던 서재의 문이 소리 없이 열렸다. 나는 고개를 돌렸고, 한 팀장을 발견했다. 심장이 목까지 단번에 뛰어올랐다.

서재 문턱에 선 그는 재킷까지 챙겨 입은 정장 차림이었다. 매일 회사에서 보는 옷인데도 나는 명치를 얻어맞은 것처럼 숨을 멈췄다. 낯설었다. 나를 무심히 내려다보고 있는 표정은 상사의 것도 아니었고, 애인의 것도 아니었다. 거리낄 게 없다는 듯이 본성을 드러낸 차갑고 오만한 얼굴이었다.

"옷은 내가 말하기 전에 벗어야지."

명령조도 아니었다. 희미한 귀찮음이 섞인 느린 어투였다. 나는 거실로 올라서지도 못하고 현관에 선 채로 얇은 셔츠를 걷어 올렸다. 머리 위로 셔츠를 벗고, 바지와 속옷을 한꺼번에 내렸다. 내가 옷을 벗고 개키는 동안 그는 아무 말도 없었다.

어설프게 접은 옷에 양말과 핸드폰을 올려서 현관 옆에 밀어 두었다. 그리고 고개를 들었는데, 한 팀장이 어느새 거실 중앙에 서서 나를 지켜보고 있었다. 커튼 틈새로 새어 드는 빛의 줄기가 거실 바닥을 가로지르고 그의 옆모습을 적셨다. 어둠 속에서 그가 조명을 받은 것처럼 선명하게 드러났다. 장신의 실루엣이 보였고, 타이의 완벽한 매듭이 보였고, 그의 한쪽 손에 들린 물건이 보였다. 가죽으로 된 띠 끝에 쇠로 된 고리가 달려 있었다.

알고 있었는데도, 내 입으로 말을 꺼내고 여러 번 떠올리면서 웃기까지 했는데도, 막상 그의 손에 들린 것을 보자 아무 생각도 나지 않았다. 머릿속이 하얗게 날아가고 입술이 바짝 말랐다. 심장이 경련하듯이 빠르게 뛰었다.

"내 앞에 무릎 꿇으세요."

내 얼굴을 지켜보던 그가 나직하게 말했다. 나는 아무 말도 못 하고 후들후들 떨리는 다리를 움직여 거실로 올라섰다. 거리가 반쯤 좁혀졌을 때 시선을 이겨 내지 못하고 먼저 바닥에 꿇어앉았다. 심장이 너무 뛰어서 눈앞이 어지러웠다. 더듬거리는 무릎걸음으로 그의 앞에 도달했다. 잘 다려진 정장 바지의 주름이 시야에 잡혔다. 검은 양말을 신은 그의 발에 무릎이 닿을락 말락 한 거리였다.

한 팀장은 내 턱 아래로 손끝을 넣어 고개를 들게 했다. 목의 선이 길게 드러나도록 턱을 치켜올리게 하고 손을 떼었다. 나는 간신히 숨만 쉬었다. 그의 반대쪽 손이 느리게 들리는 게 보였다. 그제야 그가 들고 있는 물건의 선명한 형태가 시야 정면에 잡혔다.

외관상으로는 정말로 평범한 개목걸이였다. 진한 갈색의 가죽에 둥글고 납작한 징이 일정한 간격으로 박혀 있었고, 한쪽 끝에 쇠로 된 버클이 달려 있었다. 나는 더 이상 지켜볼 수가 없어서 눈을 감았다.

슥, 가죽의 부드러운 안쪽 면이 내 목에 스치듯이 닿았다. 목줄이 매끄럽게 감기듯이 내 목을 감싸 안았다. 차가운 가죽이 내 체온에 젖었다. 세모꼴의 끝부분을 반대편 버클에 넣은 그가 둘레를 조절하자, 목을 졸리는 것 같은 단단한 압박감이 조금 느슨해졌다.

"……흣……."

버클을 채우고 툭툭 당겨서 확인한 그가 손을 떼었다. 그제야 나는 겨우 멈췄던 숨을 내쉬며 눈을 떴다. 공기를 들이마실 때마다 살갗에 가죽이 밀착되어 있는 감각이 고스란히 느껴졌다.

뒤로 물러선 그가 나를 내려다보고 있었다. 무감한 시선이 나를 머리끝에서부터 훑어 내렸다. 벌거벗고, 목에는 개목걸이를 차고, 그의 거실 바닥에 무릎 꿇고 앉아 있는 내 모습이 그림처럼 그의 시야에 고스란히 담겼다.

"생각보다 더 잘 어울리는데."

그가 느릿하게 말했다.

"주인 이름을 새겨 놓으면 더 좋겠네요. 어디 도망가도 잡혀 오게."

"……."

나는 가죽과 금속이 내 목에 채워진 순간부터 인간의 자격과 능력을 상실한 것처럼 말이 나오지 않았다. 입을 다문 채로 덜덜 떨리는 몸을 겨우 지탱하고 꿇어앉아 있었다. 한 팀장은 팔을 뻗어 개목걸이 앞부분에 달린 쇠고리를 가볍게 잡아당겼다.

"……흐읏……!"

목이 붙잡히자 몸이 쉽게 딸려갔다. 나는 넘어질 것 같아서 바닥에 급하게 손을 짚었다. 발뒤꿈치 위로 눌렸던 엉덩이가 허공에 들리자 네 발로 걷는 것 같은 자세가 되었다. 한 팀장은 그제야 나를 놓아주며 가볍게 턱짓했다.

"따라오세요."

"……."

일어나는 것이 정상이었을 것이다. 나는 이족보행이 익숙한 인간이었고, 그가 일어나서는 안 된다고 말한 적도 없었다. 그럼에도 나는 어딘가에 홀린 듯이 그가 만들어 준 자세대로 몇 걸음 기어갔다가, 무릎으로 일어나 더듬더듬 그를 따라갔다.

한 팀장은 주머니에 손을 찔러 넣은 채로 소파 앞에 멈춰 섰다. 나는 러그 위로 막 올라간 참이었다. 나를 돌아본 그가 주머니에서 손을 빼냈다. 딸려 나온 것은 여분의 넥타이였다.

나는 저게 어디 쓰일지 알 것 같았다. 플레이 내용을 미리 짠다는 것은 미래를 예측할 수 있는 능력과 비슷했다. 손목을 모아 내밀려고 마음의 준비를 하는데, 내 앞에 멈추는 대신 그가 내 등 뒤로 돌아갔다. 길고 반듯하게 펼쳐진 넥타이가 내 얼굴 앞으로 내려왔다.

"……아."

"너무 조이면 말하세요."

반사적으로 감은 눈꺼풀 위로 부드러운 천이 닿았다. 귀 뒤로 넥타이를 넘겨 고정한 그가 뒤통수 부근에서 매듭을 지었다. 안대는 아플 정도로 눈을 꽉 조였다가, 다시 조금 느슨해졌다. 나는 천에 가볍게 눌린 눈꺼풀을 겨우 들어 올렸지만, 정말로 아무것도 보이지 않았다. 깜깜했다. 눈을 감고 있는 것과 뜨고 있는 것 사이에 아무런 차이가 없었다.

"……팀장님."

그가 보이지 않자 덜컥 겁이 났다. 등 뒤로 뻗은 손에는 아무것도 잡히지 않았다. 어느새 몇 걸음 떨어진 곳에서 발소리가 들리고, 멀어졌다. 거실 저편에서 인기척이 났다. 나는 러그 끄트머리까지 기어가서 움츠린 채로 귀를 기울였다.

방문이 닫히는 소리가 났다. 가까워진 발소리가 내 앞에서 멎지 않고 스쳐 지나갔다.

"다녀올 테니까 얌전하게 있어요. 사고 치지 말고."

"……네?"

"물은 그 옆에 놔뒀습니다. 너무 많이 마시면 화장실 가고 싶어질 테니까 알아서 조심하는 게 좋을 겁니다."

"팀장님, 어디……."

그리고 그제야 나는 기억해 냈다. 며칠 전에 그는 분명히 토요일 오전에는 외부 회의가 있다고 말했었다. 들었는데, 새벽에 집으로 오라는 말을 들었을 때는 그의 일정이 변경되었다고만 생각했다. 그가 정장을 멀끔히 차려입은 것이 정말로 출근하기 위해서라고는 생각하지 못했다.

"……그러면, 언제…… 언제 오세요?"

목소리가 불안하게 떨려 나왔다. 현관 쪽에서 소리가 났다. 대리석 타일 위로 구두가 안착하고, 그가 발을 구두에 밀어 넣는 것이 생생하게 들렸다.

"얼마나 걸릴지는 회사 가 봐야 알 것 같습니다. 착하게 있으면 일찍 올 테니까 보채지 말고."

귀찮다는 듯한 목소리였다. 문 열리는 소리가 들렸다. 멀리서 들리는 것처럼 말끝이 희미해졌다. 그리고 현관문이 철컥, 단단한 소리를 내며 닫혔다.

나는 목줄을 차고 안대를 한 채로 어두운 거실에 홀로 남았다. 믿기지 않아서 다시 귀를 기울여 봐도, 정말이었다. 현관에서는 아무런 소리도 들리지 않았다.

그래도 그가 현관문 안쪽에 기대어 서서 소리 없이 나를 지켜보고 있을 것 같아, 짧게 숨을 들이쉬고 그를 불렀다.

"팀장님."

조용했다.

"팀장님, 정말로……."

나는 손을 눈가로 올렸다가 차마 안대를 벗지는 못하고 다시 내렸다. 일어서서 이족보행에 죄책감이라도 느끼는 듯한 어정쩡하고 구부정한 걸음으로 러그를 벗어났다. 그새 거실의 크기는 운동장으로 불어나 있었다. 현관이 원래 있던 곳에 없는 것 같았다. 팔을 뻗어 더듬다가 손등이 벽에 아프게 부딪혔다.

"읏!"

그 옆이 현관이었다. 차가운 대리석 위로 발바닥이 닿았다. 나는 두 팔을 내밀고 신발장에서 현관문까지 현관의 면적을 샅샅이 훠저었다. 아무것도 손에 잡히지 않았다.

"……."

잠시 멈춰 서 있다가 느린 걸음으로 러그 위로 돌아왔다. 푹신한 털 위로 맨엉덩이를 붙이고 일단 앉았다. 숨을 느리게 들이쉬고 내쉬었다.

어이가 없었고, 허탈했다. 한없이 황당했다가 갑자기 억울해졌다. 삐죽 치솟은 원망스러움이 몸속에 부글부글 들끓었다. 여긴 그의 집인데, 나 혼자 텅 빈 곳에 버려져 있는 것이 허전했다. 서운하고 외로웠다.

급격하게 울렁거리고 요동치던 기분은 시간이 지나면서 서서히 잠잠하게 가라앉았다. 나는 꼼짝 않고 뻣뻣하게 앉아 있던 몸을 러그 위로 허물어뜨리며 앓는 소리를 냈다.

어차피 그는 나를 묶어 둔 것도 아니었다. 내 손으로 안대를 풀고 개목걸이를 풀고 나서 편하게 앉아 있거나 TV를 틀어도 되는 일이었다. 후환이 두려운 거라면 그가 돌아올 것 같거나, 현관에서 인기척이 들릴 때 재빨리 안대를 다시 쓰는 방법도 있었다. 그걸 빤히 알면서도 나는 그가 남겨 놓고 간 그대로 얌전히 러그에 남아 있었다. 손을 올려 조심스럽게 목을 만져 봤지만 개목걸이를 풀려고 노력하지 않았고, 뒤통수의 매듭을 확인했지만 안대를 그대로 놔두었다.

벽시계의 초침 소리가 크게 들렸다. 눈이 보이지 않으니 나머지 감각이 곤두섰다. 맨살에 닿는 공기가 조금 쌀쌀해서 나는 러그 위로 몸을 밀착시켰다. 부드러운 털 위로 뺨을 비볐다. 눈을 감고 지금쯤 운전하고 있을 그를 생각했다. 외부 회의는 어디에서 열리고 얼마나 걸릴까. 그가 가기 전에 대략적인 시간이라도 말해 줬으면 좋았을 텐데, 이제 막 시작된 기다림이 까마득했다.

아마 그가 가는 회의에는 내 사수도 참석할 것이다. 그녀는 상석에 앉아 태연하게 회의를 이끄는 상사가 부하 직원에게 개목걸이를 채워 집에 가둬 놨다는 사실을 꿈에서나 짐작할까.

"……이럴 줄 알았으면……."

차라리 그가 구체적인 상황을 설정하고 역할과 관계를 정하라고 했을 때 그렇게 했어야 했다. 말하고 싶지 않아서 그에게 나머지 빈칸을 채워 달라고 한 것이 문제였다. 다음에는 보고서 형태로 써서라도 꼭 구체적으로 말해야겠다고 결심하고 나서, 나는 무릎을 올려 앉았다.

"……."

초침이 움직이는 소리가 아까보다 느려진 것 같았다. 시간이 얼마나 지났는지 알 수 없었다. 나는 살짝 안대를 내려 시계만 한번 보고 싶은 충동을 억누르며 러그 위를 느리게 굴러다녔다. 그가 이렇게 일찍 돌아올 리 없다는 걸 알면서도 온 신경이 다 현관문에 쏠려 있었다.

더듬거려서 소파 옆에서 찾아낸 물병을 열고 물을 마셨다. 그가 했던 말이 생각나 입술을 축이는 정도였다. 물병을 내려놔도 물로는 해결되지 않을 갈증이 자꾸만 치밀었다. 기다림은 길고 끊임없이 늘어졌다. 아무리 생각해도 몇 시간은 지난 것 같았다. 나는 일어나 앉았다가 웅크렸다. 불편하게 누워 잠을 청하기도 했고, 무릎을 끌어안고 움츠린 채 한참을 있기도 했다.

나중에는 이러다가 그가 아예 오지 않는 게 아닐까 생각했다. 회사에서 일이라도 있었을까. 연락하려 했는데 방법이 없었을까. 나는 내 핸드폰이 지금 어디 있는지도 몰랐다. 정말로 그에게 무슨 일이라도 생겼다면, 이러다가 해가 지고 어둠이 떨어질 때까지 나는 그가 없는 집에 혼자 우두커니 남아 있을 것 같았다. 기다려도 아무도 오지 않을 것 같았다.

마침내 키패드의 신호음이 들려왔을 때, 나는 아무것도 한 게 없으면서 녹초가 되어 있었다. 현관이 있는 쪽을 향해 꿇어앉아 있던 몸이 소리에 응답하듯 크게 떨렸다. 나는 가쁜 숨을 토해 내며 나도 모르게 현관을 향해 몇 발짝 기어갔다.

삑삑삑— 잠금쇠가 풀리는 소리가 울리고, 손잡이가 내려갔다. 문이 열렸을 때 나는 현관 앞에 무릎으로 서 있었다. 목을 젖혀서 그의 얼굴이 있을 법한 곳을 하염없이 올려다봤다.

"……팀장님……."

문이 닫히는 소리. 대리석 위로 건조하게 부딪치는 구두 소리가 들렸다. 불안하게 떨리는 내 목소리가 들렸을 텐데, 집 안으로 들어온 사람에게서는 아무런 대답도 돌아오지 않았다.

나는 갑자기 무서워졌다. 앞이 보이지 않으니 문을 열고 들어온 사람이 그가 맞는지 알 길이 없었다. 입술을 깨물며 무작정 땀으로 축축해진 손바닥을 뻗었다. 아무것도 잡히지 않았다.

"팀장님, 어디…… 어디 계세요?"

조용했다. 내 심장 뛰는 소리만 쿵쿵 울렸다. 팀장님, 하고 또 작게 부른 목소리 끝에 끝내 서러운 울음이 매달렸다. 원망스러운 마음이 크게 부풀었다가, 땅이 까맣게 꺼지는 듯한 무서움에 집어삼켜졌다.

"대답만 해 주세요…… 아무 말이나 좀……."

뺨에 스치듯이 부드러운 것이 닿았다. 옷감이었다. 나는 숨을 토해 내며 손을 뻗었다. 단단한 허벅지가 더듬거리는 손에 잡혔다. 서늘한 향수 냄새에 낯익은 체향과 담배의 희미한 매캐함이 섞여 있었다. 나는 굶었던 사람처럼 허겁지겁 숨을 들이마셨다. 그의 허벅지를 그러쥔 채로 정장 바지의 옷감 위로 코를 묻었다.

뒤통수에 손이 닿았다. 그가 머리카락을 잡고 나를 느리게 떼어 냈다.

"팀장님은 무슨."

"……아, 으……."

"네가 회사 그만둔 지 언젠데 아직도 내가 네 팀장님이야."

내가 회사를 그만뒀구나. 멍한 머리로도 나는 빠르게 납득했다. 나른하고 무감정한 목소리가 귓가를 때렸다. 깔끔하게 잘리는 말끝에는 존대의 흔적조차 남아 있지 않았다.

손에 잡힌 허벅지가 단단했다. 나는 자세를 고쳐 앉으면서 그의 얼굴이 있을 곳을 올려다봤다.

"그럼, 제가 뭐라고 부르면…… 읏!"

머리채를 잡은 손이 내 머리를 앞으로 당겼다. 나는 넘어지듯이 그의 사타구니 부근에 코를 박았다. 딱딱한 지퍼가 살갗에 쓸렸다. 들이쉰 숨에 살 냄새가 진하게 묻어났다.

순식간에 아랫배가 뭉치고 열이 올랐다. 나는 말도 숨도 멈추고 몸을 움츠렸다.

"열어서 빨아."

그가 낮게 내뱉었다. 나는 여기가 현관이고 그가 이제 막 집에 들어섰다는 사실을 그제야 기억해 냈다. 떨리는 손끝으로 그의 지퍼의 고리를 찾아내면서 귓불에 붉게 열이 올랐다. 그가 돌아오면 플레이고 뭐고 그동안 쌓인 원망과 서러움을 쏟아야겠다고 생각했는데, 막상 그가 팔 뻗으면 닿는 곳에 있자 아무 말도 나오지 않았다. 말했다가는 그가 다시 나를 두고 나갈 것 같았다. 나를 버리고 가서 이번에는 돌아오지 않을 것 같았다.

"흐, 읍……."

감긴 눈꺼풀 밑으로 새어 나온 눈물에 안대가 뜨겁게 젖어 들었다. 나는 울음을 삼키면서 그의 속옷에서 반쯤 선 성기를 끄집어냈다. 다급하게 기둥을 받쳐 들고 선단 부분을 입에 넣었다.

콜록, 기침이 터져 나왔다. 급하게 목구멍까지 받아들였던 성기를 조금 빼냈다. 혀에 문질러지는 살 기둥의 피부가 얇고 뜨거웠다. 귀두의 툭 불거진 모양이 생생하게 느껴졌다. 나는 그의 허벅지를 끌어안은 채로 매달리듯이 열심히 그의 성기를 빨았다. 서서히 단단하게 기립하는 것을 담기 위해 입을 크게 벌렸다.

숨을 쉬면 비릿한 냄새가 밀려들어 왔고, 축축하게 쿨쩍이는 소리가 귓구멍을 찔렀다. 무심하게 내려다보고 있을 시선을 상상하자 몸이 더 초조하게 달아올랐다. 나는 점점 굵어지고 버거워지는 살기둥을 입안에 최대한 깊게 머금었다. 길쭉한 것을 넣었다가 빼내며 머리를 움직여 왕복 운동을 반복했다. 다 넣지 못하는 뿌리 부분을 젖은 손가락으로 만지작거렸다. 사납게 불거진 핏줄 위로 오므린 입술을 붙여 입 맞췄다.

"흐, 흐읏, 아……."

숨이 찼다. 그가 오래 기다려 주지는 않을 것 같아 짧게 숨을 고르고 다시 입술 사이로 굵은 귀두를 밀어 넣었다. 뺨이 불룩해지고 입꼬리가 찢어질 것처럼 아프게 당겼다. 눈물과 땀으로 얼굴이 흥건했다. 앞뒤로 머리를 움직이며 부어오르기 시작한 입안으로 그의 성기를 조였다. 난잡하게 젖은 소리가 났다. 가쁘게 숨을 들이쉴 때마다 목에 감긴 가죽이 단단하게 숨통을 막았다.

"좋아?"

내려다보던 그가 낮게 물었다. 목소리 끝이 거칠었다.

"빨고 싶어서 죽을 것 같았다는 얼굴인데."

"흣, 읏, 흡……."

"그렇게 하고 싶었으면, 성의를 다해야지."

개목걸이 앞에 달린 고리가 붙잡히고 당겨졌다. 꼼짝없이 머리가 앞으로 끌려갔다. 길쭉한 성기가 목구멍 안쪽까지 단번에 처넣어졌다.

"흐읏!"

"……버릇없이."

그가 한쪽 발을 들어 내 성기를 콱 짓밟았다. 배에 닿을 듯이 올라붙어 있던 성기가 오므린 허벅지 위로 눌렸다. 양말의 까슬한 천이 예민한 피부 위로 막무가내로 비벼졌다.

"읍, 으읍—"

귀두가 목젖을 짓누르고 동그랗게 열린 기도를 틀어막았다. 나는 흠뻑 젖은 안대 밑으로 눈물을 흘려 내며 그의 허벅지에 매달렸다. 그가 숨을 쉬게 해 줄 때까지 몸을 벌벌 떨면서 기다렸다.

그는 내 숨구멍을 틀어막은 채로 재미를 붙인 것처럼 발가락을 움직여 내 성기를 가지고 놀았다. 기둥 아래를 들추고 긴장한 고환을 툭툭 건드렸다. 애무라고 할 것도 없이 건성인 움직임이었는데, 나는 사정감을 참기 위해 몸을 빳빳하게 경직시켰다. 눈앞이 아지랑이처럼 일렁였다.

"흡, 흐아아, 아아, 흐으……."

정말로 더 못 버틸 것 같을 때쯤 그가 느리게 입안에서 성기를 빼내 주었다. 젖은 입술 사이로 귀두가 빠져나가자마자 나는 밭은기침을 쏟아 냈다. 끈적끈적하게 젖은 기둥이 뺨과 눈가에 뭉근하게 문질러졌다. 숨을 겨우 몇 번 들이쉴 정도의 여유였다. 간신히 다문 입술에 다시 두꺼운 귀두가 눌렸다. 나는 울음을 참으며 고분고분 입술을 벌렸다.

빠르게 난폭하게 목구멍까지 몇 번 들쑤신 성기가 빠져나갔다.

갑자기 뒤통수에 그의 손이 닿았다. 머리 위로 안대가 한 번에 벗겨져 나갔다.

"……흐으……."

흐릿한 시야에 흉흉하게 부푼 검붉은 성기가 잡혔다. 몇 시간 만에 눈을 떠서 처음으로 본 광경은 발가락이 오므라들 정도로 야했다. 반사적으로 눈을 질끈 감자마자 뜨겁고 끈적거리는 액체가 얼굴 위로 쏟아졌다. 거칠고 낮게 토해지는 숨소리가 들렸다. 치덕치덕 성기를 문지르며 그는 여러 차례에 걸쳐 내 얼굴 위로 사정했다. 비릿하고 뜨거운 정액이 벌린 입술 사이로 흘러들고 턱에 매달려 가슴 위로 뚝뚝 떨어져 내렸다.

"눈 감고 있어."

"흡……."

내 옆을 지나 멀어지는 발소리가 들렸다. 돌아온 그는 물에 적신 수건으로 내 얼굴을 훔쳐 주었다. 눈가를 꼼꼼하게 닦아 내고, 이마에 맺힌 땀을 점점이 닦아 주었다.

"입에 묻은 건 먹어야지."

사정의 여운으로 깔깔하게 잠긴 목소리가 귓속을 파고들었다. 나는 그가 말한 대로 혀를 내어 입술과 입가에 범벅이 된 정액을 핥았다. 시큼하고 끈적끈적한 것이 혀 위로 달라붙었다. 내가 붓고 아픈 목으로 힘겹게 정액을 삼키는 것까지 지켜본 그가 그제야 입술 위를 닦아 주었다.

"……훗."

나는 눈을 몇 번 깜박이고 느리게 떴다. 시야가 선명해지자, 눈앞에 그가 있었다. 집을 나서던 차림새 그대로, 다른 사람을 만나고 회의를 이끌었을 흐트러짐 없는 모습을 하고 내 앞에 있었다. 나는 숨을 죽이며 울음을 삼켰다.

한 팀장은 수건을 가지고 다시 열려 있는 욕실 문으로 들어갔다. 나는 감각이 무뎌진 무릎으로 문턱까지 그를 따라갔다. 무릎 꿇고 앉아 눈물을 깜박여 없애면서 그를 기다렸다.

물소리가 그쳤다. 젖은 손을 수건에 닦고 나온 그가 나를 보더니 멈춰 섰다. 나른하게 가라앉은 얼굴에 설핏 웃음이 스쳐갔다.

"밥 먹어야지."

나는 고개를 저었다. 그는 내 말을 들은 체도 않고 부엌으로 향했다. 욕실에서 부엌까지는 제법 멀었다. 내가 도착해 문턱으로 고개를 내밀었을 때 한 팀장은 이미 전자레인지에 그릇을 넣고 버튼을 누르고 있었다.

부엌에는 시계가 있었다. 나는 올려다보고 눈을 의심했다. 눈을 깜박였다가 다시 봐도 똑같았다. 이제 겨우 10시 반이 조금 넘어 있었다. 늦은 오후는 됐을 거라고 생각했는데, 그가 나간 지 고작 두 시간 정도가 지나 있었다.

"퇴근하신 거예요?"

나는 문턱에 앉아서 불안하게 물었다. 그는 재킷은 벗었지만 셔츠와 타이는 여전히 정갈하게 갖춰 입고 있었다. 찬장에서 빵을 꺼내던 한 팀장이 힐끗 내 쪽으로 시선을 주었다.

"오후에 다시 회사 나가실 건 아니죠?"

그는 대답하는 대신 냉장고를 열고 유리컵에 물을 가득 담아 내 손에 들려 주었다. 표정이 감정을 읽어 낼 수 없이 모호했다.

전자레인지가 돌아가는 것을 멈췄다. 소음이 걷힌 곳에 침묵이 자리 잡았다. 나는 그가 카운터에서 도마를 놓고 빵을 작게 자르는 동안 두 손으로 잔을 기울여 물을 몇 모금 마셨다. 텁텁했던 입안이 씻겨 나갔다.

탁, 탁, 칼이 도마에 부딪치는 규칙적인 소리가 났다. 찬물로 갈증이 채워지자 나는 조금 정신이 들었다. 그의 뒷모습을 쳐다보면서 멍하니 생각했다. 어차피 플레이가 아무리 길어져도 오후까지 이어질 리 없었다. 회사를 그만두고 목줄을 찬 채로 집에 혼자 남아 목이 빠지도록 그를 기다려야 하는 것은 내 현실이 아니었다. 꿈에서 깨듯이 플레이가 끝나면 사라질 상황이었다.

서러움이 물러간 자리에 배덕감과 수치심이 스멀스멀 기어들었다. 심장이 끊이지 않고 빠르게 뛰었다. 열기가 뺨을 물들이고 아랫배 속에 덩어리처럼 뭉쳤다.

"식탁으로 가."

트레이를 든 그가 가볍게 턱짓했다. 내게 존대한 적이 없었다는 듯이 당연한 반말을 내뱉는 얼굴이 단정하고 무심했다. 나는 말없이 그를 따라 거실로 나왔다. 멍든 무릎을 문지르며 몸을 더듬더듬 일으켰다. 식탁 의자에 앉자 갑자기 높아진 눈높이가 어색했다.

한 팀장은 내 앞에 수프가 든 그릇과 네모나게 조각난 빵이 담긴 트레이를 내려놓았다. 내가 포크를 집어 드는 동안 단단한 시선이 말없이 나를 응시하고 있었다.

"……팀장님은 안 드세요?"

수프에 적신 빵 조각을 입에 넣으며 물었다. 허기가 무섭게 치밀었다. 한 팀장은 대답 없이 미간만 슬쩍 찌푸렸다.

"호칭 똑바로 안 하지."

뜨거운 수프가 닿은 입천장이 따끔거렸다. 나는 눈을 가만히 깜박였다. 뭐라고 부르라는 말이었을까. 그의 이름이 가장 먼저 떠올랐지만, 목줄까지 맨 상황 설정상 내가 뒤에 뭘 붙이든 그의 이름을 입에 담을 수 있는 위치는 아닌 것 같았다. 형이라고 부르자니 일곱 살 차이는 애매했고, 선배님이라고 부르자니 학교에서 얼굴 한 번 본 일도 없었다.

그러다가 몸이 멈칫 정지했다. 물음표처럼 번진 생각이 점점 확신으로 굳어졌다. 가죽으로 감싸인 뒷목에 홧홧하게 열이 올랐다.

"뻔한 답이 있는데 뭘 고민해."

생각을 읽은 듯이 그가 느릿하게 말했다. 턱을 괴고 있는 손가락이 길고 곧았다. 나는 시선을 수프 그릇 위로 고집스럽게 고정하며 입술 안쪽을 꽉 물었다. 식탁 건너에서 짧은 웃음소리가 들렸다.

"매를 버네, 아주."

"……."

나는 가쁜 숨을 간신히 잠재웠다. 어차피 맞아 봤자 스무 대 정도였고, 그마저도 그는 세게 때리지 않겠다고 했었다. 또 뭐가 있었을까. 스팽, 그리고 섹스. 내가 묶어 달라고 했으니 그는 아마 나를 묶을 것이다. 묶은 채로 나를 매질하고 성기를 내 몸속에 처박을 것이다. 내가 숟가락을 내려놓으면 그다음에 어떤 일들이 기다리고 있을지 뻔했다.

아랫배가 단단하게 굳었다. 무서움의 가장자리가 시리고 달큼했다. 나는 숨을 들이쉬고, 토해 내듯이 작게 발음했다.

"……주인님."

"나 보고."

눈을 천천히 들었다. 나를 지켜보는 단정한 얼굴이 비스듬히 웃고 있었다. 나는 새빨갛게 달아오르는 뺨을 느끼면서 쥐어짜 내듯이 말했다.

"주인님……."

구석에 머리를 박고 웅크리고 싶었다. 도망쳐서 집을 뛰쳐나가고 싶었다. 선연한 수치심이 턱 끝까지 넘실거렸다.

동시에 와르르 무너져 내린 머릿속의 한구석이 끔찍하게 다디단 체념으로 젖어 들었다. 나를 내려다보며 옅게 웃고 있는 남자의 얼굴에 진한 만족감이 서려 있었다. 내 몸의 모든 표면에 빼곡하게 자신의 이름을 새겨 놓았다는 듯이 느른하고 진득한 눈이었다.

얼마 못 먹고 나는 포크를 내려놓았다. 생각이 자꾸만 하얗게 흩어졌다. 눈을 내린 채로 더듬더듬 말했다.

"그만 먹어도 될 것 같아요."

"먹어 두는 게 좋을 텐데."

느리게 대답하면서도 그는 몸을 일으키고 있었다. 나는 물을 한 모금 마시고 자리에서 일어났다. 뻐근해진 무릎이 아팠다.

다가올 일을 알면서도 긴장으로 몸이 떨렸다. 나는 짧게 심호흡을 하고 거실을 가로지르는 그를 뒤따라갔다. 러그 가장자리에서 습관처럼 무릎이 저절로 꿇렸다. 커튼 틈새로 한 조각의 파란 하늘이 보였다. 아직 정오도 되기 전이었다.

한 팀장은 소파 가장자리에 나를 엎드리게 했다. 사무적이기까지 한 손길로 내 자세를 고쳐 주었다. 다리를 더 벌리게 하고, 소파 모서리에 엉덩이가 정확하게 걸쳐지게 했다.

"소리 내지 말고 참아."

슥, 손등이 동그랗게 솟은 엉덩이 위로 가볍게 문질러졌다. 나는 입을 벌렸지만 말을 할 수 없었다. 무서움과 기대감이 뭉쳐져서 기도를 틀어막고 있었다.

눈을 질끈 감고 소파의 가죽을 두 손으로 그러쥐었다. 귓가에 울리는 내 숨소리가 위태로웠다. 치켜든 엉덩이는 표면의 모든 솜털이 곤두선 것처럼 예민해져 있었다.

짝, 매가 예고 없이 떨어졌다. 봐주는 것 없는 타격이었다. 손바닥이 살과 부딪치며 나는 소리가 커다랗게 울렸다. 나는 어깨를 움츠리며 숨을 토해 냈다.

"입 다물어."

"……흣, 흡……."

나는 손등 위로 입술을 눌렀다. 매가 떨어질 때마다 몸이 와르르 경련했다. 따끔거리는 통증이 맞은 부위로부터 파동처럼 넓게 퍼져 나갔다.

잘못해서 맞는 매도 아니었다. 나를 때릴 수 있는 당연한 권리가 있다는 듯이, 등 뒤의 남자는 아무런 설명도 이유도 대지 않고 나를 매질했다. 덜컥 울음이 치밀 때까지 단단한 손바닥으로 나를 몰아붙이고, 부어오르고 얼얼해진 엉덩이를 느리고 부드럽게 쓰다듬어 주었다. 아픔과 쾌감이 번갈아 가며 전신에 들이쳤다. 그의 손 하나가 나를 땅까지 처박았다가 다시 하늘로 끌어 올렸다. 내가 느끼는 모든 감각을 손쉽게 엉망으로 휘두르고 흔들었다.

나는 스무 대를 다 채우기도 전에 소리 없이 울음이 터졌다. 그렇게 아픈 매도 아니었는데, 입을 막은 손등 위로 눈물이 뚝뚝 떨어졌다.

"흐, 읏……."

그는 아무 말 없이 나를 돌려 눕혔다. 다리가 넓게 벌어지고 붉고 울퉁불퉁하게 부어오른 엉덩이가 허공에 들렸다. 벌어진 다리 사이로 눈이 마주쳤다. 그 순간 가슴속으로 누가 손을 집어넣어 주무른 것처럼 심장이 시렸다. 차오른 눈물로 시야가 흐릿해졌다.

그는 입을 다문 채로 내 성기를 쥐었다. 뜨거운 손바닥이 닿자마자 나는 사정했다. 발갛게 달아올라 있던 귀두에서 실금하듯이 질금질금 정액이 새어 나왔다. 몸이 벌벌 떨렸다.

"흐윽, 응, 흐으……."

"……."

그는 갑작스럽게 몸을 일으켰다. 나는 손등으로 눈물을 닦아 내며 상체를 일으켜 앉았다. 상황을 파악하는 사이에 벌써 그는 현관까지 가 있었다.

"팀장님……!"

나는 기다시피 몸을 일으키다가 넘어졌다. 다리에 힘이 들어가지 않았다. 뜨겁게 흐려진 시야에 그의 뒷모습이 잡혔다. 숨을 참으려 해도 자꾸 울음이 터져 나왔다.

"팀장님, 저……."

울음이 말끝에 엉겼다. 가만히 멈춰 서 있는 등을 보며, 나는 아까의 수치심도 잊고 알아서 호칭을 고쳤다.

"주인님……."

"……."

"잘못했어요……. 읏, 잘못……."

다시 가까워지는 그의 모습이 보였다. 눈물이 턱에 매달려 방울방울 떨어졌다. 잘못했어요, 라며 나는 다시 덜덜 떨리는 목소리로 말했다.

"가지 마세요……."

"누가 간다고 했어."

올려다본 얼굴은 희미하게 어이없다는 표정이었다. 몸을 굽혀 손등으로 내 눈가를 닦아 준 그의 손에 타이가 늘어져 있었다. 오전 내내 내 눈을 가리고 있다가, 아까부터 현관에 버려져 있던 타이였다.

그가 갈 생각이 없었다는 것을 깨닫자, 나는 울음이 멎는 대신 더 서럽게 눈물을 흘렸다. 한 팀장은 울고 있는 내 얼굴을 뚫어져라 응시하다가 팔을 뻗어 나를 러그 위로 밀어 눕혔다. 두 발목을 잡아 넓게 벌리고 내 몸을 반으로 접다시피 했다.

"혼 좀 나야지, 이제."

"흐, 윽, 흐읏……."

가슴 옆으로 무릎이 닿았다. 한 팀장은 내 오른 손목과 발목을 겹쳐 그 위로 타이를 감았다. 축축한 천이 피부를 핥듯이 달라붙고, 단단하게 매듭지어졌다.

그는 손을 올려 목에 느슨하게 묶인 나머지 하나의 타이를 끌렀다. 감촉이 더 거칠거칠한 천으로 반대쪽 손목과 발목도 나란히 묶였다.

"……으."

엉덩이와 그 사이가 훤하게 허공에 드러나 있었다. 조롱하는 말이라도 날아올 것 같았는데 그는 조용했다. 나는 숨을 몰아쉬며 벌어진 다리 사이로 그를 올려다봤다. 그제야 한 팀장이 눈에 보이는 만큼 냉정하고 이성적인 상태가 아니라는 것을 깨달았다. 눈동자가 검고 단단했다. 일자로 다물린 입가에 힘이 들어가 있었다.

"……읏, 잠깐……."

그가 중지를 뺀 나머지 손가락을 느리게 접는 것이 생생하게 눈에 들어왔다. 단단한 팔뚝에 힘줄이 도드라져 있었다. 예고도 없었다. 손가락이 주름에 닿고, 억지로 입구를 벌렸다.

"흐윽!"

그는 안쪽까지 한 번에 손가락을 밀어 넣었다. 묵직한 이물감이 빳빳해진 등줄기를 타고 치달았다. 눈물로 젖어 드는 내 뺨을 아랑곳하지 않고, 내 눈을 마주치지도 않고, 그는 피스톤질하듯이 빠르게 구멍을 들쑤셨다. 예민한 속살을 엉망으로 벌리고 문질렀다. 그의 팔뚝이 규칙적으로 움직이는 것이 흐릿한 시야에 잡혔다.

"흐윽, 으, 아……."

"눈 떠."

목소리가 거칠었다. 몸 안에 들어가 있지 않은 쪽의 손이 엉덩이를 꽉 움켜쥐고 주물렀다. 부어오른 살갗이 그의 손가락 사이로 짓눌렸다. 간신히 뜬 눈에 발갛게 일어서 있는 내 성기가 보였고, 내 몸 안에서 빠져나오며 물기로 번들거리는 굵은 손가락이 보였다.

양손의 엄지로 대충 입구를 늘려 본 그는 이만하면 됐다고 판단한 모양이었다. 지퍼를 열자마자 흉흉하게 부푼 거대한 성기가 튕겨 나왔다. 나는 겁이 나서 급히 숨을 삼켰다. 심장이 빠르게 뛰었다. 셀 수 없이 몸을 섞고 부대꼈지만 삽입하는 순간 자체는 아직도 무서웠다.

툭, 다물린 주름위로 단단한 살덩이가 부딪쳤다.

"아직, 흐읍, 아으윽!"

"……힘 빼."

"흣, 팀장님, 저…… 아, 아아, 너무 아파……."

돌덩이처럼 딱딱한 귀두가 몸 안에 묻혀 있었다. 빳빳하게 경직된 몸을 그는 귀찮다는 듯이 내려다봤다. 나는 헐떡이며 몸을 뒤틀었다. 묶여 있어서 움직일 수가 없었다. 몸이 반으로 갈라지는 듯한 날카로운 통증이 끊임없이 이어졌다. 소용없는 걸 알면서도 억누른 울음이 터졌다.

"흣, 으읏, 흑……."

"……일단 힘을 빼."

목소리가 낮아져 있었다. 뜨거운 손이 엉덩이를 벌리듯이 잡고 어루만졌다.

"이 상태로는 내가 빼 주고 싶어도 못 빼니까."

"……흐읍, 어, 어떻게……."

벌벌 떨리는 몸이 이미 내 통제를 벗어나 있었다. 내 얼굴을 뚫어져라 보던 한 팀장이 손을 내려 눈가를 닦아 내 주었다.

"왜 그래."

"흣……."

"뭐가 무서워서 그렇게 빳빳해졌어."

손끝이 다정했다. 그가 몸을 앞으로 숙이자 딱딱한 성기가 몸 안으로 더 밀려들어 왔다. 잦아들던 통증이 묵직해졌다. 나는 울면서 도리질 쳤다.

"흐읏, 너무 커서…… 저 아직……."

"그동안 멀쩡하게 잘 받아먹어 놓고."

말은 냉랭했는데, 발갛게 튼 눈가에 뜨거운 입술이 가볍게 닿았다.

"많이 아파?"

귓가에 대고 그가 나직하게 물었다. 엉덩이 골을 파고든 그의 손가락이 힘겹게 벌어진 주름 위를 매만지고 있었다.

"흣, 읏……."

"뭐가 그렇게 무서워. ……내가 설마 너를 다치게 할까."

나는 울음을 삼키면서 눈앞에 보이는 그의 입술에 서툴게 입을 맞췄다.

이어진 키스가 길었다. 손끝이 두드리듯이 가볍게 엉덩이 사이를 쓰다듬었다. 몸에서 점점 힘이 빠져나갔다. 쥐어짜듯이 그의 성기를 물고 있던 구멍이 풀어지자, 맞댄 입술로 그가 숨을 짧게 내쉬었다.

"힘 빼고 참아. 천천히 할 테니까."

미세하게 찌푸린 그의 미간이 눈에 들어왔다. 나는 입을 벌렸다가 다물었다. 남은 울음을 삼키면서 고개를 끄덕거렸다. 돌덩이처럼 안을 틀어막고 있던 살덩이가 느리게 빠져나갔다.

"아으…… 흐읏!"

느린 삽입이었다. 아까보다도 버거운 크기로 단단하게 부푼 성기가 안을 벌리고 들어왔다. 나는 소리를 누르며 참다가 또 입술을 깨물었다. 배가 가득 찬 것 같은데, 힐끔 아래로 내린 시야에 검은 수풀과 아직 한참 남아 있는 살 기둥이 보였다. 번들거리는 굵은 기둥이 흉기처럼 선연했다. 내 몸 안에 저게 반쯤 들어와 있다고 생각하니 저절로 울음이 새었다.

"흐…… 아, 하읏…… 팀장님……."

납작한 배를 그가 뜨거운 손바닥으로 쓰다듬었다. 여전히 성기는 봐주는 것 없이 안으로 느리게 꾸역꾸역 밀려들고 있었다.

"저, 흐윽, 이거, 너무 깊어서……."

"아직 반도 안 들어갔어. 엄살도 정도껏 해야지."

젖은 뺨 위로 입맞춤이 떨어졌다. 팽팽하게 벌어진 입구를 지분거리던 손가락이 떨어져 나갔다. 그리고 푹, 한 번에 귀두가 몸의 깊은 부분을 젖혀 열었다. 충격이 몸 전체를 찌르듯이 관통했다.

"흐아악!"

도망칠 수가 없었다. 해부되는 것처럼 묶여 있는 몸은 움직이는 게 아예 불가능했다. 이렇게까지 깊게 들어온 적이 있는지 기억이 나지 않았다. 직장이 빈틈없이 차서 그가 조금만 움직여도 안이 찢어질 것 같았다.

"팀장님, 읏, 흐으……."

하염없이 울면서 그를 올려다봤다. 쉬잇, 하고 그가 내 아랫입술을 머금었다. 닿아 온 호흡이 거칠었다.

"다 됐어, 이제. 더 깊게 안 들어가니까 그만 울고."

"흐, 흣……."

"안쪽에 힘 빼. 괜찮아, 이 정도로 안 죽어."

아니, 죽을 것 같았다. 최소한 몸이 어떻게 될 것 같았다. 가쁜 숨으로 들썩이는 턱에, 발갛게 물든 코끝에 그가 입술을 떨어뜨렸다. 뜨거운 손이 엉덩이를 느리게 쓰다듬었다.

"움직일 거니까 숨 쉬고."

"흐윽, 흑……."

"……그만 떨어."

울음이 자꾸 새어나갔다. 짧게 한숨을 쉰 그가 손을 뻗어 빠르게 타이의 매듭을 풀었다. 왼쪽, 오른쪽. 붙어 있던 손목과 발목이 순식간에 떨어지고 팔다리가 자유로워졌다. 나는 삐거덕거리는 팔을 들어 곧바로 그의 목을 끌어안았다.

"팀장님……."

"알았으니까 그만 울어."

"흡……."

"서단아."

목소리가 나직했다. 달큼하고 다정했다. 나는 질끈 감았던 눈을 소스라치듯 크게 떴다. 흐릿한 시야가 선명해지자, 나를 내려다보는 그의 얼굴이 눈에 들어왔다. 서늘한 눈매에 웃음기가 진하게 배어 있었다.

"많이 아픈 거면 안전어를 써."

"흐읏."

"안 쓰면 움직일 거니까."

단정한 말의 끝이 사포로 문댄 것처럼 까끌까끌했다. 나는 고개를 더듬더듬 흔들며 떨리는 다리를 그의 허리에 감았다. 그의 어깨에 뺨을 묻고 불안하게 심호흡했다.

귓가에 그의 숨소리가 들렸다. 몸을 빈틈없이 채운 살 기둥이 느리고 부드럽게 빠져나갔다.

"흐읏……."

아픔이 물러간 자리에 달콤한 감각이 느리게 스몄다. 길쭉한 기둥은 끝도 없이 길게 빠져나갔다. 들어찼던 자리가 허전해지며 벌어졌던 통로가 오므라들었다.

"으읏, 응—"

"그래, 그렇게……. 숨 멈추지 말고."

기다리던 몸이 긴장했는데, 성기가 다시 파고드는 속도도 느릿했다. 뜨겁고 단단한 손바닥이 내 엉덩이를 쓸어내렸다. 달래듯이 손끝으로 접합부를 부드럽게 쓰다듬었다.

"오늘 왜 이렇게 힘들어해."

"……흣, 모르겠어요……."

"안에 한 번 쌀까?"

그가 젤도 발라 주지 않았고, 마땅한 윤활제가 없던 것도 사실이었다. 드나드는 움직임이 자비로울 정도로 느긋한데, 빽빽하게 엉겨 붙는 내벽이 그래도 뜨겁고 쓰라렸다. 나는 그의 어깨에 얼굴을 묻으며 가만히 고개를 끄덕거렸다.

"그래?"

그가 웃음기가 진하게 묻은 목소리로 말했다.

"그럼 부탁해 봐. 안에 싸 달라고."

"흣……."

"말해, 이서단. 뭐든 해 줄 테니까."

깊숙한 곳을 꿰뚫는 움직임이 거칠어졌다. 목소리만 달콤하고 나머지는 무자비했다. 나는 고장 난 것 같은 눈가에서 눈물을 뚝뚝 떨어뜨리면서 겨우 고개를 들었다.

"안에 해 주, 읏……."

그는 거들떠보지도 않았다. 푹, 푹, 단단한 허리가 크게 움직이며 나를 몰아붙였다. 혀를 깨물고 입술을 깨물어 어떻게든 말을 막아 보려던 나는 결국 몸 안이 델 것 같은 감각을 못 이기고 울면서 내뱉었다.

"안에, 흐읏, 싸 주세요……. 안쪽에…… 흐윽, 읏!"

"말 잘 듣네."

낮은 목소리가 갈라져 있었다. 내 골반 양쪽을 고정해 잡으며 그가 힘을 주어 두어 번 크게 안쪽까지 박아 넣었다. 나는 벌벌 떨면서 소스라쳤다. 목이 막혀서 소리도 나오지 않았다. 푹, 몸 안을 가르고 들어간 불기둥이 깊은 곳에 귀두를 박아 넣고 터지듯이 사정했다. 여러 번에 걸쳐 충혈된 점막을 적시며 뜨거운 정액이 쏟아졌다.

"흐, 흐읍……."

그는 사정을 끝낼 때까지 내 몸을 꼼짝도 못 하게 내리눌렀다. 아직 팽창해 있는 성기가 미끌미끌해진 안을 느리게 왕복하다가 빠져나갔다. 나는 본능적으로 붉게 헤집어진 엉덩이 사이에 힘을 주었다.

힐끗 내려다본 그가 붉어진 입꼬리를 틀어 웃었다.

"잘 담고 있어. 흘린다고 더 안 넣어 줘."

"……흡, 읏."

"뒤돌아서 엎드려."

끝이 아닌 건 알았지만, 역시나였다. 나는 한마디 반항도 못 하고 엎드리며 저린 팔다리로 러그 위를 짚었다. 등을 눌러 엉덩이를 치켜들게 한 그가 곧바로 다시 안으로 성기를 처박았다.

"흐읏!"

"……좀 나아, 이제?"

"아, 흐으, 조금만 천천, 흐윽!"

눈앞이 하얗게 번졌다. 안쪽까지 푹 들어온 성기가 극점을 정확하게 찾아내서 짓이겼다. 앞으로 기어가려는 몸이 완력으로 제압당했다. 단단하고 뜨거운 것이 구멍 안을 빠르게 때려 박았다. 내벽을 이미 적신 그의 정액이 아니었다면 정말로 살이 찢어졌을 정도의 속도였다.

"……읏, 으응, 흐악—"

참으려 해도 흐느낌이 저절로 터졌다. 깊숙이 들어오는 성기가 사납게 달아오른 끝으로 예민한 부분을 긁었다. 차라리 아픈 게 낫다고 생각할 만큼 지독하고 끊임없는 쾌감이었다. 그가 귀두만 남기고 빠져나갈 때마다 무서움으로 몸의 가장 깊숙한 점막이 벌벌 떨렸다. 그리고 어김없이, 길쭉한 기둥이 뿌리 끝까지 처박혔다. 울고 매달리면서 너무 깊다고 빌어도 그는 들어주지 않았다. 인내심을 다 써 버린 사람처럼 아무 말도 없이 나를 깔아 누른 채로 성기를 박았다.

나는 그가 만져 주지도 않았는데 한 번 사정했고, 한 번은 사정조차 하지 못한 채 끝나지 않는 절정감에 흐느껴 울었다. 그가 전립선을 아예 뚫을 듯이 찍어 내릴 때마다 몸이 자지러졌다. 바들바들 떨리는 점막이 살 기둥에 들러붙어 몸 밖으로 끌려 나갔다.

"흐으윽…… 흐앗!"

갑자기 몸이 뒤집혔다. 내 발목 한쪽을 잡아 어깨 위로 올린 그가 다물어지지 못한 채 정액을 툭툭 흘려 내는 입구에 손가락을 푹 밀어 넣었다. 충혈된 주름을 옆으로 당겨 잡아 벌린 채로 다시 성기를 삽입했다.

"흐아윽! 그, 흐윽, 그만……."

"한참 벌었어."

낮게 깔린 목소리였다. 욕구가 사납고 적나라하게 드러난 눈을 하고 그가 내 밑을 거칠게 들쑤셨다. 철퍽거리는 소리가 커다랗게 울렸다. 소리 없이 울고 있는 내 얼굴을 뚫어져라 내려다보며, 그는 손을 내려 개목걸이의 가죽 위로 내 목을 조르듯이 쥐었다. 콱, 안으로 처박힌 성기가 뜨겁게 폭발하듯이 사정했다. 나는 눈앞이 하얗게 부서져 날아갔다. 아무것도 보이지도 들리지도 않는 지독한 절정이었다.

"……팀장님……."

발음이 뭉개져 나왔다. 나는 힘이 들어가지 않는 팔을 뻗으며 간신히 눈을 깜박거렸다. 남아 있는 여운으로 몸이 와르르 경련했다.

그가 허공을 헤매는 내 손을 잡아 느리게 깍지를 끼며 가슴과 목에 가벼운 키스를 떨어뜨렸다. 이마, 미간, 콧등. 마침내 입술이 느리게 맞물렸다. 파고든 혀끝이 입천장을 간질였다. 그제야 아직까지 몸 안에 잠겨 있던 살덩이가 느리게 빠져나갔다. 붉게 벌어진 구멍이 힘없이 다물릴 때까지 그는 뚫어져라 내 다리 사이를 쳐다보고 있었다.

"……으읏, 흐……."

가쁜 숨이 천천히 잠잠해졌다. 눈을 떠 보니 한 팀장은 물끄러미 나를 내려다보고 있었다.

나는 예감이 좋지 않아서 몸을 움츠렸다. 그는 손을 느리게 올려 셔츠 단추를 하나씩 풀기 시작했다. 바지와 양말까지 전부 벗어서 던져두고, 그가 내 팔을 잡아 일으켰다.

"소파에 엎드려 봐요."

"……팀장님……."

나는 진심으로 질겁해서 그의 팔을 붙잡았다. 그가 무감한 얼굴로 힐끗 나를 내려다봤다.

"여기서 더 하면……."

"더 하면?"

"……저 진짜 죽어요……."

서늘한 눈가가 희미하게 풀어졌다.

"죽는지 안 죽는지는 해 보면 알겠지."

"……팀장님."

"올라가서 엎드려. 다시 묶어 놓기 전에."

툭, 손끝이 내 코를 밀어냈다. 나는 단정한 얼굴을 하염없이 올려다봤다. 한 팀장은 미간을 슬쩍 찌푸리며 말했다.

"말 잘 들으면 이번으로 끝내 주겠습니다."

"……정말로……."

"뒤 다 부은 거 알고 있고, 거칠게 안 할 테니까 엎드리세요."

믿음이 가는 말은 아니었지만, 나는 결국 체념하고 느릿느릿 소파에 엎드렸다. 축축한 배에 닿는 가죽이 차가웠다. 몸을 긴장시키고 엉덩이를 가르고 들어올 살기둥을 기다리고 있는데, 등에 따뜻하고 단단한 것이 닿았다. 그의 손바닥이었다.

펼쳐진 손가락의 위치가 하나하나 느껴졌다. 가만히 머물러 있던 손이 등을 쓰다듬으며 내려갔다. 온기의 잔상이 남은 곳에 말랑한 감촉이 쪽 하고 닿았다.

"……왜……."

당황해서 고개를 돌렸다. 한 팀장은 대답 없이 이번에는 내 어깨 위를 가볍게 쓸었다. 나머지 손이 몸 위로 올라와 내 허리를 어루만졌다. 저릿한 감각이 등줄기를 타고 달렸다.

"읏, 팀장님……."

"가만히 좀 있어요."

냉정한 말과는 달리 손길이 세심했다. 등 위쪽, 어깨와 이어지는 부분을 손이 감싸 안듯 어루만졌다. 면적을 가늠하려는 것처럼 타고 내리고, 다시 쓰다듬으며 올라갔다. 그 뒤를 덧그리듯 입술이 따라갔다.

손과 입술이 지나가는 곳마다 화끈거리는 열이 치솟았다. 몸이 움츠러들며 도드라진 날개 뼈를 그가 입술로 물었다가 놓았다. 바르르 떨리는 피부 위로 입을 맞추고, 손바닥으로 뭉근하게 문질렀다.

금방 끝날 거라는 생각과 달리 부드러운 애무가 오래 이어졌다. 등을 온통 붉게 상기시켜 놓은 그는 나를 바로 눕혔다. 따뜻한 손바닥이 이번에는 아랫배 위로 닿았다.

"흐…… 으으읏……."

목덜미, 가슴, 종아리. 남김없이 어루만지고 키스하는 감촉이 마냥 다정해서, 나는 점점 가빠지는 숨을 참으면서 눈을 깜박였다. 물이 밀려드는 듯 느리게 몸이 열기에 젖었다. 이상했다. 그가 갑자기 왜 이러는지 알 수 없었다.

"팀장님……."

목소리가 녹은 것처럼 불분명하게 나왔다.

"왜."

그는 대답했다. 그를 저지하려고 힘없이 내려갔던 손이 붙들렸다. 그는 손목을 잡은 채로 내 새끼손톱 위로 가볍게 입을 맞췄다.

깜박깜박 올려다본 얼굴이 옅게 웃고 있었다. 다정한 눈을 하고 그가 말했다.

"왜 그렇게 쳐다봐. 안 아프게 할 거라고 말했던 것 같은데."

"……아프지는, 않은데……."

"아프지도 않고, 좋지도 않아?"

고개를 머뭇머뭇 흔들었다. 몇 번 사정했던 성기가 또 발갛게 발기해서 말간 물을 흘려 내고 있었다. 그의 손을 쳐다보기만 해도 좋은데, 손바닥이 온몸을 어루만져 주는 게 싫을 리 없었다. 달콤한 감각이 쌓이고 쌓여서 턱 끝에 넘실거렸다.

"계속할까?"

그가 낮게 물었다. 나는 그의 어깨에 뺨을 묻으며 고개를 끄덕거렸다. 내 등을 받쳐 안으며 그는 나머지 손으로 내 허벅지 안쪽을 쓰다듬기 시작했다. 연하고 예민한 피부 위를 그가 손톱 끝으로 쓸었다.

"왜 말이 없어졌어."

"……흐읏."

"아플 땐 아프다고 종알거리더니. 좋을 때도 좋다고 열심히 말해야지, 응?"

길게 늘어지는 말끝이 놀리는 것 같았고, 달래는 것 같았다. 아까의 고압적인 반말과는 아예 달랐다. 목소리가 귓바퀴에 꿀처럼 고이는 느낌이었다.

나는 눈물을 깜박여 없앴다. 고개를 들어 그의 입술 위로 입을 맞췄다. 약간 빗나간 몇 번의 짧은 입맞춤 끝에 입술이 제대로 맞물렸다.

이어진 섹스는 애무처럼 느리고 달콤했다. 그는 내뱉은 말대로 아픈 것은 정말 하나도 하지 않았다. 열 오른 밑에 성기가 반쯤만 들어왔다. 그는 아프게 부어오른 극점을 파헤치는 대신 드나들 때마다 귀두 끝으로 스치듯 쓰다듬었다. 단단하고 뜨거운 손이 내 성기를 쥐어 달래고, 붉게 상기된 몸을 달래듯이 끊임없이 만져 주었다.

아까처럼 머릿속이 토막토막 끊어지는 쾌감이 아닌, 내가 견딜 수 있을 정도로 잔잔하고 달콤한 감각이 계속해서 이어졌다. 내가 바랄 때마다 그는 마음껏 키스해 주었다. 손가락을 깍지 껴 잡고 절정을 견디는 나를 지탱해 주었다. 내 숨이 가빠지면 잠시 멈춰 주었고, 사정이 끝나고 몸이 덜 예민해질 때까지 기다려 주었다. 안에 파묻은 성기를 한 번도 거칠게 움직이거나 빠르게 몰아붙이지 않았다.

"……이거, 이상해요……."

아픈 것도 아닌데 자꾸만 눈물이 나왔다. 호흡에 띄엄띄엄 울음이 섞여 나왔다.

"뭐가 이상해."

느린 허릿짓을 반복하며 그가 물었다. 부드럽게 안을 문지르고 빠져나갈 때마다 떨리는 점막이 그의 살기둥에 들러붙었다. 좋아 죽을 것 같다고, 입으로 하지 못하는 말을 몸 안이 고스란히 그에게 일러바쳤다. 그도 그것을 알고 있었을 텐데, 평소 같은 짓궂은 말은 없었다. 스읍, 입구까지 빠졌던 성기가 안으로 느리게 밀어 넣어졌다. 저항 없이 열린 구멍이 오므라들며 그를 삼켰다. 달콤한 액체에 몸이 잠기는 것 같았다.

"……팀장님은, 흐읏……. 안 힘드세요?"

단단하게 팽창한 성기가 아플 법도 한데 그는 내색하지 않았다. 이런 속도로 움직여서는 백날 움직여도 그는 사정할 수 없을 텐데. 나를 내려다보며 그가 웃었다. 눈썹 사이가 미세하게 찌푸려져 있었다.

"아예 안 힘든 건 아닌데……. 괜찮네요, 이것도."

"그래도……. 흐읏, 으으…… 아, 팀장님, 거기 싫……."

"왜. 아파?"

"아픈 건…… 흐윽, 아닌데……."

몸이 소스라치듯이 벌벌 떨렸다. 사정한 건지 아닌지도 확실하지 않았다. 쉬잇, 하고 젖어 든 눈가에 그가 키스했다. 몸 안에서 성기가 완전히 빠져나갔다.

"흐익……."

"약간만 깊게 넣겠습니다. ……아프면 말하세요."

확인하듯이 그가 눈을 맞물려 왔다. 나는 눈물을 깜박여 없애며 고개를 끄덕거렸다. 한 손으로 엉덩이를 받쳐 올린 그가 누르듯이 성기를 젖은 구멍에 파묻었다. 아까보다 몇 센티는 더 깊은 삽입이었다.

몸을 긴장시킨 것이 무색하게, 하나도 아프지 않았다. 섹스는 원래 이런 행위였던 것처럼, 아픔과는 애초에 아무런 상관도 없던 것처럼. 끝까지 뜨겁고 다정한 섹스였다. 나는 그가 나를 만지고 내 안을 드나들 때마다 쾌감에 벌벌 떨고 흐느껴 울었다. 잘 느껴서 예쁘네, 라고 그가 입술을 맞대고 느리게 속삭였다. 기분이 괜찮냐고, 아프지는 않냐고, 끌어안고 쓰다듬어 주며 여러 번 물었다.

"으응, 아, 흣……. 아아, 응……."

"그렇게 좋아? 안이 막 달라붙네."

"흐읏, 응, 으응……."

"서단아, 좋아?"

낮은 목소리가 귀를 적셨다. 나는 더 나올 것도 없으면서 다시 실금하듯이 사정했다. 그의 숨소리에 웃음기가 섞였다.

"우리 앞으로 섹스할 땐 반말할까?"

"흐, 아……."

대답하려고 입을 열었는데, 머리가 몽롱했다. 무거운 추가 매달린 것처럼 몸이 축 늘어졌다. 그의 입이 움직이는 것은 보이는데, 띄엄띄엄 그의 목소리가 끊어졌다.

"……팀장님……."

아무리 노력해도 눈이 감겼다. 완전히 한계에 달한 몸은 발을 헛디뎌 낙하하듯이 잠에 빠져들었다. 그의 얼굴이 보였고, 그 다음에는 아무것도 보이지 않았다.

⁂

부드러운 감촉이 닿았다. 뺨에, 이마에, 눈가에, 차례로 말랑하고 다정한 것이 닿았다가 떨어졌다. 나는 잘 떠지지 않는 눈을 가까스로 깜박였다.

방 안이 어두웠다. 몸을 덮고 있는 이불이 만져지는 걸 보면 위층의 침실인 모양이었다. 여기까지 어떻게 올라온 건지 기억도 나지 않았다. 나는 물끄러미 위에서 내려다보는 그의 얼굴을 보고 다시 눈을 감았다. 짧은 웃음소리가 들렸다.

"몸은 괜찮냐고 물어보려 했는데……."

"……."

"표정 보니 썩 괜찮아 보이지는 않네요."

나는 대답하지 않았다. 몸을 움직이지 않고 있는데도 아랫배와 엉덩이가 욱신거렸다. 일어나려고 하면 훨씬 심할 게 뻔했다. 불편한 자세로 묶여 있던 팔다리도 그렇고, 한참 기어 다녔으니 무릎도 삐거덕거릴 것 같았다. 나는 숨을 깊게 들이쉬며 뒤늦게 허전함을 느꼈다. 하루 종일 목에 채워져 있던 가죽이 사라져 있었다.

"빼서 보관해 놨습니다."

내 생각을 읽었는지 그가 말했다.

"안쪽이 안 쓸리는 걸로 골랐는데도…… 목에 자국이 좀 남아서. 까진 건 아니니까 아마 월요일까진 없어질 겁니다."

"……팀장님."

"왜 그래요."

침실의 커튼이 반쯤 열려 있는 데도 어두운 걸 보면 벌써 저녁이 된 모양이었다. 나는 부어오른 눈꺼풀 안쪽으로 눈동자를 굴려보다가 입을 열었다.

"나머지는 알겠는데……."

"……."

"저는 왜 회사를 그만둔 거예요?"

목소리가 잔뜩 잠겨 나왔다. 뒤늦게 그가 웃는 소리가 났다. 내려온 손이 아이를 칭찬하듯 머리를 슥슥 쓰다듬어 주었다.

"저녁 준비해 놨으니까, 좀 더 쉬다가 내려갑시다."

노골적인 회피였다. 내 질문에 대한 대답이기는커녕 아예 상관없는 내용이었다. 나는 눈을 떠서 한 팀장을 올려다봤다. 어둠에 적응한 눈이 그의 이목구비의 선명한 선을 읽어 냈다. 여전히 웃고 있는 입가로 그가 말했다.

"회사 그만두기 싫어요?"

"……네."

"안 그래도 그럴 것 같았습니다."

목소리가 모호했다. 나는 상체를 일으키려 했다가 바로 후회했다. 아윽, 하고 소리가 새어 나갔다. 한 팀장은 내 어깨를 지탱해 내가 다시 원래대로 눕는 것을 도와주었다.

나는 잠깐 숨을 고르고 다시 입을 열었다.

"팀장님은 그때 진짜 회사 다녀오셨어요?"

"진짜 다녀왔습니다."

희미하게 웃는 얼굴로 그가 대답했다.

"회사 갔고, 회의도 했고. 평생 그렇게 집중이 안 되는 회의는 처음이었지만."

"……."

"혼자 있는 게 마음에 안 들었어요?"

손등이 스치듯이 뺨을 쓰다듬었다. 나는 망설일 것도 없이 고개를 끄덕였다.

"그것 말고는 괜찮았고? 이서단 씨가 생각했던 것과 어느 정도는 비슷했습니까?"

"……네, 그거 말고는 다……."

말을 잇다가 입을 다물었다. 뺨과 뒷목에 뜨끈하게 열이 올랐다. 나를 가까이에서 쳐다보던 그가 몸을 일으키며 산뜻하게 말했다.

"더 디테일하게 물어봐야 하는데…… 나중에 하겠습니다. 지금은 왠지 이서단 씨가 대답을 안 해 줄 분위기라."

웃고 있는 목소리에 남아 있던 억울함 한 알이 혀 밑에서 삐죽 치밀었다.

"저는 아무리 그래도, 몇 분 지나면 밖에 계시다가 들어오실 줄 알았는데……."

"이서단 씨는 두 시간 동안 안대 한 번도 안 벗었어요?"

"진짜로 회사를 가시고, 언제 들어오신다는 말도 없이……."

"따로 상 줘야겠네, 기특해서."

나는 말하는 것을 그만뒀다. 태연한 동문서답을 펼친 그가 손을 뻗어 내 눈가를 가만히 쓸어 주었다. 눈이 마주쳤다.

한 팀장은 자세를 고쳐 앉으며 이불에 돌돌 말린 나를 품 안에 느리게 끌어 들였다. 몸이 날카롭게 욱신거렸지만 나는 잠자코 그의 어깨 위로 코를 묻었다. 낯익은 체향이 마음을 가라앉혔다. 해가 진 침실 안이 조용했다.

"이서단 씨가 집에 가고 나면……."

이윽고 그가 입을 열었다. 나직한 목소리였다.

"옷장을 정리할 생각입니다. 원래는 이서단 씨 말대로 안을 보여 주고, 같이 정리할까 했는데……. 생각할수록 그럴 필요는 없을 것 같고."

손바닥이 이불 틈으로 숨어들어 와서 등을 도닥였다.

"안에 든 건 웬만해서는 다 버릴 생각입니다. 나도 본 지 좀 돼서 뭐가 있는지 기억도 안 나는데, 열어 봐도 아마 생각이 크게 달라지지는 않을 것 같습니다."

"……아예 버리시게요?"

나는 고개를 들어 올렸다. 정리한다는 말에 떠올린 것은 먼지를 털거나 재배열하는 과정이었지, 폐기 작업이 아니었다. 한 팀장은 담담하게 되물었다.

"왜. 아까워요?"

"……제가 이번에 보니까, 그런 게 엄청 비싸던데……. 그리고 팀장님이 모아 두신 거니까……."

그가 어이없다는 듯이 옅게 웃었다.

"그렇게까지 진지하게 모은 건 아닙니다. 어쩌다 보니 못 버려서 남아 있었던 거지, 애착이 있는 것도 아니고."

"……그래도."

"아깝다고 생각할 필요 없어요. 이서단 씨가 나중에 필요하다고 느끼면, 그때 가서 다시 사면 됩니다."

나는 그의 품 안에서 고개를 틀어 어슴푸레한 윤곽이 드러난 옷장 문을 돌아봤다. 다음에 그의 집에 왔을 때 저 공간이 비어 있을 거라고 생각하니 기분이 이상했다. 내 마음을 읽은 듯이 그가 말했다.

"옷장은 비워 낸 다음에 이서단 씨 줄 테니까, 옷이나 갖다가 넣으세요. 나중에 이사 오면 그때 짐 넣어 두든가."

눈을 들었다. 그의 표정이 덤덤했다.

"저 이사 와요?"

제대로 들었나 싶어 물었더니, 그가 나를 물끄러미 내려다봤다.

"와야지, 언젠가는."

"언젠가가…… 정확하게 언제예요?"

"오기 싫어서 묻는 겁니까, 빨리 오고 싶어서 묻는 겁니까?"

"……싫은 건 아닌데, 아직은……."

심장이 뛰는 소리가 이불을 뚫고도 그에게 닿을 것 같았다. 열 오른 귓불이 화끈거렸다. 나는 그의 목덜미에 시선을 고정하고 기억을 더듬었다.

"이제 한 달 정도…… 되지 않았어요? 저희 그때 프로젝트 끝나고 그다음 주에……."

날짜는 바닷가에 갔을 때부터 세야 하나. 바닷가가 언제였더라. 이런 건 미리 기억해 두고 챙겨야 했나 싶다가, 아무리 그래도 학생 때의 연애도 아닌데, 그리고 상대는 한 팀장인데 그런 건 별로 중요하지 않을 것 같았다. 더딘 머리로 결론을 내리자마자 그가 무심하게 대답했다.

"정확하게 6주 됐습니다."

"……어떻게 아세요?"

"어떻게 모릅니까? 그때 날짜를 알고 오늘 날짜를 아는데. 이서단 씨는 그 정도의 암산도 자동으로 안 됩니까?"

"……."

날짜를 일일이 세고 있다는 대답보다야 나았지만, 그때 날짜도 기억에 없는 나는 얌전히 입을 다물었다. 짧은 침묵 끝에 한 팀장이 바람 빠지듯이 웃었다. 집게처럼 뻗어온 손가락이 내 코끝을 꼬집었다.

"흡."

"이서단 씨 마음대로 하세요. 오고 싶을 때 오면 됩니다."

"……네."

"통근 시간이나 집세 같은 걸 생각했을 때 더 효율적인 선택은 분명히 있지만, 이서단 씨가 알아서 결정하세요."

"……네."

"밥을 챙겨 주고 회사까지 차를 태워 주는 사람이 생기면 이서단 씨 건강이나 생활의 편리함 면에서 분명히 이점이 있을 것 같은데, 결국 중요한 건 이서단 씨 선택이니까, 굳이 설득하지는 않겠습니다."

나는 결국 웃다가 그에게 아랫입술이 아프게 깨물렸다. 가까이에서 마주한 그의 눈가에도 웃음기가 짙게 배어 있었다. 길고 다정한 키스 끝에 그는 나를 더 가까이 당겨 안았다. 등을 두른 팔이 단단하고 따뜻했다. 잠이 올 것 같았다. 느릿느릿 깜박이는 내 눈꺼풀을 보고 그가 낮게 말했다.

"피곤하면 좀 더 자요. 나중에 깨워 줄 테니까."

"……팀장님은요?"

"이서단 씨가 여기 있길 바라면 여기 있겠습니다."

그에게 밀린 일이 있을지 모른다고 생각하면서도, 자는 내 옆에 있어 줄 만큼 그가 한가한 사람이 아니라는 것을 알면서도, 나는 가만히 그에게 몸을 기대고 고개를 끄덕거렸다. 오늘따라 이 정도의 욕심은 부려도 될 것 같았다.

내 몸을 감싸 안은 그가 품에 편하게 기댈 수 있게 해 주었다. 이불에 돌돌 말린 채로 나는 그의 가슴에 뺨을 기댔다. 느릿느릿 깜박이다가 눈을 감았다. 까맣기만 했던 눈꺼풀 뒤의 어둠이 어느덧 안온하고 편안했다.

일반 연애 1

금요일은 아침부터 이상한 날이었다. 날씨는 우중충했고, 밤새 뒤척이며 잠을 설친 탓에 몸이 찌뿌듯했다. 이를 닦는 동안 칫솔이 빗나가서 입술 안쪽이 퉁퉁 부었다. 출근길의 만원 지하철에서는 누군가의 팔꿈치에 두 번이나 아프게 쥐어박혔다. 특별히 크게 나쁜 일이 있는 것은 아니었지만, 작은 티끌이 하나둘씩 소리 없이 쌓였다.

나에게는 유난히 길었던 일주일이었다. 사수의 외근을 따라다니느라 낯선 환경 속에서 내내 긴장해야 했고, 한 팀장의 얼굴도 일주일 내내 거의 보지 못했다. 쌓인 피로도가 만만치 않았는지 나는 지하철에서 선 채로 졸았다. 비몽사몽한 상태로 역의 계단을 올라 회사까지 반쯤 감긴 눈으로 걸어갔다. 인파로 붐비는 로비에서 이리저리 치이며, 얼른 퇴근 시간이 되었으면 좋겠다고 생각했다.

그날따라 각종 회의로 부서는 아침부터 정신이 없었다. 며칠 전부터 떨어지지 않는 감기로 고생하던 사수는 다 죽어 가는 얼굴로 한숨을 푹푹 내쉬고 있었다. 옆에 앉은 나도 영향을 안 받을 수가 없었다.

엎친 데 덮친 격으로, 점심시간 직전에 한 팀장의 목소리가 칼날처럼 부서의 바지런한 소음을 뚫고 날아왔다.

"김 대리님, 이서단 씨."

반쯤 졸고 있다가 화들짝 일어난 사수가 눈을 마주쳐 왔다. 나는 모른다는 뜻으로 고개를 작게 흔들었다. 자리에서 일어나는 사수의 얼굴은 이미 죽상이었다. 끌려가듯이 한 팀장의 책상으로 향하면서 그녀가 얼굴에 눈물 자국을 손가락으로 주욱주욱 그어 내렸다.

더블 모니터 뒤의 한 팀장은 우리가 나란히 책상 옆에 섰을 때도 올려다보지 않았다. 콜록, 사수가 입을 가리며 기침했다. 한 팀장의 차갑고 무감한 얼굴을 쳐다보면서 나는 익숙한 긴장으로 배 속이 꼬이는 것을 느꼈다.

마우스를 두 번 클릭한 한 팀장이 모니터 하나를 우리 쪽으로 틀어주었다. 널찍한 화면에 떠 있는 서류는 어제 내가 사수에게 제출한 보고서였다. 늘 그렇듯 이메일의 '참조' 란에는 한 팀장의 이름이 적혀 있었다.

"김 대리님, 이 보고서 확인하셨습니까?"

한 팀장이 물었다. 사수가 목을 앞으로 빼 화면을 들여다보더니 고개를 흔들었다.

"아직 못 봤습니다."

"보고서 작성은 김 대리님이 지시하셨습니까?"

또 질문이었다. 사수는 내 쪽으로 힐끔 시선을 던지더니 대답했다.

"네. 제출 기한도 꽤 남았고, 몇 번 수정하더라도 좋은 경험이 될 것 같아서……."

"이서단 씨에겐 아직 이릅니다."

잘라 내는 듯한 냉랭한 목소리였다. 나는 손톱이 손바닥을 파고들 정도로 힘줘 손을 오므렸다. 한 팀장은 손끝으로 타닥 숫자를 쳐 넣었다. 화면이 휘릭 넘어가고 뒷부분의 페이지가 떴다.

"읽어 보면 알겠지만, 앞부분은 괜찮아도 여기부터는 다 들어내야 될 정도로 엉망입니다. 수정해서 될 일이 아니에요."

"……네."

"이서단 씨가 배우는 게 빠르니 이것저것 더 가르치고 싶은 마음은 알겠는데, 적당히 하세요. 공부는 따로 시키고, 일은 쉽더라도 이서단 씨가 실수 없이 해낼 수 있는 것만 맡기세요."

"네, 죄송합니다."

"이서단 씨."

무감한 시선이 내 쪽으로 넘어왔다. 나는 바짝 마른 입으로 네, 하고 대답했다. 나도 모르게 한 톨의 온기를 찾아 그의 얼굴을 뒤졌다.

"쓰면서 본인이 감당할 수 있는 일 아닌 건 알았을 테고."

"……네."

"그럼 솔직하게 못 하겠다고 말했어야지. 일을 할 때는 돈을 지불

하는 클라이언트 입장에서 생각하세요. 이서단 씨가 프로젝트 참여하면서 얼마나 실력이 느는가는 클라이언트의 관심사가 아닙니다."

사무적인 목소리였지만, 옆에서 사수가 미간을 질끈 찡그리는 것이 보였다. 나는 숨을 한 번 삼켜 내리고 차가운 얼굴을 보며 대답했다.

"죄송합니다."

한 팀장은 가 보라는 말도 없이 모니터를 원래 방향으로 두고 의자를 돌려 앉았다. 사수와 나는 미적거리는 걸음으로 그의 책상에서 멀어졌다. 나는 자리로 돌아가며 기분이 더 이상 바닥이 남아 있지 않은 것처럼 가라앉는 것을 느꼈다.

의자를 느리게 당겨 앉았다. 머리를 한 번 쓸어 넘긴 사수는 한숨을 푹 내쉬더니 말도 없이 자리를 떴다. 내 의자 뒤로 지나가는 뒷모습을 보다가 나는 한쪽 손에 기울인 머리를 기댔다. 한참을 그렇게 앉아 한 손으로 마우스를 의미 없이 빙글빙글 돌리며, 문서를 띄워 놓은 화면을 멍하니 쳐다봤다.

"이서단 씨."

등 뒤에서 들리는 목소리였다. 화들짝 놀라 자세가 무너졌다. 돌아보자 파티션에 두 팔을 기댄 채로 한 팀장이 나를 지켜보고 있었다.

농땡이 피우는 것을 들킨 것 같아 나는 뒤늦게 몸을 바짝 긴장시켰다. 그는 내 화면을 쳐다보지 않고 무심하게 말했다.

"이거."

눈앞으로 파일이 내려왔다.

“피드백 달아 놨습니다. 시간 날 때 따로 공부용으로 수정해서 나한테 제출하세요. 뒷부분 쓰는 데는 내가 첨부해 준 자료 참고하고. 자료는 사외 반출 금지입니다.”

“아…… 네.”

뒤늦게 파일을 받으려고 손을 내밀었는데, 그는 내 손을 피하고 다른 자료가 꽂혀 있는 내 책상의 뒤쪽에다가 아예 파일을 꽂아 주었다. 하얀 셔츠로 감싸인 단단한 팔이 내 얼굴 앞을 가로질렀다. 달그락거리는 소리가 났다.

“……감사합니다.”

올려다보지 않고 말했다. 순간적으로 그가 무슨 말이라도 더 할 것 같았는데, 짧은 침묵이 지나고 그는 깔끔하게 인사 없이 돌아섰다. 그와 동시에 사수가 한 팀장 옆을 스치며 자리로 돌아왔다.

“뭐 더 말하셨어요?”

작은 소리로 물어서, 뒤늦게 고개를 가로저었다.

“그냥 보고서 피드백 주신다고…….”

“그럼 다행이고. 미안해요, 내가 욕심부리다 같이 혼났네. 사실…… 좀 빠른 건 알고 있었는데, 이서단 씨가 얼른 쑥쑥 커서 내 일 좀 덜어가 줬으면 했거든요.”

“아니요, 당연히 그렇게 해야 하는데……. 제가 더 열심히 하겠습니다.”

“뭘 거기서 더 열심히 해요. 열심히 일한다고 월급 더 주나.”

파티션 옆으로 나타났던 찡그린 얼굴이 다시 사라졌다. 한숨 소리가 훅 울리더니, 뒤이어 타자 치는 소리가 나기 시작했다. 나는 등받이에 몸을 붙인 채로 멍하니 앉아 있었다. 두 손으로 감긴 눈꺼풀 위를 문지르고 다시 눈을 떴다. 다시 일을 시작하려고 몸을 당겨 앉았는데, 시야 끝에 알록달록한 것이 걸렸다.

"……."

잘못 본 게 아니었다. 책장 옆의 연필꽂이에 못 보던 노란 막대사탕이 얌전히 꽂혀 있었다. 반사적으로 뒤를 돌아본 나는 숨을 죽이며 얼른 팔을 뻗었다. 동그란 머리가 달린 200원짜리 사탕이 손바닥 안에서 데구르르 굴러다녔다.

누가 볼까 사탕을 손에 꽉 쥔 채로 몸을 들썩였다. 한 팀장은 책상 파티션에 가려져 보이지 않았다. 양쪽 옆을 돌아보다가 올라간 입꼬리 위로 동그란 사탕의 머리를 꾹 눌렀다. 가라앉았던 기분이 분수 물줄기라도 탄 듯 끝도 없이 치솟았다.

"그새 기분 좋은 일이라도 있었어요?"

점심을 먹다 말고 사수가 수상하다는 듯이 물었다. 나는 씹던 것을 멈췄다. 아니, 라고 사수가 어이없다는 표정으로 말했다.

"처음에 왔을 땐 이서단 씨 멘탈 걱정했는데, 이제 보니 나보다 훨씬 낫네요. 아까 그렇게 혼나고 금방 실실 웃음이 나와요?"

"……빨리 털어 버리는 게 좋다고 하셨잖아요."

"그래서 내 말 들어서 빨리 털었어요? 말 되게 잘 듣네."

말은 그렇게 하면서도, 기분 좋아진 표정으로 사수가 웃었다. 나는 별로 맛도 없는 구내식당 음식을 신나게 꼭꼭 씹어 먹었다. 깨끗하게 식판을 비우고 사수가 식사를 끝마치기를 기다렸다.

"저는 잠깐 매점 들렀다 갈게요."

식판을 반납하며 말했다. 사수는 어깨를 으쓱하며 그래요, 하고 나를 보내 주었다. 나는 뛰다시피 빠른 걸음으로 사람이 바글거리는 매점으로 들어갔다. 진열대 사이를 지나서 곧바로 카운터로 향했다.

4층으로 돌아가자 예상대로 한 팀장은 자리에 없었다. 사수를 제외하고는 부서가 한산했다. 나는 창문을 내다보는 것처럼 느릿느릿한 걸음으로 한 팀장의 책상 옆을 지나며 얼른 팔을 뻗었다. 반듯하게 놓여 있던 서류철 아래로 네모난 담뱃갑을 쑤셔 넣었다. 부자연스러운 각도로 서류철이 기우뚱 기울어졌다.

자리로 돌아가는 가슴이 쿵쿵 뛰고 있었다. 내가 의자를 끌어내며 앉자 돌아본 사수가 별 뜻 없이 웃어 주었다. 나는 답하는 표정을 제대로 만들지 못할 정도로 심장이 널을 뛰고 있었다.

점심시간이 다 끝나갈 때쯤 한 팀장이 부서로 돌아왔다. 유 대리와 이야기를 계속하면서 내 등 뒤로 지나갔다. 나는 그를 쳐다보지 않고 시선을 화면에 고정했다.

유 대리가 자리에 앉고, 대화 소리가 끊겼다. 발소리가 들리지 않았다. 한 팀장도 책상에 도착한 것 같았다.

나는 괜히 키보드를 두드렸다. 의미 없는 문자의 나열 밑으로 빨간 지그재그가 그어졌다. 백스페이스를 길게 누르고, 그가 가져다 준 보고서를 꺼내 첫 장의 피드백에 시선을 파묻었다. 부서와 옆 부서의 팀원들이 하나둘씩 자리로 돌아오며 말소리 대신 키보드와 마우스의 소음이 울리기 시작했다.

그때 책상에 놔둔 핸드폰이 소리 없이 깜박였다. 문자였다. 집어 들기도 전에 나는 이미 웃고 있었다.

[단 걸 줬더니 쓴 걸로 돌려받네.]

건조한 말투가 귀에 선명하게 들리는 듯했다. 나는 입술 안쪽을 물어서 실없는 웃음을 참으며 꾹꾹 화면을 눌렀다.

[팀장님은 단 거 안 좋아하시잖아요.]

보냈더니, 핸드폰을 내려놓기도 전에 답장이 돌아왔다.

[담배 끊으라고 말할 생각은 안 듭니까?]

의외의 질문에 나는 그의 책상 쪽을 돌아볼 뻔했다. 어느새 구름이 걷힌 하늘에서 환한 빛이 쏟아져 들어오고 있었다. 창문을 보는 것처럼 자연스럽게 시선을 틀었지만, 파티션과 모니터 두 개에 가려져 그의 얼굴은 보이지 않았다.

잠시 망설이다가 자판을 한 자씩 눌렀다.

[제가 끊으라고 하면 진짜 끊으시게요?]

보내 놓고 보니 질문의 무게가 무서워졌다. 입술 안쪽을 문 채로 다시 빠르게 문자를 이어 보냈다.

[팀장님 담배 피우실 때 섹시하세요.]

분위기를 가볍게 하려고 다급하게 친 말이었는데, 화면에 떠오른 글자가 생각보다 적나라했다. 나는 그의 자리로 가서 그게 아니라고 해명하고 싶은 충동을 억누르며 핸드폰을 내려놓았다. 이번에는 답장까지의 텀이 제법 길었다. 나는 마우스를 잡고 일을 시작했지만, 자꾸만 화면을 떠나 핸드폰으로 향하는 시선을 어떻게 할 수 없었다.

몇 분도 되지 않을 시간 동안 심장이 불규칙적으로 속도를 높여 뛰었다. 옆자리의 사수가 몇 번 기침했다. 마침내 화면이 깜박였을 때는 집어 들기가 무서울 정도였다.

[그래요? 섹시해요?]

덩그러니 글자가 떠 있었다. 조롱조가 분명한 말에 귀가 달아올랐다.

[몰랐네요, 이서단 씨가 그렇게 생각하는지.]

[그건 건강에는 해로워도 섹시하면 상관없다는 말입니까?]

[가끔 보면 이서단 씨는 내가 아닌 내 몸이 목적인 것 같은데.]

단정한 폰트에서 웃음기가 고스란히 묻어나는 것 같았다. 나는 할 말이 생각나지 않아 그냥 핸드폰을 내려놓았다. 아직 켜져 있는 화면에 문자가 또 들어왔다.

[내가 오래 살아야 우리 둘이 오래 해 먹지.]

글자 하나하나에 숨이 가빴다. 손가락이 아니라 온몸으로 문자를 주고받는 것처럼 가슴은 뛰고 배 속은 울렁거렸다. 같은 공간에, 눈만 돌리면 있는 곳에 그가 있으니 더 그런 것 같았다.

이랬다가는 하루 종일 같은 문서를 작업하고 있게 될 것 같아 호흡을 정리하며 핸드폰을 끌어왔다.

[팀장님은 일 안 하세요?]

[저는 이제 일에 집중할게요.]

답장을 확인하지도 않고 핸드폰을 덮어 놓았다. 스크롤을 올려 문서 작업에 들어갔다. 문장 하나, 두 개. 간신히 한 문단을 끝내 놓고 중독된 사람처럼 손을 핸드폰에 뻗었다.

쌀쌀맞게 밀어내듯 문자를 보냈지만, 답장이 안 들어와 있으면 우울해질 것 같았다. 조마조마하게 버튼을 눌러 화면을 불러오자, 정신없이 훑어 내린 시선에 글자가 들어왔다.

[그래요, 일 열심히 하세요. 오늘 안에 다 끝내야지 주말에 놀지.]

[일주일 내내 이서단 씨가 외근해서 얼굴도 제대로 못 봤네요.]

그리고 몇 분의 간격을 두고 네모난 메시지가 또 와 있었다.

[내일 시간 내세요. 데이트합시다.]

저절로 올라가는 입꼬리를 붙잡을 수 없었다. 사수가 봤다면 실실 웃는다고 다시 핀잔줄 만한 표정이었다.

⁂

지금 와서 생각해 보면, 그가 운동화와 편한 옷차림이 좋을 거라고 전화로 말했을 때 이상하게 여겼어야 했다. 고분고분 시키는 대로 입었더니, 편한 셔츠와 청바지 차림의 한 팀장은 꼭두새벽부터 나를 데리러 와서 무려 두 시간을 운전했다. 차는 국도를 벗어나서도 한참을 달렸고, 시골길과 비포장도로까지 접어들었다. 마침내 도착한 곳은 누가 봐도 산이었다.

그가 차를 세운 한적한 주차장 옆으로 등산 코스가 커다랗게 표시된 표지판이 있었다. 나는 할 말을 잃고 그가 건네주는 챙 달린 모자를 받아 들었다.

"많이는 안 올라갈 겁니다."

내 시선을 눈치 챈 그가 웃는 얼굴로 말했다.

"해 봤자 점심시간 전까지……. 내려오는 시간까지 해서 두 시간 정도 걸을 거니까, 이서단 씨 체력으로도 충분히 감당할 정도입니다."

그렇게 말하면서 그가 뒷좌석에서 꺼내 든 가방에는 커다란 물병이 꽂혀 있었다. 나는 차에서 따라 내리면서 할 말을 생각해 냈다.

"회사 워크샵인가요?"

"……이전 부서에서 워크샵으로 등산 가 본 적 있습니까?"

"아니요, 등산은 아니었는데……."

상사와 연애한다는 것은 이런 것이었을까. 어렸을 때부터 나는 운동도 걷는 것도 싫어했고, 자진해서 산을 오른 적은 한 번도 없었다. 동네 뒷산도 안 타봤는데, 두 시간씩이나 운전해야 나오는 산의 가치가 눈에 보일 리 만무했다.

"공기 좋지 않습니까?"

질질 끌리는 내 발을 봤을 텐데도 그는 웃는 표정으로 물었다. 제자리에 멈춰 서서 숨을 들이쉬니 공기가 폐까지 단번에 밀려들었다. 산의 그늘 아래라 그런지, 늦봄치고는 차갑고 맑게 느껴지는 공기였다.

“도심에만 너무 있는 것도 좋지 않습니다.”

올라가는 길의 입구에서 나를 기다려 주던 그가 나직하게 말했다.

“내키지 않더라도 기회를 만들어서 벗어날 필요가 있어요. 컨설팅 일을 하는 사람은 특히 더, 행동반경이 좁아지는 걸 경계해야 합니다. 시간이 날 때 부지런히 못 보던 풍경도 봐 줘야 하고, 안 하던 활동도 해 봐야 하고.”

상사로서의 참견인지, 애인으로서의 배려인지 알 수 없는 잔소리였다. 주말마다 집에 더 열심히 틀어박혀 밀린 잠이나 잤던 나는 입을 얌전히 다물었다.

그리고, 라고 그가 여상하게 말을 이었다.

“어디까지나 부차적인 문제지만, 사람이 없는 등산 코스에선 이런 것도 가능합니다.”

계단이 하나 있었다. 나를 끌어 올려 주듯이 팔을 잡았던 그가 손을 놓지 않고 아래로 미끄러뜨렸다. 손목을 가볍게 그러쥐듯 스친 손끝이 손바닥 안쪽을 쓰다듬었다. 손가락이 느리게 깍지를 끼며 내 손가락 사이로 하나씩 파고들었다.

갑자기 말이 나오지 않았다. 가슴 뛰는 소리가 달아오른 귓불까지 점령했다. 어디선가 산새가 찌르르 울었다. 단단하게 잡힌 손은 빼려고 해도 빠지지 않을 것 같았다.

가파르지 않은 경사였다. 맞잡은 손으로 나를 끌어 올려 주며 그가 말했다.

"나는 사람이 있는 곳이라도 상관없지만, 이서단 씨는 신경을 쓸 것 같아서."

"……."

올려다보면 표정을 들킬 것 같았다. 맞닿은 손바닥이 단단하고 따뜻했다. 나는 갑자기 등산이 두 시간이 아니라 반나절이라도 상관없을 것 같아졌다.

중간의 한 구간을 빼면 그의 말대로 경사가 심하지 않았다. 본격적인 등산이 목적인 사람들은 찾지 않을 언덕 수준의 산이었다. 그럼에도 대나무가 양옆으로 우거진 금빛의 길은 기대했던 것보다 운치가 있었고, 정상에 오르자 나무 사이로 가파르게 펼쳐지는 풍경은 볼만했다. 산등성이에 소박한 꽃들이 무리 지어 피어 있었다.

정상의 동그란 터에 다다라서야 내 손을 놓아준 그가 나무로 된 벤치에 가방을 내려놓았다. 물병 외에도 지퍼 안쪽에서 이것저것 나왔다. 과일과 견과류 같은 게 담긴 플라스틱 통이 벤치 위로 나란히 놓였다.

"점심 먹을 거니까 너무 많이는 먹지 말고."

물병을 건네주며 그가 말했다.

"내려가는 길이 더 힘들 수 있습니다. 뭐라도 먹어 두는 게 좋아요."

"……미리 말씀해 주셨으면, 저도 뭐라도 준비했을 텐데……."

꼭지가 잘린 딸기가 빨갛고 먹음직스러웠다. 그가 운전하는 차를 타고 그가 고른 산에 올라서 그가 싸 온 음식을 먹고 있자니 희미한 죄책감이 배 속을 긁어 댔다. 힐끗 시선을 든 그가 어이없다는 듯이 웃었다.

"내가 준비한 건 따로 없습니다. 사서 씻어 온 정도지."

"점심은, 괜찮으시면 제가 살게요."

눈이 마주쳤다. 그의 눈가가 희미하게 풀어졌다.

"그래요. 이 주변에 괜찮은 시골 식당이 꽤 있습니다. 내려가면서 메뉴 정하면 되겠네요."

거의 한 시간을 그의 손을 잡고 있던 손이 허전했다. 손가락이 갈라지는 부분이 이물감이 남은 것처럼 욱신거렸다. 나는 이쑤시개 끝으로 딸기를 찍어 먹었다. 톡, 하고 과즙이 입안에서 터졌다.

귀 기울이면 들리는 바람 소리 말고는 주변이 조용했다. 푸른 잎사귀 사이로 금빛의 햇살이 비쳐 들어 땅 위로 반짝거렸다. 갑자기 옆에 있는 그를 제외하고는 세상에 아무도 없는 것 같았다.

"저도 이렇게…… 아는 곳이 많았으면 좋겠어요."

아몬드를 손바닥에 올리고 집어 먹다 말했다. 멀리서도 파란 하늘과 그 아래 탁 트인 산등성이의 풍경이 내다보였다.

"맛있는 식당도 많이 알았으면 좋겠고. 누굴 소개시켜 주거나 데려갈 수 있게……. 말씀하신 것처럼 더 많이 돌아다녔으면 좋았을 텐데, 그동안 너무 노력을 안 한 것 같아요. 입사하고 나서는 주말에 시간이 없는 것도 아니었는데……."

그렇게 큰 노력이 필요한 것도 아니었다. 두 시간씩은 아니더라도 주말에 지하철을 타고 교외로 나가는 건 어려운 일이 아니었을 것이다. 하다못해 버스로 한두 정거장만 더 가서 처음 보는 식당에서만 밥을 먹었어도, 점심시간에 혼자서라도 회사 근처의 식당들을 다녀 봤어도, 지금보다는 세상이 좀 넓어졌을 것 같았다.

"조급하게 생각할 필요는 없을 것 같은데."

말없이 듣던 그가 덤덤하게 대답했다.

"이서단 씨는 사회 나온 지 이제 일 년이 조금 넘었고, 회사에 묶여 있다 보면 행동반경이 좁은 건 당연한 일입니다. 나는 이서단 씨보다 칠 년을 더 살았고, 원래 돌아다니는 걸 잘 하는 성격이고. 그리고 그런 덕분에 이서단 씨는 내가 겪어 온 시행착오에서 엑기스만 뽑아서 가져갈 수 있잖아요. 시간을 오히려 절약한 셈입니다. 따지고 보면."

그다운 말이었다. 무심코 웃었더니, 호두 반쪽을 내게 건네주며 그가 덧붙였다.

"괜찮은 식당 하나 찾아내려면 맛없는 밥을 아홉 번 정도 먹어야 합니다. 분위기 괜찮은 술집도 마찬가지고. 별것 아닌 것 같아도 의욕과 노력이 꽤 들어가는 일이니까, 시간적인 여유가 생겨야 수월해질 거예요. 그때까진 내가 알아 놓은 데를 다니면서 이서단 씨 취향에 맞나 보면 되고."

"……네."

"먹고 싶은 게 생기면 기억해 뒀다 얘기하세요. 해 보고 싶은 것, 가 보고 싶은 곳. 뭐든 괜찮습니다. 내가 모르는 곳이면 같이 조사해 보고 다녀 보면 되니까. 앞으로 얼마든지 시간이 있으니까, 조바심 낼 필요 없어요."

별다른 강조가 실리지 않은 말이었는데, 흔들리던 것을 누군가 밑에서 받쳐 준 것처럼 마음이 잠잠해졌다. 들이쉰 숨이 달았다. 나는 빈 통에 뚜껑을 덮는 한 팀장의 내리깐 눈매를 잠시 쳐다보다가, 충동적으로 몸을 앞으로 기울였다.

그가 얼굴을 드는 바람에 입술이 그의 입꼬리 언저리에 어설프게 찍혔다. 쪽, 하는 소리가 났다. 좁혀진 미간이 가까이에서 보였다. 그리고 그의 손이 내 목을 감싸 안으며 나를 앞으로 확 끌어당겼다.

배낭 위로 몸이 맞붙었다. 내 얼굴을 잡아 고정시킨 그가 입술을 진득하게 맞물렸다. 적시듯이 집요하게 아랫입술을 머금고 핥았다. 저항 없이 벌어진 입안으로 뜨거운 혀가 파고들었다. 치솟은 열로 뺨이 뜨끈해졌다.

"흐읏, 아."

기세는 잡아먹을 듯이 거칠었는데, 입안을 쓰다듬는 혀가 다정했다. 깊숙이 파고들지 않고 각도를 바꿔 맞물려 가며 입천장과 혀 밑을 간지럽혔다. 코끝이 문지르듯 비벼졌다. 몇 번 깜박이며 눈을 떠 마주한 그의 눈이 웃고 있었다.

나는 입술이 떨어졌다가 다시 붙는 타이밍에 혀를 내어 그의 입술을 핥았다. 서툴게나마 그의 입안에 혀끝을 넣어 봤다. 단단한 치아에 탁 하고 혀가 부딪쳤다. 잠시 멈칫한 한 팀장이 내 목을 잡고 있던 손을 떼고 허리를 확 잡아당겼다. 몸이 앞으로 쏠리고, 플라스틱 통이 바닥으로 굴러떨어졌다. 그는 아랑곳하지 않고 나를 끌어당겨 무릎 위로 올렸다. 떨어질 것 같아 다리를 그의 허리에 감자, 코알라처럼 열렬하게 몸이 그에게 달라붙었다.

"으, 으응, 흐……."

"산에 오길, 잘했네요."

거칠어진 호흡 사이사이로 그가 말했다. 잠시 떨어진 입술이 내 감긴 눈꺼풀 위로 쪽, 쪽, 가볍게 내려앉았다.

"길바닥에서, 이런 건 무리였을 텐데."

"읏, 저도, 오게 돼서."

숨이 가빠져서 말이 끊겼다. 동그란 귓바퀴 안쪽에 키스한 그가 귓불을 입안에 머금었다. 훅, 배 속에서 열기가 터지듯이 퍼졌다. 나는 황급하게 그의 어깨를 밀어냈다.

"이 이상 하면, 저……."

"설 것 같아?"

입술을 쪽 부딪치며 그가 낮게 물었다. 손이 등을 느리게 문지르고 내려갔다. 등줄기를 타고 소름이 내달렸다.

"흣, 진짜로, 저—"

"알았어요. ……조금만 더."

입술이 거칠게 맞물렸다. 입을 크게 벌리게 하고 침범한 혀가 델 듯이 뜨거웠다. 목에서 앓는 소리가 자꾸만 새어 나갔다. 참으려고 해도 입을 다물 수가 없었다. 이러다가 진짜 큰일이 날 것 같았을 때에서야 젖은 입술이 떨어져 나갔다. 그의 숨소리가 내 것만큼 거칠었다. 팔을 올려 그의 목을 끌어안으며 나는 헐떡이는 숨을 그의 따뜻한 목덜미에 묻었다.

나를 품에 안은 그가 느리게 등을 쓰다듬어 주었다. 커다랗고 단단한 손이 뒷목과 머리를 어루만졌다. 숨소리를 억누르듯 서서히 가라앉힌 그가 웃었다.

"내가 아직 제정신일 때 내려갑시다. 점심 시간대를 맞춰야 맛있는 걸 먹지."

"……네."

느릿느릿 몸을 그에게서 떼어 내고, 벤치에 남은 통을 챙겨 가방에 넣었다. 벤치 밑에도 통과 뚜껑이 나뒹굴고 있었다.

그의 말대로, 내려가는 길이 더 힘들었다. 완만했던 경사는 내려갈 때는 가파르게 느껴졌다. 잡고 있는 손이 아니었으면 나무뿌리에 걸릴 때마다 앞으로 굴러 넘어졌을 것이다. 몇 번 나를 잡아 지탱해 준 그는 끝내 어이없다는 얼굴로 말했다.

"이 정도의 운동 신경이면 본격적인 등산은 어렵겠네요."

"저 떨어지는 접시는 잘 잡는데……."

말하다가 또 발을 헛디뎠다. 그가 팔로 내 허리를 잡아 주었다. 이쯤 되니 몸이 그에게 붙들려 넘어지지 않는 것이 오히려 자연스럽게 느껴졌다. 같은 생각을 했는지 그가 미묘하게 웃는 얼굴로 말했다.

"이서단 씨는 앞으로도 나 없이 산 타면 안 될 것 같습니다."

"……죄송합니다."

뒤늦게 내리막길에서 내 무게까지 지탱하고 있는 그가 눈에 들어왔다. 됐습니다, 라고 말한 그가 내가 바로 설 때까지 기다려 주었다. 여전히 손이 그에게 깍지 껴 잡힌 채였다. 이번에는 반대쪽 손이었다.

주차장으로 내려오자, 정오의 태양이 자갈로 된 바닥을 달구고 있었다. 넘어지지 않는 일에 총력을 기울였던 나는 평지로 내려와서야 다리가 아프고, 배도 고프다는 사실을 깨달았다.

열쇠를 꺼내 버튼으로 차 문을 열어주며 한 팀장이 말했다.

"나는 담배 한 대 피울 생각인데. 먼저 타겠습니까?"

"……네, 그냥 피우셔도 저는 상관없는데……."

"그게 아니라."

담뱃갑과 라이터를 꺼내며 그가 무덤덤하게 말을 이었다.

"아까부터 이서단 씨 상태가 위험한 것 같은데, 내가 담배 피우는 것까지 보면 못 참을 것 같아서."

"……팀장님."

문자가 전송되는 순간 놀림거리가 될 것을 알고 있었다. 입을 열었다가 포기했다. 내 얼굴을 본 그가 숨기지도 않고 눈을 접어 웃었다.

그가 몇 걸음 떨어진 곳에서 담배를 피우는 동안 나는 뒷좌석 문을 열고 가방을 밀어 넣었다. 문을 연 채로 다리를 내리고 앉아 신발에서 흙먼지를 털었다. 고집스럽게 시선을 돌리고 있는데도 정신을 차리면 눈이 또 그에게로 가 있었다. 담배를 사이에 끼운 손가락의 느른한 각도나 연기가 피어오르는 입술 틈을 보고 있었다.

내 시선을 눈치 챈 그가 눈썹을 슬쩍 들어 올렸다. 부러 느리게 연기를 내뱉으며 담배가 물려 있는 입술 끝을 틀어 장난스럽게 웃었다.

나는 순간적으로 사수가 떠올랐다. 유 대리나 박 대리도 떠올랐다. 회사의 누구든 그의 이런 모습을 상상도 못 할 것이다. 그게 뭐라고, 작은 만족감이 배부르게 몰려들었다. 주말에 보는 그는 말투도 달랐고, 표정도 달랐다. 눈치가 없어도 알아차렸을 만큼 나를 향한 시선도, 말끝도 무르고 다정했다.

"뭐 먹고 싶은지 정했어요?"

휴대용 재떨이에 꽁초를 비벼 끈 그가 물었다. 나는 뒷좌석에서 뛰어내리며 문을 닫았다.

"아무거나 괜찮을 것 같은데……. 팀장님은 뭐 드시고 싶으세요?"

"일단 타세요, 가면서 생각해 보게. 밥 먹고서는 바다 보고, 해안가 쪽으로 빙 돌아서 서울 올라갑시다. 저녁은 서울 올라가서 먹고."

"네."

그가 운전석 문을 여는 것을 기다렸다가 옆자리에 올라탔다. 피곤한 몸이 기다렸다는 듯이 등받이에 축 늘어졌다. 내 키와 자세에 맞춰 조절되어 있는 자리가 졸음이 올 것처럼 편안했다.

⁂

해가 졌는데도 길이 익숙하게 느껴질 만큼 어느새 그의 집 주변의 지리가 눈에 익어 있었다. 그래서 교차로에서 당연히 직진할 줄 알았는데, 그는 오른쪽 차선을 탔다. 고개를 돌리자 그가 짧게 답해주었다.

"기름 넣고 세차하고 들어갈 겁니다. 아까 도로 때문에."

"……세차면, 직접 하는 거 말고 기계 같은 데 들어가는 건가요?"

"오늘은 그래야겠죠."

그가 핸들을 꺾어 주유소 안으로 진입하며 대답했다. 그의 말대로 주유소 한편에 네모난 터널처럼 생긴 세차장이 열려 있었다. 내 시선을 눈치 챈 그가 물었다.

"왜. 싫어합니까?"

"어렸을 때는 싫어했던 것 같은데……. 지금은 괜찮아요."

정확하게는 고등학교 때도 싫어했던 것 같지만, 귀신도 아니고 강도도 아니고 고작 세차장이었다. 빨간색 유니폼을 입은 직원이 창문 밖으로 보였다. 창문을 열고 카드를 건넨 후 한 팀장이 내 쪽을 돌아봤다.

"손 세차는 시간이 걸려서 오늘 같은 날은 어쩔 수 없긴 한데, 자동 세차는 페인트에 썩 좋은 편은 아닙니다. 이서단 씨도 차 사게 되면 참고하세요."

창문 틈으로 휘발유 냄새가 새어 들었다. 어둑어둑한 하늘을 배경으로 주유소의 불빛이 비현실적으로 창백하고 밝았다. 아스팔트 위의 발소리가 차갑고 건조했다. 나는 나도 모르게 물었다.

"저 차 사면, 정말로 팀장님이 운전 가르쳐 주실 거예요?"

그가 힐끗 시선을 들었다.

"차가 슬슬 필요하단 마음이 듭니까?"

"지하철이 있긴 하니까 꼭 필요한 건 아닌데, 나중에는 갖고 싶어서요."

한 팀장은 뜻밖이라는 표정으로 웃었다. 내 자리로 넘어와 머리를 가볍게 쓰다듬은 손이 내 팔을 타고 내려가 시트에 기댄 손가락 사이로 파고들었다. 직원이 아직도 차 밖에 서 있었다. 가려진 각도였지만, 손이 잡히는 순간 심장 박동이 단숨에 쿵쿵 뛰어올랐다.

"운전이야 내가 책임지고 가르치겠습니다. 이서단 씨 반사 신경으로는 나한테 많이 혼나겠지만."

목소리는 담백한데, 손끝이 내 손가락 사이를 느리고 진득하게 쓰다듬고 있었다. 나는 머릿속에 뭉게뭉게 떠다니던 자동차 그림이 단번에 흩어졌다.

달그락, 주유구가 닫히는 소리가 났다. 아무 일 없었다는 듯이 내게서 손을 떼어 낸 한 팀장이 창문 틈새로 카드를 돌려받고 시동을 걸었다. 나는 도로로 이어지는 입구 쪽을 보고 있다가 뒤늦게 세차를 기억해 냈다.

"얼마나 오래 들어가요?"

검게 입을 벌린 세차장 입구에 멈춰 섰을 때 물었다. 내 말에 옆에 붙은 표지판을 확인한 한 팀장이 대답했다.

"흙먼지만 씻어 낼 거라 십 분 정도."

"……네."

스윽, 어둠 속으로 차가 빨려들었다. 웅웅거리는 진동이 울리고 파랗고 하얀 솔들이 어지럽고 시끄럽게 앞유리 너머를 채웠다. 작은 틈새로 밖이 내다보이다가, 그마저도 덮였다. 비눗물이 창을 뚫고 들어올 것처럼 거셌다.

어두웠다. 옆에 그가 있지 않았더라면 차에서 내리고 싶어졌을 것이다. 빙글빙글 돌아가는 거대한 솔을 내다보며 중얼거리듯 말했다.

"저러다 설정값이 오류가 나면, 솔이 창문을 깨고 들어오는 거 아닐까요?"

"……가능성이 없지는 않습니다."

그가 내 헛소리를 진지하게 받고 대답했다. 밖의 소음이 시끄러웠다. 목소리를 키우지 않으면 말소리도 안 들릴 것 같았다. 나는 기어 스틱 위의 그의 잘생긴 손을 내려다보며 입을 열었다.

"어렸을 때 아버지가 세차하실 때 몇 번 뒤에 타 있었는데, 매번 무서웠어요. 놀이공원에 온 것 같고, 완전히 다른 세상 같고. 그게 신기하다고 여동생은 좋아했는데……. 저는 어디 갇힌 상태에서 공격받는 것 같아서 싫었어요."

커다랗고 거칠어 보이는 솔이 내 바로 옆 창문에 짓이겨졌다. 창문을 잠시 바라본 한 팀장이 듣고 보니 그렇기도 하네요, 라고 대답했다.

"안에서 밖이 전혀 안 보이니 그런 것 같습니다."

"네."

"대신 밖에서도 안이 안 보인다는 이점이 있죠."

뒤늦게 눈을 들었다. 그의 얼굴이 바로 앞까지 다가와 있었다. 입을 벌렸는데, 입술이 맞물렸다. 나는 더듬더듬 그의 어깨를 붙잡으며 눈을 감았다.

느리고 농밀한 키스였다. 말랑한 혀가 얽히고 타액이 뭉근하게 섞였다. 코로 숨을 쉬고 있는데도 숨이 가쁠 만큼 가슴이 빠르게 뛰었다. 차 밖의 웅웅거리는 소음이 시끄러웠다. 그와 둘만 남아 있는 공간이 다른 세상처럼 어둡고 안온했다.

그 순간 흩어졌던 선들이 하나의 점으로 모이듯이 모든 게 선명해졌다. 그가 내 옆에 있는 것이, 이른 아침부터 해가 질 때까지 그의 곁에 내가 있었던 것이 눈물이 날 것처럼 벅차올랐다. 나는 그의 목에 팔을 감으며 몸을 더 가까이 붙였다. 바르작거리며 닿은 면적을 늘리려고 애썼다.

맞닿은 심장의 울림이 빠르고 격동적이었다. 커다란 손이 뒷머리를 느리게 쓰다듬었다. 손이 닿은 곳마다 뜨겁고 차가운 소름이 조르르 돋았다.

"으, 응, 흐읏."

입술이 잠시 떨어지자 와 닿는 공기가 허전했다. 기어 스틱이나 안전벨트 버클 부분에 허리가 아프게 배겼지만, 나는 헐떡이듯이 턱을 들어 다시 그의 입술을 찾았다.

뒷목을 어루만지던 손이 좌석에서 약간 들린 내 엉덩이 밑으로 숨어 들어가 둥근 구를 움켜쥐었다. 흐읏, 새어나간 소리를 그가 먹어치웠다. 배 속에 순식간에 열기가 뭉쳤다. 입술에 와 닿는 그의 숨도 빠르고 거칠어져 있었다.

"……십 분으로는 턱도 없겠는데."

입술이 젖은 소리를 내며 떨어졌다. 한참 나를 내려다보다가, 가장자리가 까슬해진 목소리로 그가 말했다. 단단한 손이 금방이라도 아래로 파고들 듯 내 엉덩이 윗부분을 위험하게 쓰다듬고 있었다.

"제일 긴 코스는 이십 분쯤 하던데. 그걸로 연달아 두 번 정도면 되지 않겠습니까?"

"……그러면…… 페인트는요?"

그 말에 그가 몸을 뒤로 물리며 소리 내어 웃었다. 서늘한 눈이 접히고 입술이 호선을 그렸다.

"야해 빠져서는."

쪽, 상 주듯 입술이 닿았다 떨어졌다.

"말릴 생각은 안 하고."

"흣."

"어디서 갑자기 이런 게 나타나서."

뺨을 감싸 쥐고 내 얼굴을 들여다보는 눈이 가감 없이 다정했다. 시간이 그대로 멈춘 것처럼 길고 온화한 순간이었다.

우우웅, 창밖 솔의 회전이 느려졌다. 드러난 틈으로 다시 하얀 빛이 새어 들었다.

한 팀장은 깔끔하게 나를 놓아주며 차의 시동을 걸었다. 까만 와

이퍼가 매끄럽게 앞유리 위를 오갔다. 나는 눈을 깜박이며 한쪽으로 밀려난 물방울들을 멍하니 응시했다. 가로등이 길게 늘어선 저녁의 도로는 평생 처음 보는 것 같은 검푸른 색이었다.

⁂

그는 씻지 않아도 된다고 말했지만, 욕실로 빠르게 뒷걸음질 치는 나를 붙잡지 않았다. 산에서 내려온 직후에는 빼근하던 근육이 이제는 군데군데 얻어맞은 것처럼 욱신거리고 있었다. 나는 천 쪼가리처럼 축 늘어진 채로 뜨겁게 틀어 놓은 물을 오래 맞고 서 있었다. 녹진녹진해진 몸을 겨우 이끌고 나와 큰 수건을 둘둘 둘렀다. 옷방은 욕실 바로 옆이었지만, 굳이 옷을 찾아 입을 생각은 들지 않았다.

식탁 위의 조도 낮은 조명을 제외하고는 집이 어두웠다. 귀를 기울여 봐도 위층에서 물소리가 들리지 않는 것을 보면 그는 이미 씻고 나온 모양이었다. 나는 소리를 죽인 걸음으로 부엌까지 가서 찬물을 유리컵 가득 따라 마셨다. 젖은 머리에서 떨어진 물이 방울방울 카운터 위로 떨어졌다.

컵을 씻어 개수대에 놓고, 유리컵을 하나 더 꺼내 물을 가득 채웠다. 맨발에 닿는 나무 계단이 매끄러웠다. 수건을 쥐고 있느라 난간을 잡지 못하니 그만큼 걸음이 느렸다.

한 뼘 정도 벌어져 있는 문틈을 들여다봤다. 천장의 조명은 꺼져 있었고, 침대 옆 작은 조명의 희미한 빛으로 침대의 윤곽이 드러났다. 침대 위에 편한 자세로 걸터앉은 남자는 허리에 감은 수건 위로 태블릿을 놓고 들여다보고 있었다.

"일하세요?"

문을 조용히 닫으면서 물었다. 손가락으로 스크롤을 내리던 한 팀장이 머리를 들었다. 하얀 빛이 그의 턱 밑으로 고이자 그려 놓은 것처럼 얼굴의 음영이 짙었다.

"내일 회사에 잠깐은 들어가 봐야 할 것 같아서."

목소리가 나직했다. 나는 수건을 다시 추어올리며 노곤한 몸으로 침대 가장자리에 앉았다.

"저도 출근할까요?"

"오려면 오세요. 한 시 정도까지는 끝날 것 같은데, 늦게라도 점심 사 주겠습니다."

"네. 점심은 바쁘신 거면 제가 알아서 먹을게요."

"나도 기대할 게 있어야 일을 하지."

태블릿 화면이 어두워졌다. 화면을 끈 그가 침대 밖으로 내려놓았다. 수건이 반쯤 흘러내리며 장골의 선명한 선이 아슬아슬하게 드러났다. 윤곽을 따라 만져질 것 같은 그림자가 짙게 어려 있었다.

"운동 좀 했다고 그렇게 축 늘어졌습니까?"

내가 두 손으로 내미는 컵을 받아 간 그가 물었다. 유리를 입가에 대고 기울여 삼킬 때마다 목울대가 크게 움직였다. 목의 선, 쇄골, 가슴으로 이어지는 골이 선명했다. 방금 전까지 물을 마셨던 것 같은데, 어느새 입이 바짝 말랐다.

"왜 대답이 없어."

빈 컵을 내려놓으며 그가 나를 가까이에서 들여다봤다. 나는 나도 모르게 뒤로 물러났다. 뚫어져라 쳐다보던 눈매가 가늘게 좁혀졌다.

"그게 아니라…… 샤워를 오래 해서……."

가슴이 목까지 올라와 뛰었다. 아래로 내린 시선에 수건이 덮인 그의 허벅지의 윤곽이 들어왔다.

"……근육이 좀 뻐근했는데, 이제 풀린 것 같아요."

"내일 일어나면 아플지도 모르겠네요."

그가 말했다. 어둠 속에서 뻗어 온 팔이 기척 없이 내 손목을 잡았다. 소리를 삼키며 눈을 들자, 시선이 가까이에서 맞물렸다.

"엎드려요. 만져 줄 테니까."

목소리가 낮았다. 손목에서 팔딱거리는 맥박이 그에게도 들킬 것 같았다.

"근육이 풀렸다고는 해도, 좀 만져 두면 나을 겁니다. 내일 출근하려면 자기 전에 푸는 게 좋아요."

사양하려다가 입을 다물었다. 그가 잡아당기는 대로 몸이 이끌려가서 넓은 침대 위로 십자가를 그리듯 엎드려졌다. 한 팀장은 망설임도 없이 내 등을 가린 수건을 걷고 맨몸을 드러냈다. 슥, 등 위로 손끝이 대충 훑고 갔다. 경련처럼 와르르 내달린 떨림이 그의 눈에도 분명히 보였을 텐데, 그는 아무 말도 하지 않았다.

다리를 어깨 넓이보다 조금 더 벌리게 하고 그는 단단한 손으로 종아리를 잡아 주물렀다. 발목부터 꾹, 꾹 누르듯이 타고 올라와 두 손으로 감싸고 어루만졌다. 전문적이기까지 한 손길이었다. 다른 쪽 다리로 옮겨 가며 그가 나직하게 말했다.

"예전에 전문가한테 배웠습니다. 지금은 다 기억이 나는 건 아니지만."

"으, 읏."

"아프면 말하세요. 약간 아픈 정도가 효과 있긴 한데……. 말하면 내 쪽에서 조절하겠습니다."

뺨을 이불 위로 묻었다. 눈을 깜박이면서 소리를 억누르려고 노력했다. 허벅지까지 타고 올라온 손바닥이 짝, 아프지 않게 엉덩이를 내리쳤다.

"긴장 푸세요."

"흐읏……."

"근육 풀어지라고 하는 건데 힘을 더 주면 무슨 소용이 있습니까."

무릎 뒤를 매만지던 손이 실수처럼 허벅지 안쪽을 스쳤다. 예민해진 피부를 손톱으로 슥 스치고 지나갔다. 움츠러든 어깨가 파드득 떨렸다.

양쪽 다리를 주무르던 손이 등 위로 옮겨갔다. 날개뼈부터 시작해 둥글게 문지르듯이 어루만지고, 등 사이의 골을 꾹꾹 눌렀다. 느리고 신중한 손길에 몸에서 긴장이 조금씩 빠져나갔다. 끝도 없이 계속되었으면 바랄 정도로 그의 손이 닿는 것이 기분이 좋았다. 그가 어깨와 팔을 거쳐 손가락까지 하나씩 잡아 어루만져 주자, 나중에는 흐물흐물거리는 몸을 내 의지로 움직일 수도 없었다. 반쯤 잠들어 있던 나는 그의 손이 떨어져 나가자 눈을 깜박깜박 떴다.

반어둠 속에서 그의 어깨의 윤곽이 보였다. 엎드린 내 몸을 뚫어져라 내려다보던 그가 낮게 말했다.

"스무 대 정도만 스팽을 하고 싶은데. 괜찮겠습니까?"

오감이 열리듯이 한꺼번에 깨어났다. 뺨에 열기가 물들이듯 확 번지고, 삼켰던 공기가 목에서 막혀 내려가지 않았다. 내가 더듬더듬 상체를 일으켜 앉자 그가 덧붙였다.

"세게 때리진 않을 겁니다. 멈춰 달라고 하면 멈출 거고."

"……."

"싫으면 싫다고 말하세요."

목소리의 가장자리가 미세하게 거칠었다. 귀를 긁듯이 소리가 들어가고, 달아오른 솜털처럼 몸 안을 간지럽혔다. 심장이 박자를 높여 쿵쿵 뛰었다.

나는 마른 입안을 적셨다. 침대를 내려다보면서 작게 대답했다.

"저는…… 괜찮아요."

"내 눈 보고 말하세요."

턱 밑으로 손끝이 닿았다. 열 오른 얼굴이 그에게 들킬 것 같았다.

"진짜, 괜찮으니까……."

확인하듯이 맞대던 눈이 점점 가까워졌다. 해 주세요, 라고 나는 기어드는 목소리로 끝맺었다. 쪽, 하고 가볍게 입술이 맞물렸다가 떼어졌다.

"숫자 세지 마세요."

깔끔한 말끝에 낮고 거친 울림이 섞여 있었다. 나는 아무 말도 못 하고 그가 자세를 옮겨 주는 대로 이끌려 갔다. 엎드린 채로 그의 허벅지 위로 엉덩이가 얹어졌다. 솟은 엉덩이를 잡아 높이를 조정하며 그가 한 손으로 내 등을 잡아 눌렀다.

"겁먹지 말고."

"흣……."

이불을 손안에 감아쥐었다. 그 사이로 떨리는 이마를 묻었다. 일 초 일 초가 길고 위태롭게 늘어졌다.

엉덩이를 가볍게 어루만진 손이 떨어져 나갔다. 짝, 하고 타격이 내려앉았다.

"읏!"

따끔거리는 열이 확 번졌다. 경련하듯 오므라든 엉덩이 위를 그가 쓸어 주었다. 따뜻한 손바닥이 한참 달래듯이 어루만졌다. 그리고 반대쪽 엉덩이 위에도 비슷한 세기의 매가 떨어졌다.

통증은 거의 느껴지지 않을 정도로 열기가 화끈했다. 예민해진 피부 위를 느리게 훑어 내리는 손끝에 몸이 벌벌 떨렸다. 스무 대가 다 끝나고 손이 더 이상 내려오지 않았을 때는 머릿속으로 잘못 세었나 싶었다. 혀끝에 갈증이 남은 것처럼 이상하게 숨이 가빴다.

"일어나요."

팔이 붙잡혀 상체가 거칠게 일으켜졌다. 그의 표정을 볼 새도 없이 목 뒤가 붙들리고, 입술이 집어삼켜졌다. 살을 발라 낼 듯이 뜨거운 혀가 안으로 침범해, 격렬하게 입안을 헤집었다.

그의 허벅지 위로 엉덩이가 올라앉아 있었다. 몸이 앞으로 당겨질 때마다 벌어진 허벅지 안쪽으로 소스라치게 뜨겁고 단단한 것이 닿았다. 소스라치듯 가쁜 호흡이 터져 나왔다.

산소가 부족해 눈앞이 깜박일 때에서야 입술이 느리게 떨어져 나갔다. 한 뼘 정도의 거리에서 뜨거운 숨이 얽혔다. 뚫어져라 내 얼굴을 보던 그가 짓씹듯이 말했다.

"등산이고 뭐고, 집에서 섹스나 했어야 하는데."

"흣……."

몸의 모든 신경이 잘게 떨리는 것처럼 감각이 예민해져 있었다.

"밤새워서 하는 걸로 만회합시다. 여기가."

"흣!"

"더 나오는 게 없을 정도로 내가 쥐어짜 줄 테니까."

배에 올라붙을 정도로 서 있는 젖은 성기가 그의 손에 잡혔다. 눈앞이 새하얘지고 다리의 힘이 풀렸다. 휘청거리는 내 골반을 잡아 그가 몸을 끌어왔다. 누운 그의 위로 엎어지듯 몸이 포개지고, 부푼 성기가 비벼지듯 맞닿았다.

"으읏! 으응, 아, 아…… 흣!"

어정쩡하게 벌어진 다리를 그가 잡아 벌려 허벅지 양쪽에 걸치게 했다. 등을 누르는 손 때문에 일어날 수도 없었다. 뜨거운 이마가 그의 어깨에 부딪혔다. 그가 짧고 거칠게 내뱉는 숨소리가 귓가에 고스란히 울렸다.

움직임이 점점 빨라졌다. 내 골반을 잡은 채로 마찰시키듯 허리를 움직이던 그는 아예 겹쳐진 몸 사이로 손을 넣어 내 성기를 쥐었다. 기둥과 고환이 맞비벼지는 곳에서 크게 쿨쩍이는 소리가 났다. 다른 쪽 손이 붉게 달아오른 엉덩이를 잡아 거칠게 주물렀다. 나는 높은 데서 추락하듯 눈을 질끈 감았다.

“그, 흣, 잠, 잠깐만.”

사정도 채 마치지 않은 성기에 다시금 딱딱한 기둥이 문질러졌다. 필사적으로 몸을 뒤로 물렸지만, 엉덩이가 잡혀 있어 소용없었다. 말랑하고 예민해진 기둥이 커다란 손바닥에 잡혔다. 앓는 소리가 저절로 새어 나갔다.

“저 조금만, 으, 팀장님, 잠깐만…….”

“그러게 누가 먼저 가래.”

그가 불분명한 발음으로 낮게 으르렁거렸다. 아랫입술이 아프게 깨물렸다. 나는 그의 어깨를 밀어내려던 것을 포기하고 떨리는 손을 내려 어떻게든 성기를 가렸다. 방패처럼 둘둘 감싸 안고 보호했다. 손등에 뜨겁게 달아오른 그의 귀두가 비벼졌다.

“흐, 흐읏.”

내 손목을 잡았던 그가 무슨 생각인지 다시 놓아주었다. 골반이 잡히고 자세가 전복되었다. 내 위로 올라탄 그가 거친 숨소리 사이로 내뱉었다.

“안 닿게 잘 잡고 있어요, 그럼.”

"흐읍, 으…… 읏!"

벌어졌던 다리가 그의 손에 의해 모였다. 나는 그의 말대로 성기를 배에 붙인 채로 젖은 손가락으로 어떻게든 가렸다. 툭, 사타구니에 부딪친 뜨거운 것이 갑자기 붙여진 허벅지 사이를 파고들었다.

"흐윽!"

"가만히, 그렇게 있어요. 허벅지에 힘주고."

"으, 아아, 이거 이상……."

"내가 한 번 빼야, 이서단 씨 뒤가 안 찢어지지. 아니면 내일 이서단 씨가 못 걷든 말든 그냥 넣어 주는 게 낫겠습니까?"

목소리가 귓가를 거칠게 긁어 냈다. 나는 울면서 도리질 쳤다. 평소보다도 훨씬 크게 발기한 길쭉한 기둥이 허벅지 안쪽의 연한 살을 짓누르며 들어왔다. 무릎이 저절로 벌어졌다. 다리 모아, 라고 그가 끊어 말했다.

"흐, 흡……."

안간힘을 써서 덜덜 떨리는 무릎을 붙였다. 푹, 푹, 잠기는 소리와 함께 그의 성기가 허벅지 사이로 드나들었다. 마찰로 빚어지는 열이 겁이 날 정도로 뜨거웠다. 고환을 들쑤시듯 딱딱한 살덩이가 닿을 때마다 온몸이 벌벌 떨렸다.

내가 힘 풀린 다리를 가누지 못하자 그는 아예 손으로 내 무릎을 붙여 잡았다. 허벅지 안쪽의 살이 굵은 몽둥이에 발갛게 짓눌렸다. 몸 안을 드나드는 것도 아닌데 사납게 발기한 것이 짓쳐들어올 때마다 연약한 곳을 범해지는 느낌이 지독했다. 매번 배 속 깊이까지 쑤시며 파고들던 기둥의 길이와 굵기, 도드라진 핏줄의 모양까지 생생하게 느껴졌다. 울음 섞인 숨이 가빴다.

목덜미가 깨물렸다. 뜨거운 입술이 목과 귓가에 입맞춤을 단비처럼 퍼부었다.

"온몸을 다 씹어 삼켜 버리고 싶네."

"흐윽, 흣, 아아."

"어디 하나 안 예쁜 데가 없어."

귓속으로 쏟아지는 목소리가 거칠고 달콤했다. 끝까지 빠져나온 길쭉한 기둥이 다시 푹 하고 허벅지 가장 위쪽을 파고들었다. 고환 사이가 드르륵 긁혔다. 나는 나도 모르게 잡아 문지르고 있던 성기로 질금질금 실금하듯 사정했다. 몸이 경련하고 숨 가쁜 울음이 새어 나왔다.

벌어진 입술에 상처럼 키스가 떨어졌다. 젖은 입술이 몇 번이나 떨어졌다가 맞물렸다. 입맞춤은 다정한데, 허벅지가 다 까지도록 드나드는 성기는 빠르고 흉포했다. 퍽퍽거리는 소리가 아득했다.

"입안에다가, 싸 줄 테니까."

"흐윽, 아아, 아……."

"다 삼키세요. 알았습니까?"

흐릿한 시야에 이 악문 표정이 잡혔다. 나는 울면서 홀린 듯이 고개를 끄덕거렸다. 퍽, 하고 엉덩이골 안쪽까지 박혀 든 성기가 한 번에 뽑혀 나갔다. 내 얼굴 위를 타고 앉은 채로 그가 꺼떡거리는 성기를 쥐고 빠르게 흔들었다.

"더 크게 벌려요."

"흐, 흡……."

목이 말랐다. 현기증으로 깜박이는 시야 가운데에 핏줄이 사납게 도드라진 기둥이 거대하게 잡혔다. 딱딱하게 부푼 귀두가 덜 벌어진 입술에 꾹 눌리고, 맥박쳤다. 투욱, 터지듯이 뜨거운 액체가 입술에 묻고 입안으로 흘러들었다.

"흐, 흐으읍."

"목구멍 다물지 말고, 삼켜요. 전부 먹어야지."

"아, 흐아아."

끈적이는 것이 입천장에 달라붙었다. 필사적으로 삼켜 봐도 끝도 없이 쏟아져 들어왔다. 푹, 정액으로 범벅이 된 입안을 아직 단단한 성기가 범했다. 목구멍까지 느리게 들쑤시고 빠져나왔다. 끈적거리는 기둥이 뺨에, 눈가에 치덕치덕 비벼졌다.

입을 다물고 삼키려고 하면 어김없이 굵은 기둥이 스륵 입술 사이로 파고들었다. 느긋하게 귀두의 단단한 부분으로 입천장을 문지르고, 목의 연약한 점막 위로 미끄럽게 문대어졌다.

"흡, 으……."

나는 그 고리를 끊어 낼 요량으로 입술을 다물었다. 입안에 들어온 만큼의 그의 성기를 매달리듯이 혀를 내어 핥았다.

"……흣."

질척이는 소리가 나며 귀두가 입안에서 완전히 빠져나갔다. 나는 입술을 약간 벌린 채로 숨을 몰아쉬었다. 탈진할 것 같았다. 입과 코에서, 온몸에서 그의 정액 냄새가 나는 것 같았다.

흐릿해진 시야를 깜박이자 그가 보였다. 나를 물끄러미 내려다보는 얼굴에는 날것의 감정이 고스란히 엉켜 있었다. 끓어오르는 눈은 나를 짓밟고 부서뜨리고 싶어 하는 것 같기도 했고, 끌어안아서 쓰다듬고 싶어하는 것 같기도 했다.

"……팀장님."

힘이 풀려 잘 움직여지지 않는 팔을 뻗었다. 그는 내 상체를 일으키며 잠자코 나를 품에 안아 주었다. 등을 두른 단단한 팔이 으스러뜨릴 듯이 꽉, 힘을 줬다가 느슨하게 풀어졌다. 가슴에 뜨끈한 게 천천히 번졌다.

"섹스보다 열 배쯤 좋은 게 있다면, 그것도 다 이서단 씨와 할 겁니다."

내 귀 옆으로 입술을 묻은 채로 그가 나직하게 속삭였다.

"이서단 씨를 아프게 하는 것도 나고, 느끼게 하는 것도 나고."

섹스의 여운으로 낮게 잠긴 목소리였다.

"이서단 씨가 태어나 느낄 수 있는 모든 감각은 다 나로 채울 겁니다. 침대에서든, 어디에서든. 전부 다 내 겁니다. 내가 아닌 다른 일로 울지도 말고, 웃지도 마세요. 나만 무서워하고, 나만 보고 싶어하고, 나 때문에만 힘들어하고……."

몸이 품안으로 더 가까이 당겨졌다. 맞닿아 녹아 들어갈 듯이 밀착되었다. 나는 젖은 눈가를 닦아 내며 얼굴을 들었다.

가까이에서 눈이 마주쳤다. 웃고 있는 표정을 보고 그가 쓴웃음을 지었다.

"욕심이 너무 많은 것 같습니까?"

"……아니요, 팀장님다워서요."

그의 눈가에 느린 웃음이 번졌다. 훌쩍 들린 몸이 그의 허벅지 위로 당겨졌다. 코끝이 꾹, 눌리듯이 비벼졌다. 쪽, 입술이 가볍게 닿았다.

"피곤한 것 같아서 봐주려고 했더니. 말하는 걸 보아하니 그럴 필요 없겠네요."

"……읏."

"엎드리세요. 준비 운동 끝났으니 이제 본격적으로 섹스해야지."

그 말에 질겁한 나는 후퇴의 길을 찾아봤지만, 없었다. 뒤로 물러나려던 몸이 꼼짝없이 붙들렸다. 힘의 차이를 극복할 수가 없었다. 꼼지락거리는 나를 간단하게 침대 위로 엎어 놓으며 그는 베개를 끌어와 배 밑으로 밀어 넣었다. 단단한 손이 엉덩이 사이를 쥐어 벌렸다.

"흐, 읏……."

구겨진 이불 위를 헤매던 내 손을 그가 잡아 침대 헤드의 기둥을 친절하게 쥐여 주었다. 양손의 손가락까지 다물려 준 후에 뒤돌아보는 내 눈가에 짧게 입을 맞췄다.

"잘 잡고 있으세요. 아침까지는 시간 많이 남았는데, 오늘 이서단 씨가 어디까지 버티나 봅시다."

엉덩이를 느리게 쓰다듬던 손이 다물린 구멍 위를 문지르기 시작했다. 나는 벌써부터 숨이 가빠 이불 위로 코를 박았다. 배 속에 열기가 자르르 고여 들었다. 당장 눈을 감으면 잠들 수 있을 정도로 피곤했지만, 그래도 그를 밀어낼 생각은 들지 않았다.

길고 피곤했던 일주일이 끝나고 마침내 온 주말이었다. 이른 아침에 그를 만나, 그가 운전하는 차의 옆자리에 탔다. 손을 잡고, 밥을 먹고, 어둠이 떨어지자 엉겨 붙어 섹스했다. 하루 만에 산도 보고, 바다도 보고. 그러는 내내 그가 옆에 있었다. 보고 느끼고 생각나는 것이 전부 그에게서 비롯되고 그에게로 귀결되었다. 모든 면에서, 더없이 완벽한 토요일이었다.

일반 연애 2

벨소리도 아니고 진동이었다. 미세한 진동음에 나는 오랜만에 맛보는 달고 만족스러운 잠에서 깨어났다. 단조로운 소리는 세 번도 채 이어지지 않고 끊겼지만, 아늑한 어둠 속에 잠겨 있던 정신은 이미 수면 위로 떠오른 후였다.

알람 소리인 줄 알고 머리맡으로 부스스 뻗은 손에는 아무것도 잡히지 않았다. 그제야 나는 눈을 떴고, 막 침대에서 몸을 일으킨 한 팀장의 맨 등을 올려다보았다. 그가 귀에 댄 수화기에서 희미하게 빠른 영어가 흘러나왔다. 내가 깬 것을 알아차린 한 팀장이 통화에 집중한 채로 고개를 돌려 나를 내려다봤다.

"……."

미안합니다, 라고 그가 입모양으로 말했다. 나는 고개를 뒤늦게 흔들었다. 한 팀장은 수화기 너머의 누군가가 빠른 말소리로 전달하고 있는 내용에 희미하게 미간을 찌푸리며 팔을 뻗어 이불을 다시 내 턱까지 끌어 올려 주었다. 스치듯이 뺨을 쓰다듬은 긴 손가락이 내 눈가를 쓸었다. 나는 말을 잘 듣는 아이처럼 눈을 감았다.

스륵, 침대가 출렁이는 것이 느껴졌다. 침실을 가로질러 멀어지는 발소리가 들리고, 문이 닫혔다. 거실까지 아예 내려간 것은 아니었는지, 귀를 기울이고 있으니 문 너머로 낮고 정확한 발음의 목소리가 희미하게 들려왔다.

나는 결국 눈을 떴다. 어슴푸레한 어둠 속에서 핸드폰 화면에 떠 있는 숫자가 선명하게 눈에 들어왔다. 새벽 12시 10분. 계산해 보니 실제로 잔 것은 고작 30분 정도인데, 깊이 잠들었던 건지 몸이 개운했다. 눈을 깜박일 때마다 달콤한 졸음이 눈꺼풀 위로 무겁게 내려앉았다. 나는 다시 잠들지 않기 위해 아예 상체를 일으켜 앉았다.

10분도 안 돼서 통화가 끝났다. 계단을 내려가는 발소리가 들리고, 문 밑으로 1층 조명의 노란 빛이 새어 들었다. 나는 다시 계단을 올라오는 소리가 들릴 때까지 무거운 눈꺼풀을 깜박이며 가만히 앉아 있었다.

소리 없이 문을 열고 들어오던 한 팀장이 나를 보고 멎었다.

"……왜 안 자고."

조용히 묻는 목소리가 낮고 까슬했다. 나는 그가 셔츠를 걸친 것을 보고 침대 머리에 기대었던 머리를 들었다.

"지금 회사 가시게요?"

"오래 안 걸릴 겁니다. 삼십 분 안에 돌아올 테니까 쉬고 있어요."

그는 한 손으로 셔츠 단추를 잠그며 침대 끝에 대충 걸터앉았다.

나를 비스듬히 내려다보는 얼굴이 미묘했다.

"급히 필요한 문서가 있다는데 보안 등급 때문에 집에서는 전송이 안 돼서 다녀와야 합니다. 회의가 아니라 지난번처럼 늦어질 일도 없고. 자고 있어요, 금방 올 테니까."

지금 보니 그는 정장이 아니라 가벼운 검은 바지 차림이었다. 하얀 셔츠는 첫 단추가 풀려 있었고 타이도 없었다. 나는 시계를 한 번 더 확인하고 푹신한 이불 속에서 몸을 움츠렸다. 12시가 넘었으니 회사에는 사람이 없을 것이다.

최근 우리 부서는 프로젝트 때문에 미국 시간에 맞춰 일을 하는 경우도 있었지만, 한 팀장이 새벽에 회사로 직접 가야 할 정도면 지금 컨설팅 부서의 조명도 꺼져 있을 것이었다.

이쪽을 물끄러미 보고 있는 한 팀장과 시선이 부딪쳤다. 나는 더 이상의 지체 없이 이불 속에서 꾸물꾸물 몸을 빼냈다.

"저도 같이 갈게요."

"……가도 할 일이 없을 텐데."

"방해되시는 게 아니면, 가서 기다리는 동안 저도 내일 업무 준비하고……."

"아니, 가서 파일만 전송할 거라 그럴 시간 없을 겁니다. 새벽에 가서 그럴 바엔 제대로 쉬고 내일 일하는 편이 효율적이고."

말은 그렇게 하면서 한 팀장은 나를 말릴 생각은 없는 모양인지 내가 이불 밖으로 나오는 것을 저지하지 않았다. 오히려 이불을 완전히 걷어 낼 수 있도록 비켜 주기까지 했다. 나는 요즘 그의 집에서 잘 때 잠옷으로 입는 그의 셔츠를 허벅지 위로 당겨 내리며 침대를 벗어났다. 보드라운 이불의 감촉이 여운처럼 맨 살갗에 남았다.

그래 봤자 그가 없어지고 나면 몇 분도 되지 않아 안락하던 침대가 낯설어질 것이다. 미련을 떨치고 옷장 문손잡이를 잡았다. 여전히 침대에 걸터앉아 나를 지켜보는 한 팀장을 돌아보며 말했다.

“옷만 금방 갈아입고 내려갈게요. 차에 가 계세요.”

“알겠습니다. 옷은 대충 입어요. 볼 사람 없으니까.”

“네.”

내가 조명 스위치를 누르고 옷장 문을 안쪽에서 닫자 그제야 그가 방을 나서는 인기척이 들렸다. 계단을 내려가는 발소리가 희미해졌다. 나는 늦게 나가면 그가 나를 두고 갈 것 같은 마음에 서둘러 옷걸이를 헤집었다. 빼곡하게 걸린 옷은 지난번에 왔을 때보다 더 늘어난 것 같았다. 그중에 내가 가져다 놨던 옷은 오늘 챙겨 온 출근용 정장밖에 없었다.

한숨을 삼키면서 손끝으로 빳빳한 새 옷을 뒤적이다가 개중에 무난해 보이는 보드라운 하얀 반팔 티셔츠를 끄집어냈다. 그가 가격표를 떼어서 버렸는지 아무것도 붙어 있지 않았지만, 이 정도면 그렇게 많이 비싸지는 않을 것 같았다.

나는 머리 위로 그의 셔츠를 잡아당겨 벗고 대충 접다가 고개를 돌렸고, 기함했다. 옷장 문 안쪽에 달린 전신거울에 속옷 차림의 내 몸이 비쳤다. 밝은 조명 아래 하얀 몸이 얼룩덜룩했다. 유두 주변부터 허벅지 안쪽까지 붉은 자국이 꾹꾹 찍혀 있었고 발목과 허벅지에는 손자국이 희미하게 멍처럼 남아 있었다.

나는 결국 거울을 등지고 옷을 입었다. 피부에 닿는 티셔츠의 면이 보들보들했다. 시간이 지체된 것 같아 선반 위에 차곡차곡 쌓여 있는 바지 중에 제일 위에 있는 걸 집어 들었다. 연한 색의 긴 청바지였는데, 입고 보니 생각보다 덥거나 답답하지 않았다. 다시 거울을 보고 머리를 대충 손가락으로 빗어 정리했다. 입술은 살짝 부어 있었고 양쪽 입술 끝과 눈꼬리가 붉게 물들어 있었다. 한 팀장의 표현을 빌자면 누가 봐도 섹스하다 온 얼굴이었다.

회사에 사람이 없겠지. 나는 급하게 옷장 조명을 끄고 한 손에 양말, 다른 손에 핸드폰을 챙긴 후 계단을 달려 내려갔다. 현관 조명이 아직 들어와 있는 걸 보면 한 팀장은 벌써 나간 모양이었다. 현관 신발장에는 역시나 가격표가 실종된 신발이 주르륵 있었다. 망설이다가 고른 새하얀 운동화는 발을 쏙 감싸 안듯이 사이즈가 잘 맞았다.

나는 현관문이 닫힌 것을 확인하고 복도를 내달려서 엘리베이터 앞에 도착했다. 버튼을 누르자 벌써 도착해 있는 엘리베이터의 문이 쓰윽 열렸다. 그가 주차장에서 내리고 다시 올려 보낸 모양이었다. 지하에 도착해서 문이 열리자마자 새 신발을 신은 발로 뛰어나갔다. 후덥지근한 주차장 안에 일렬로 잠들어 있는 차들을 스쳐 지나갔다. 기둥 옆에 한 팀장의 덩치 큰 차가 서늘하게 번쩍이고 있었다. 앞유리 너머로 조수석에 앉아 있는 한 팀장이 보였다.

"……아."

나는 차 보닛 앞에 딱 멎었다. 핸드폰을 들여다보던 그의 턱이 들렸다. 유리 너머로 나를 발견한 시선이 뚫어져라 내게 고정되었다. 미간이 슬쩍 찌푸려졌다가 펴졌다.

나는 얼어 있는 팔다리를 움직여 느릿느릿 운전석 쪽으로 돌아가서 문을 열었다. 졸음의 여운을 말끔히 떨쳐 낸 심장이 서서히 속도를 높여 뛰고 있었다.

"저 진짜…… 해도 괜찮아요?"

고개만 들이밀고 조심스럽게 물었다. 운전석은 이미 그가 조절해놨는지 앞으로 조금 당겨져 있었다. 차 안은 미리 틀어 놓은 에어컨 공기로 서늘했다.

"애새끼 같네요."

내 쪽을 쳐다보던 그가 말했다.

"고등학생이라고 해도 믿겠습니다."

"서류 급하게 보내셔야 한다고……."

"그 정도로 급한 건 아니니까 신경 쓰지 말아요. 지금 이 시간이면 차 별로 없어서 지난번보다 오히려 쉬울 겁니다. 싫으면 안 해도 좋고."

"……아니요, 하고 싶어요."

어느새 땀으로 축축해진 손바닥을 가죽 시트 위로 짚었다. 문을 닫자 차 안이 에어컨 바람 소리를 빼고는 조용해졌다. 운전대가 앞에 있을 뿐 똑같이 생겼는데, 왜 조수석은 아늑하고 운전석은 딱딱한지 모를 일이었다. 나는 그가 지난번에 알려 준 대로 버튼을 눌러 시트를 앞으로 더 당겼다. 아득하게 멀던 대시보드가 조금 가까워졌다.

"미러 조절하세요."

지켜보던 한 팀장이 말했다.

"안전벨트 매고."

"……네."

내가 백미러를 만지작거리는 사이에 그가 대신 안전벨트를 매 주었다. 내 가슴 앞으로 그의 팔이 가로지르고, 내 뺨에 스치듯 그의 숨결이 닿았다. 나는 핸들을 잡은 채로 멎었다.

"시동."

몸을 제자리로 되돌리며 그가 지적했다. 힐끔 곁눈질로 살폈더니, 그는 좌석을 뒤로 밀어 생긴 널찍한 공간에 긴 다리를 뻗은 느긋한 자세였다. 가벼운 차림새 탓인지 오늘따라 나른하고 불량해 보였다. 손가락 하나 까딱 안 하겠다는 무덤덤한 표정이 나보다도 내 운전을 더 신뢰하는 것 같았다.

나는 심호흡을 하고 시동을 걸었다. 한 팀장의 차가 거대한 동물처럼 낮게 그르릉거리며 살아났다. 나는 무릎에 마지막으로 손바닥을 닦아내고 핸들을 두 손으로 잡았다.

"출발할게요."

"그래요."

페달 위의 발끝에 움찔거리듯이 꾹 힘을 주었다. 확, 차가 앞으로 빠르게 미끄러졌다. 나는 시선을 앞유리에 고정하고 차가 빼곡하게 들어찬 주차장을 빠져나가기 시작했다.

시야의 한쪽 끝에 에어컨 온도를 조절하는 한 팀장의 긴 손가락이 나타났다가 사라졌다. 양옆으로 주차되어 있는 차들이 느리게 스쳐 지났다. 지난번에도 느꼈지만, 한 팀장의 차는 육중한 차체에 어울리지 않게 움직임이 고요하고 매끄러웠다.

주차장 입구의 오르막길을 천천히 아슬아슬 빠져나간 차가 드디어 도로로 진입했다. 나는 멈추고 있던 숨을 길게 내쉬었다. 핸들에 달라붙었던 몸을 조금 뒤로 물리며 시선을 들었다.

깨끗하고 투명한 유리 너머로 내다보이는 밤의 도로는 내가 상상한 것과는 달랐다. 검은 길 위로 하얗게 빛나는 선들이 끝없이 뻗어나가 여름밤의 어둠 속으로 녹아들었다. 인도의 경계선에 가지런히 늘어선 가로등의 불빛이 하얗고 창백했다. 흑백으로 깔끔하게 정리된 세상이었다.

멀리 있는 신호가 내가 속도를 늦추기 전에 초록색으로 바뀌었다. 앞에도 뒤에도 다른 차가 없었다. 출근길에는 아스팔트가 보이지 않을 정도로 빽빽하게 줄 서는 차들이 지금은 다 각자의 주차장에서 잠들어 있을 것이다. 까만 도로 위 하얀 선 사이를 달리며 나는 불현듯 조용한 세상에 한 팀장과 둘이 남은 것 같은 선명한 기분에 사로잡혔다.

"이서단 씨."

한 팀장이 차분한 목소리로 말했다.

"그렇게 급한 서류는 아닙니다."

나는 반사적으로 핸들 사이로 속도계를 내려다봤다. 바늘이 70

언저리를 가리키고 있었다.

"아."

브레이크를 확 밟자 승차감으로는 뒤지지 않을 그의 차가 거칠게 뒤흔들렸다. 앞으로 쏠린 몸이 안전벨트에 덜컥 걸렸다.

"죄송합니다."

속도를 줄이고 그에게 서둘러 사과했다. 가로등 불빛이 스쳐가는 그의 얼굴은 얼핏 보기에는 무표정했다.

"앞 보세요."

목소리도 무심했다. 나는 더 이상의 말은 하지 않고 도로를 내다보며 머릿속의 지도와 눈앞의 낯선 밤길을 일치시키는 일에 집중했다. 차가 막히지 않아서 그런지 생각보다도 훨씬 짧은 거리였다.

매일 아침 회사에 가기 위해 건너는 횡단보도 앞에서 차가 신호에 걸렸다. 나는 그를 돌아보지 않고 물었다.

"팀장님, 주차는……."

"이 시간대에는 어렵지 않을 겁니다. 입구에서만 주의하세요. 좁습니다."

"네."

어차피 도로 한복판에서 그와 자리를 바꿀 수도 없는 노릇이었다. 나는 천천히 핸들을 돌리며 회사 지하 주차장으로 들어가는 알맞은 각도를 찾아냈다. 출입증을 인식하는 기계가 조금 멀어서 창문을 열고 팔을 밖으로 쭉 뻗어야 했다. 스읏, 소리 없이 하얀 주차 차단바가 위로 올라갔다.

그의 말대로 회사 주차장은 아무 자리나 골라잡을 수 있을 정도로 드넓은 공간이 되어 있어서, 나는 세 번의 시도 끝에 두 개의 하얀 선 사이에 차를 비뚤게 집어넣을 수 있었다. 기어를 주차로 바꾸자 후진하는 내내 삑삑 울리던 신호음이 그제야 멎었다. 시동까지 끄자 차가 완전히 조용해졌다.

그제야 참았던 숨을 내쉬며 옆자리의 한 팀장을 돌아봤다. 그는 여전히 느긋한 자세로 등받이에 기대어 앉아 핸들을 잡은 내 손을 물끄러미 보고 있었다. 내 시선을 느꼈는지 그의 눈이 느리게 내 얼굴로 들렸다.

"생각보다 길을 잘 찾네요."

"……네."

운전은 여전히 못한다는 소리였다. 내가 핸들 모양으로 둥글게 굳은 손을 떼어 내는 동안 그가 덧붙였다.

"차선 중앙에 맞추는 것도 많이 괜찮아졌고."

"……감사합니다."

"이서단 씨는 지나치게 빠르게 주행하는 경향이 있는데, 운전하다 보면 서서히 제한 속도가 감이 잡힐 겁니다. 지금은 도로 환경에 따라서 실감이 잘 안 날 수도 있어요."

"네."

깔끔한 피드백을 듣고 있자니 서류를 들고 그의 책상 앞에 서서 확인을 받는 기분이었다. 반사적으로 허리가 곧게 펴지고 말끝이 딱딱해졌다. 나를 물끄러미 쳐다보던 한 팀장이 갑자기 팔을 뻗었다. 커다란 손이 내 뒷머리를 잡고 앞으로 끌어당겼다.

"흡—"

예고도 전조 증상도 없는 키스였다. 놀라서 벌어진 입술 사이로 뜨거운 혀가 들어와 거침없이 헤집었다. 아랫입술을 물어 이 사이로 가둔 그가 츱, 젖은 소리가 나도록 안쪽의 살을 부드럽게 물고 빨았다. 떨리듯 들이쉰 숨에 따스하고 낯익은 체향이 섞여 있었다. 몇 시간도 안 된 섹스의 여운이 달콤한 소름처럼 치밀었다.

"아, 읏……."

나는 입안에 들어와 있는 그의 혀를 끌어 들여 내 혀끝으로 핥았다. 시트에 나를 고정하듯이 어깨와 턱을 잡고 있는 커다란 손에 그대로 몸을 맡겼다. 어차피 도망칠 생각도 없었고, 그도 알고 있었을 것이다. 그럼에도 그는 키스하는 내내 나를 운전석 등받이에 짓누르듯이 몸의 무게로 결박했다. 입술이 마침내 떨어졌을 때는 그의 몸이 반쯤 운전석으로 넘어와 내 위로 올라타 있었다.

가빠진 호흡을 삼키며 주차장의 흐릿한 어둠 속에 드러난 그의 얼굴을 가까이에서 올려다봤다. 그는 애매한 표정으로 슬쩍 눈가를 찌푸렸다.

"이서단 씨가 운전하는 차에 타니까……."

"……."

"기분이 색다르네요."

"……지난번에도 그렇게 말씀하셨잖아요."

"그랬나요."

입술이 욱신거렸다. 새벽 기운과 아직 가시지 않은 운전의 긴장에 그의 무게와 체온까지 더해져서 심장이 두근거렸다. 내 위로 커다랗고 단단하게 드리워진 그의 어깨 너머로 주차장의 빈약한 불빛이 보였다.

나는 그에게 깔려 있던 팔을 꿈지럭거리며 빼내 안전벨트를 끌렀다. 자유로워진 두 팔로 그의 등을 끌어안았다. 뺨이 닿은 목에서 셔츠 칼라의 건조한 감촉과 맨 살갗의 뜨거움이 느껴졌다. 숨을 내쉴 때 그의 피부에 내 입술 사이로 흘러나간 더운 공기가 닿았다. 심장 박동이 서서히 안정적으로 가라앉았다. 동이 트고 아침에 사람들이 출근할 때까지도 이렇게 불편한 자세로 있을 수 있을 것 같았다. 왜 굳이 새벽에 회사까지 왔는지 잊을 정도로 안락했다.

"……서류."

그도 잊고 있었는지, 닿아 있는 몸으로 그의 한숨이 느껴졌다.

"다녀와야겠습니다."

"네. ……그럼, 저는 차에 있을게요. 얼마 안 걸린다고 하셨으니까……."

"알겠습니다."

그는 힐끗 내 얼굴을 쳐다봤지만 더 묻지 않고 몸을 일으켰다. 나는 마지못해 그의 등을 두른 팔을 풀고 그를 놓아주었다. 핸드폰과 출입증을 챙긴 그가 조수석 문을 열었다. 둥근 거품이 터지듯이 외부의 공기가 차 안으로 흘러들어 왔다. 나는 그가 빠져나간 품이 허전해서 무심코 핸들 아래쪽을 두 손으로 쥐었다.

문을 닫은 한 팀장은 별다른 인사 없이 멀어졌다. 내가 엘리베이터 로비 쪽에 주차하지 않은 탓에 장신의 뒷모습이 한참 동안 작아지고 결국 기둥 뒤로 사라졌다. 나는 핸들에 붙였던 몸을 뒤로 물렸다.

부서에는 모르겠지만 엘리베이터 앞에는 확실히 CCTV가 달려 있었다. 아마 아무도 자세히 보지 않을 테지만, 혹시나 싶었다. 새벽에 그와 내가 가벼운 차림새로 함께 회사로 들어가는 것은 누가 봐도 일반적이지 않은 풍경이었다. 그가 새벽에 업무 때문에 부하 직원에게 연락하는 악덕 상사라면 나만 깨워서 보냈지 직접 오지는 않았을 것이다. 서류만 잠깐 전송하면 되는 일을 위해 둘이나 회사에 올 필요는 없었다. CCTV에는 들어가는 것도 찍히지만 다시 나가는 것도 찍힐 텐데. 생각하다 보니 머릿속이 헝클어져서 나는 핸들을 잡은 손 위로 잠시 이마를 묻었다.

그의 일을 충분히 덜어 주지 못하는 입장에서 할 말은 없었지만, 요즘 그의 업무량은 심해도 너무 심했다. 주말에도 출근하지 않는 날이 없어서 저녁에나 보는 게 고작이었다. 나는 사수와 함께 요즘 매일 클라이언트사로 출퇴근하고 있었고, 한 팀장은 미국 쪽 다른 클라이언트 시간대에 맞춰 일하다 보니, 같은 부서인데 아예 얼굴을 못 보고 지나가는 날도 허다했다. 오늘도 정말로 오랜만에 평일 저녁에 그의 집에 갔는데, 어쩐지 그의 핸드폰이 조용하다 했더니 또 이런 상황이었다. 그를 따라 나오지 않았다면 지금쯤 나는 그가 없는 그의 침실에서 혼자 기다리고 있었을 것이다. 그래도 그것보다는 주차장에서 기다리는 게 나았다.

나는 오래 기다릴 마음의 준비를 하고 등받이도 뒤로 젖혔다. 널찍한 등받이에 뺨을 기대고 몸을 옆으로 웅크려 핸드폰으로 메모해 둔 문서를 열었다. 이건 한 팀장에게 구두로 확인받아야 한다고 사수가 그랬는데, 내일 그를 직접 볼 시간이 있을까. 일단 이메일로 보내놓아야 하나 고민하다가 고개를 들었는데, 앞유리 너머로 그가 나타났다. 내가 멍하니 보는 사이에 그는 조수석 문을 철컥 열었다. 헛것인가 싶어 계속 쳐다보는 내게 오히려 멀쩡하게 물었다.

"왜."

"……벌써 다녀오신 거예요?"

"서류만 전송하는 거라고 말했잖아요."

그는 문을 닫았다. 차 안이 다시 밀폐된 공간이 되었다. 나는 얼떨떨한 기분으로 다시 등받이를 직각으로 당겼다.

"그랬지만, 그래도 시간이 좀 걸릴 줄 알고……."

"사람이 말을 해도 안 믿고."

그가 눈가를 슬쩍 찌푸린 표정으로 팔을 뻗었다. 나는 얌전히 고개를 숙여 그가 수월하게 내 머리를 헝클어뜨릴 수 있도록 협조했다. 아이를 못살게 구는 듯 머리카락 사이를 헤집던 커다란 손은 조금씩 느려지고 다정해졌다. 머리를 부드럽게 쓰다듬던 단단한 손끝이 귀 윗부분을 살살 꼬집듯이 어루만졌다. 나는 등줄기가 간질거려서 몸을 움츠렸다. 눈을 들었더니 그가 나를 가까이에서 물끄러미 보고 있었다.

"아까 섹스할 때도 생각했지만……."

"……."

불과 몇 시간 전 내가 그의 다리 사이에 꿇어앉아 있었을 때처럼, 그가 긴 손가락을 펼쳐 한 손으로 내 머리를 감싸 안았다.

"이서단 씨는 두상도 예쁘네요."

손끝이 동그란 모양을 가늠하듯 뼈의 곡선을 느리게 문질렀다. 얼굴이 느리게 가까워져서 몸을 긴장시켰는데, 입술은 옆으로 돌아 내 귓바퀴에 가볍게 머물렀다. 쪽, 간지러운 소리가 귓속을 파고들었다. 그리고 그는 손을 떼며 나를 깔끔하게 놓아주고, 먼저 안전벨트를 매면서 말했다.

"출발합시다."

"……네."

주차장이 어두워서 다행이었다. 나는 두 번이나 헛손질을 하고 겨우 시동을 걸었다. 안전벨트를 까먹었다는 사실을 옆자리의 그와 눈앞의 대시보드가 동시에 지적했다.

주차장 출구에서 또 신호에 걸렸다. 나는 사람 없는 교차로를 내다보면서 불과 몇 시간도 남지 않은 출근길을 떠올렸고, 그때에서야 조금 아쉬워졌다. 운전해서 올 때도 금방이었으니 갈 때는 더 금방일 것이다. 대시보드에 있는 시계는 00:50을 가리키고 있었다. 돌아가는 시간을 포함하더라도 30분이 채 안 되는 일탈이었다.

"이서단 씨."

내 생각을 읽기라도 한 듯이 그가 갑자기 입을 열었다. 신호가 바뀌어서 막 출발하려던 나는 액셀 위에 발끝을 두고 멈칫했다. 뜸을 들인 한 팀장이 물었다.

"그냥 가기 아쉬운데, 어디라도 들렀다 가겠습니까?"

"……이 시간에 연 데가 있을까요?"

반문하면서도 나도 내 표정이 보일 지경이었다. 그사이 신호는 다시 주황색과 빨간색의 순서를 밟았다.

"카페라도 가면 되지."

한 팀장이 대답했다.

"술은 이서단 씨는 별로일 테고, 차도 문제고."

"아니요, 팀장님이랑 가는 거면 아무 데나 괜찮은데…… 팀장님이 피곤하시잖아요."

"내일 출근해야 하는 건 이서단 씨도 마찬가지입니다. 오래 있진 말고 근처에서 커피나 한잔하고 들어갑시다."

"네."

말해 놓고도 너무 냉큼 대답했나 싶었다. 옆자리에서 안전벨트를 푸는 찰칵 소리가 났다.

"자리 바꿉시다."

당장 길 건너편에도 불 켜진 카페가 있는데, 그의 마음에는 들지 않는 모양이었다. 나는 해방되는 기분으로 운전석을 빠져나왔다. 조수석에 올라타니 한 팀장은 벌써 등받이와 백미러를 조정하고 있었다. 내가 안전벨트를 매자마자 차가 매끄럽게 출발했다. 우회전하는 차의 곡선이 컴퍼스 바늘을 대고 그린 것처럼 완벽했다.

나는 그가 조정해 놓아 뒤로 젖혀져 있는 조수석 등받이에 깊숙이 몸을 기대고 남아도는 공간에 다리를 뻗었다. 창밖의 건물과 한 팀장의 운전을 구경하는 동안 차는 회사와 그의 집 중간쯤의 번화가로 접어들었다. 근처에 영화관과 문 연 술집들이 있어서인지 큰 길가에 아직도 드문드문 사람이 보였다.

"평일인데 신기하네요."

창문을 내다보며 중얼거렸더니 그가 대답했다.

"대학생들은 방학입니다."

"아."

"이서단 씨도 놀고 싶으면 휴가 내고 놀다 오세요. 김 대리가 이서단 씨 너무 일만 한다고 걱정하던데."

"사수님이요?"

그러고 보니 사수가 최근에 내게도 비슷한 말을 한 적이 있었다. 단둘이 외근하다 보니 나는 자연스럽게 사수와 클라이언트사 근처의 카페에서 같이 커피를 마시거나 식당에서 같이 밥을 먹게 되었다. 어디였는지 기억나지 않는 식당에서 사수는 수저를 내려놓고 내 눈을 들여다보며 진지하게 말했다.

"이서단 씨, 지금 이서단 씨 나이엔 이게 잘 안 보일 수도 있는데, 너무 일만 하다가 나중에 후회해요. 그러다 팀장님처럼 워커홀릭 되면 어쩌려고."

"아마 제가…… 주말에 뭐 하냐는 말에 매번 아무것도 안 한다고 해서 그럴 거예요."

사실대로 '우리 팀 팀장님의 집에서 주말을 보낸다'고 할 수는 없으니 둘러댄 거였는데, 사수는 내가 주말 내내 집에 멍하니 처박혀 있는 걸로 알아들었는지 집 밖으로 나와서 운동이나 연애를 하라고 진지하게 권했다. 회사에 딸린 운동 시설이나 트레이너가 제법 괜찮다고 추천해 주거나 얼굴이 예쁜 대학교 후배가 있다고 장난처럼 말하기도 했다.

"김 대리가 이서단 씨 사생활에 관심이 많네요."

한 팀장이 말했다. 그사이 차는 비좁은 골목을 지나 작은 공영주차장으로 접어들었다.

"네, 잘 챙겨 주시는 것 같아요."

"그래요. 사수한테서 예쁨받아서 좋겠네요."

도저히 그의 차가 들어갈 수 없을 것 같은 좁은 자리만 몇 개 남아 있었는데, 그는 제일 가까운 자리 앞에 차를 멈추고 기어를 후진으로 바꿨다. 뒤를 힐끗 보며 한 손으로 핸들을 돌려 양쪽 주차선에 완벽하게 평행으로 차를 주차했다. 힘도 들어가지 않은 능숙한 손짓이었다.

"주차도 연습하면 점점 감이 잡히는 건가요?"

창문에 이마를 붙여 반듯한 주차선을 내려다보며 물었다.

"모르겠습니다, 나는 타고나서."

"……."

목소리는 덤덤했는데 돌아본 그의 얼굴은 웃고 있었다. 나는 어이가 없어서 따라 웃었다.

"팀장님은 언제부터 운전하셨어요?"

"대학생 때부터였을 겁니다. 차가 일찍 생겨서 어쩔 수 없이 배웠습니다."

"그럼 그때도 큰 차 운전하셨어요?"

"거의 그랬죠."

"사람 태울 일이 많아서요?"

막 차에서 내린 후였다. 한 팀장은 차의 보닛 너머로 내게 물끄러미 시선을 보내왔다.

"이서단 씨가 오늘따라 나한테 관심이 많은 것 같은데."

삐빅, 차가 눈을 한 번 깜박이고 잠들었다. 열쇠를 주머니에 찔러 넣으며 그가 주차장 입구를 향해 가볍게 턱짓했다.

"좀 걸어야 할 수도 있습니다."

"네, 괜찮아요."

차 안의 서늘한 에어컨 바람을 맞다가 나오니 여름밤의 바람이 온화했다. 온종일 매섭게 내리쬐던 태양의 잔열이 아지랑이처럼 남은 도시는 한국이 아니라 어딘가의 휴양지 같았다. 번화가 뒷골목의 희미한 떠들썩함과 어디선가 들려오는 벌레 우는 소리에 서서히 마음이 들떴다.

"밤에 이렇게 날씨가 좋은 줄 몰랐어요."

그에게 발을 맞추기 위해 걸음을 재촉하며 말했다.

"몇 년 전만 해도 여름은 덥기만 했던 것 같은데."

"여름은 올해가 더 더울 겁니다. 이서단 씨가 그동안 밤에 집에만 틀어박혀 있어서 그런 거겠지."

걸음을 늦춰 주며 그가 간단하게 답했다. 툭, 가까이 붙은 팔과 팔이 스쳤다. 손등이 맞물리듯 닿았다.

"……보통 이 시간에는, 나올 일이 없으니까……."

"어울리네요, 신발."

"네?"

"발 불편하지는 않고?"

내려다봤더니 밤에 보니 더 새하얀 운동화가 눈에 들어왔다. 자박 자박, 콘크리트에 운동화 코가 스치는 건조한 소리가 울렸다. 나는 애매하게 시선을 내리고 대답했다.

"네, 신발은 편한데……."

"마음은 불편합니까? 이서단 씨한테 묻지도 않고 뭘 자꾸 사다 놔서?"

"……네."

저렇게 대놓고 마음을 읽어서 말해 버리니 부정할 수도 없었다. 가로등이 만드는 노란 빛의 웅덩이를 마침 지나고 있었다. 나는 힐끔 눈을 들었다가 그의 하얀 셔츠 깃 아래와 셔츠 주름 사이로 머문 그림자에 시선을 빼앗겼다. 혼자 사려면 감히 엄두를 내지 못했을 가볍고 편한 하얀 운동화가 빛의 가장자리에 닿았다. 한 팀장이 한숨처럼 건조하게 말했다.

"나도 사고 싶어서 사는 게 아닙니다."

"네?"

"지나치지를 못해서 사는 거니까, 부담 갖지 말고 마음에 안 드는 건 그냥 두거나 버리세요."

말끝이 깔끔했다. 나는 차마 어떻게 그러냐고 말할 수는 없어서 입을 다물었다. 그때 그가 덧붙였다.

"그리고 내가 이서단 씨한테 돈을 쓰고 싶고 그럴 만한 능력이 충분히 된다는데, 오히려 갖고 싶은 걸 생각해 와야지 왜 부담스러워합니까. 나이도 어린 것이."

"……팀장님은 엄청 많은 것처럼 말씀하시네요."

그래 봤자 일곱 살 차이이고, 둘 다 사회인인데 내가 어떻게 손 놓고 받고만 있을까. 힐끗 나를 쳐다본 그가 말짱한 얼굴로 되받았다.

"너보다는 많지."

떠들썩한 술집을 지나치고 있었다. 문을 열고 나오는 대학생과 부딪칠 뻔하자 한 팀장이 나를 한 팔로 가까이 당겼다. 바짝 어깨에 붙은 내 머리통을 향해 말을 끝맺었다.

"정 그러면 오늘 커피나 사세요. 비싼 걸로."

"……네."

여전히 마음이 편한 건 아니었지만 몸이 너무 가까이 붙어 있다 보니 반박할 말이 곧바로 생각이 나지 않았다. 그의 셔츠에서는 잘 다림질된 옷의 따뜻한 섬유유연제 향이 났다. 나는 코를 바스락거리는 천에 더 붙이려다가 여기가 길거리라는 사실을 기억해 냈다.

"길을 건널까, 아니면 여기 중에서 고를까."

횡단보도 앞에서 그가 선택지를 제시했다. 길 건너에도 불 켜진 카페가 두어 군데 보였고, 똑바로 가도 두세 군데는 있었다. 어딜 가도 비슷할 것 같아 나는 길 건너의 프랜차이즈를 가리켰다.

지나치면서 본 술집 창문으로는 사람들이 많이 모여 떠드는 것이 보였는데, 카페는 비교적 한산했다. 환하고 서늘한 실내로 들어서자 카운터 앞 특별 메뉴판에는 각종 아이스 음료와 빙수의 그림이 알록달록하게 그려져 있었다. 알바생이 삐걱거리는 스툴에서 얼른 일어섰다. 내가 뒤를 돌아보자 한 팀장은 커피, 라고 간단하게 말하고 위층으로 올라가는 계단을 밟았다. 자리를 먼저 잡아 놓을 생각인 모양이었다.

둥근 진동벨을 가지고 손님이 아무도 없는 2층으로 올라가자 한 팀장은 창가 좌석에 비스듬히 기대앉아 있었다. 나는 동그란 테이블 위로 진동벨과 지갑을 내려놓고 맞은편에 엉덩이를 붙였다. 창밖으로 우리가 건너온 횡단보도와 건너편의 상점 네온사인들이 눈에 들어왔다. 대학생 한 무리가 막 술집에서 나와 헤어지기 아쉬운 듯 집에 안 가고 길거리에 옹기종기 모여 서 있었다.

그때 내 지갑을 물끄러미 보던 한 팀장이 말했다.

"뒤에 서핑 보드나 클라이밍 기어 같은 걸 실었습니다."

"네?"

"사람을 태울 일이 없지는 않았지만, 그렇게 많지도 않았고."

나는 눈을 깜박이다가 그가 아까 주차장에서의 차 이야기를 이어서 하는 것임을 깨달았다. 뒤늦게 내가 원하던 답을 들려 준 후, 그는 물었다.

"차종은 정했습니까?"

"아직 잘 모르겠어요."

나는 얼마 전부터 정신을 차리면 생전 관심도 없던 자동차 잡지나 온라인 리뷰 같은 걸 들여다보고 있었다. 횡단보도를 건널 때도 주차장에 들어설 때도 줄줄이 늘어선 차에 눈길이 갔다. 돈을 모아서 뭔가를 사고 싶다는 생각이 든 건 어렸을 때 이후로 처음인 것 같았다. 그 첫 번째가 무려 자동차라니 욕심을 너무 크게 부리는 게 아닌가 싶기도 했다.

"차가 생기면 운전해서 어딜 갈 겁니까?"

그가 느긋한 자세로 기대어 앉아서 물었다. 나는 잠시 생각에 빠졌다. 혼자 운전해서 어딘가를 가는 걸 상상해 봤더니 별로 떠오르는 풍경이 없었다. 그냥 운전하는 게 재미있을 뿐이었다.

"회사에 타고 가거나…… 팀장님 집에 가지 않을까요?"

"……그래요."

"그럼 막차 시간 넘어서까지 팀장님 집에 있을 수 있으니까 좋을 것 같아요."

그는 말을 하려다 그만두는 것처럼 입을 다물었다. 마침 진동벨이 울렸다. 내가 일어서려 했는데 그가 빨랐다. 나를 뚫어져라 내려다보던 그가 고개를 내젓더니 내 의자를 지나쳐 계단을 내려갔다.

나는 그가 다시 나타날 때까지 등받이를 잡은 채로 계단을 응시하고 있었다. 발소리가 들리고 트레이를 받쳐 든 채 올라온 그는 이번에는 다른 이유로 어이가 없다는 표정이었다.

"빙수?"

"메뉴를 보니까 갑자기 먹고 싶어서……. 팀장님도 같이 드세요."

"이서단 씨나 많이 먹어요."

그가 키 큰 유리잔에 든 커피를 트레이에서 빼고 빙수를 내 앞에 반듯하게 내려놓아 주었다. 예상보다 큰 빙수의 크기에 나는 조금 압도당했다. 얼음이 산을 이루고 있었고 그 위에 팥과 떡이 가득했다. 메뉴 그림에는 없었던 것 같은데 맨 위에는 빨간 체리가 올라가 있었다. 나는 먹기 전에 혹시 몰라 두 개 있는 스푼 중 하나의 손잡이를 그의 쪽으로 돌려놓았다.

대화의 맥이 끊겨서인지 한동안은 조용했다. 한 팀장은 커피를 마시면서 핸드폰을 들여다보고 있었다. 일 연락일까 봐 나는 말을 걸지 않고 조용히 사각사각 빙수를 섞어 먹었다. 그가 있는 쪽의 반은 섞지 않고 남겨 두었다. 하나밖에 없는 체리도 일단 그의 쪽으로 밀어서 놔두었다. 그때 무표정하게 화면을 내려다보며 스크롤을 내리던 한 팀장이 핸드폰을 내려놓으며 말했다.

"서울 외곽에 괜찮은 빙수집이 한두 곳 있네요."

그는 숟가락 옆의 냅킨을 집어 찬 음료 때문에 테이블에 남은 물기를 깔끔하게 닦아 냈다.

"이번 주나 다음 주 주말에 가 봅시다. 바람 쐬고, 근처에 한적한 데 찾을 수 있으면 이서단 씨 운전도 해 볼 겸."

"……네."

입안에서 녹는 얼음이 서늘하고 달콤했다. 나는 왠지 그의 얼굴을 똑바로 쳐다볼 수가 없어서 둥근 팥의 형태를 혀끝으로 굴리며 시선을 창밖으로 돌렸다. 아까 집에 가지 않고 길거리를 맴돌던 길 건너의 대학생들은 조금 옆으로 옮겨가서 아예 버스 정류소에 자리 잡아 있었다. 좁은 벤치에 세 명이 붙어 앉고 나머지는 여기저기 기대어 서 있거나 쭈그려 앉아 있었다. 슬금슬금 정류소 옆으로 접근하던 택시 한 대가 포기했는지 빈 차 표시등을 켠 채로 멀어졌다. 붉은 꼬리등의 불빛이 점점 작아졌다.

창밖을 보던 한 팀장이 지나가듯 조용한 목소리로 말했다.

"지금 당장은 아니지만, 내년이나 내후년쯤."

"……."

"래원을 나가서 회사를 하나 차릴 생각입니다."

나는 목에서 삐걱이는 소리가 날 정도로 빠르게 고개를 돌렸다. 그는 조금 피곤하지만 덤덤한 표정으로 내 시선을 돌려주었다.

"차근차근 준비 중입니다. 국내 업체보다는 지금 진행하는 프로젝트처럼 한국 진출을 희망하는 해외 IT 기업 컨설팅이 주가 될 거고. 국내에서 데려올 사람들과도 이야기 진행하고 있습니다."

나는 꽉 막힌 목으로 겨우 물었다.

"……언제부터 그렇게……."

"꽤 오래전부터 생각은 했지만 최근 몇 년간은 마음을 아예 접었었습니다. 언젠가부터 일에서 느끼는 재미가 많이 사그라지기도 했고, 회사라는 시스템 자체에도 확신이 없어졌고……."

그가 빛을 반사해 내는 유리로 시선을 잠시 돌렸다.

"책임자로서 무리를 이끄는 일에 내가 적합하지 않다는 생각이 들기도 했고."

"……."

"그래서 포기하고 있었는데, 올해 초 TF부터는 생각이 많이 바뀌었습니다."

유리가 만든 거울 속에서 그의 검은 눈이 나를 찾아냈다. 시선이 느리게 맞물렸다. 나는 입을 열었지만 머리를 세게 얻어맞은 것처럼 아무 말도 할 수 없었다. 컨설팅부 그의 자리에, 회의실 보드 앞에 다른 사람이 있는 것을 상상했다. 그가 아닌 다른 상사에게 업무를 지시받고, 보고서를 확인받고. 못했다고 혼나고, 잘했다고 칭찬받고. 일순간 오랫동안 잊고 있었던 QA팀의 부장님이 생각나서 숨이 막혔다. 그리고 그러는 동안 그는 내가 없는 다른 곳으로 출근해서 다른 부하직원들을 이끌고, 손수 영입한 그 사람들 앞에서 웃고, 그들과 함께 밥을 먹고 하루를 보낼 것이다. 그 모든 게 겨우 내년 정도면 벌어질 일이라고 생각하니 아득했다.

그가 오랜 고민 끝에 내린 중요한 결정을 응원해 줘야 하는 시점인데, 입이 잘 떨어지지 않았다. 그가 없어진 회사에 출근할 생각만으로도 숨이 막혔다. 그때 몸을 앞으로 기울여 빙수 숟가락을 집어 들며 그가 말했다.

"그러니까 그때까지 공부 열심히 해 놓으세요."

나는 고개를 들었다. 한 팀장은 숟가락 뒷면으로 팥을 걷어 내고 그 밑에서 녹고 있는 얼음을 한 덩어리 들어 올렸다. 입에 넣고 눈썹을 슬쩍 찌푸린 그가 말을 이었다.

"물론 이서단 씨가 그렇게 좋아하는 대기업의 복지 수준을 처음부터 맞춰 주기는 어렵겠지만, 연봉 면에서 나쁜 조건은 아닐 겁니다. 같이 일하게 될 컨설턴트들도 업계 탑급이니 배울 점이 많을 거고. 지금부터 신중하게 생각해 보고, 그때 가서 얘기 다시 듣고 결정해도 좋지만."

낮고 담백한 목소리가 내 귓속에 흘러들어와 담고 있는 내용을 무겁게 내려놓았다. 내 시선을 정면으로 되돌리며 한 팀장은 조용히 말했다.

"웬만해서는 나를 믿고, 와 줬으면 좋겠습니다."

"……."

"이서단 씨가 이서단 씨의 방식대로 마음껏 일할 수 있는 환경을 내가 만들어 줄 생각입니다."

한 자 한 자 분명한 발음의 말이었다. 그의 눈빛도, 목소리도 내가 범접할 수 없는 무게의 확신을 담고 있었다. 나는 목이 갑자기 조이듯이 뜨거워져서 말을 하지 못하고 고개만 끄덕였다.

"먹어요."

빙수를 힐끗 내려다본 그가 수저로 체리를 툭 밀어 주며 말했다. 나는 체리의 꼭지를 잡아 반짝이는 과실을 천천히 입에 물었다. 설탕에 절인 것처럼 농도 높은 단맛이 입안에 스몄다.

"우리 회사에서는…… 아무도 안 데려가세요?"

목소리가 다시 나오게 되었을 때 물었다. 의외의 질문이라는 듯 한 팀장의 눈가가 조금 누그러졌다.

"아직 말은 안 꺼내 봤지만, 때가 되면 박 대리에게 물어는 볼 생각입니다. 안정감을 중시하는 사람이라 승낙할지는 모르겠지만. 그 외에도 내가 책임져야 할 사람들에게는 같이 올 기회를 줄 겁니다. 권 대리……라든가."

요즘도 가끔 꿈에 나오는 초봄의 TF 회의실이 생각났다. 그곳에 있을 자격도 없는 나를 받아들여 주고 내가 있을 자리를 제공해 준 유능하고 따뜻한 사람들이었다. 지금의 컨설팅부도 좋았지만 매 순간 치열했던 TF와는 비할 수가 없었다. 마음이 걷잡을 수 없이 들떴다.

"좋아요?"

내 표정을 본 그가 묘한 얼굴로 물었다.

"내 밑에서 일하고 싶은 게 아니라 박 대리랑 일하고 싶은 거였습니까?"

"아니요……. 팀장님 밑에서 일하고 싶어요. 그리고 박 대리님도 계시면 좋고……."

박 대리는 아마 한 팀장이 말을 꺼내면 바로 고개를 끄덕일 것이다. 요즘도 TF때 야근하는 악몽을 꾼다고 농담을 해도, 박 대리에게도 한 팀장은 이상적인 상사였다. 한 팀장과 권 대리만 있으면 때때로 칼날 같아지는 분위기를 부드럽게 이완시키는 것도 박 대리니까 할 수 있는 일이었다. 김 주임과 윤 대리도 있으면 좋을 텐데. 내가 왠지 한 팀장의 오피스텔 같은 깔끔하고 모던한 인테리어의 환한 사무실을 상상하는 사이 한 팀장이 말했다.

"그래서 하는 말인데."

"네?"

"그때 되면 이서단 씨는 나를 뭐라고 부를 생각입니까?"

나는 질문을 이해하는 데 몇 초가 걸렸다. 입이 저절로 벌어질 정도의 깨달음이었다. 한 팀장은 친절하게 덧붙여 주었다.

"내가 더 이상 이서단 씨 팀장이 아닌데 계속 팀장님이라고 부를 순 없지 않습니까? 이참에 호칭 정리합시다. 평생 나를 팀장님이라고 부를 것도 아니고."

"그러면……."

"그러면?"

나는 필사적으로 생각을 가다듬었다. 한 팀장은 흥미롭다는 표정으로 나를 지켜보고 있었다.

"그러면, 회사에서는…… 다른 직원들이 있으니까, 대표님이라고……."

"그리고?"

"……회사에서는 대표님, 집에서는…… 팀장님."

한 팀장은 어이가 없는지 의자에 기대고 있던 상체를 일으키면서 비꼈다.

"집에 가면 직급이 내려가는 희한한 시스템이네요."

"……."

나도 말하고 보니 이상하다는 사실은 알았지만 대안이 떠오르지 않았다. 평일 새벽에 카페에서 나와 마주 앉아 있는 편안한 차림의 남자, 내게 차의 운전석을 허락하고 내 머리를 쓰다듬어 주고 침대에서 뒤엉키는 남자를 계속 회사에서의 직함으로 칭하는 것도 우습지만, 그렇다고 마땅한 호칭이 있는 것도 아니었다. 내 혼란스러운 얼굴을 지켜보던 잘생긴 남자가 말했다.

"어려운 문제도 아닌데 왜 고민해요."

"……네?"

그 말에 나는 머리를 한 대 얻어맞은 것처럼 뺨이 얼얼하게 달아올랐다. 얼음이 녹아 물만 차 있는 그릇을 내려다보면서 작게 항의했다.

"하지만 평소에도 그렇게 부르기에는…… 공공장소에서 부를 일이 생기거나 할 때는, 아무래도……."

"무슨 생각을 하는 겁니까."

고개를 들었더니 그는 황당하다는 얼굴이었다.

"내가 아무리 평소에 그렇게 부르라고 시키겠습니까? 침대에서 시켜도 이서단 씨가 잘 안 하는 판에."

"팀장님……!"

"평범한 걸로 부르세요. 이름도 좋고. 사석에서 사람 부를 때 쓰는 호칭 많잖아요."

내 말문을 완전히 막아 놓고, 그는 느긋하게 남은 커피를 비웠다.

길고 단정한 손가락이 유리잔을 감싸 쥐고 있었다. 이마 위로 앞머리가 내려와 있고 표정에 짓궂은 웃음기가 묻어나는 그는 회사에서 볼 때마다 훨씬 어려 보였다.

나는 요즘도 이따금씩 그렇듯이 그와 내가 사적인 관계라는 사실에 가슴이 울렁거렸다. 이 모든 게 내 상상은 아닐까 반신반의했다. 그를 회사 사람들과는 다른 식으로 부르고 싶은 욕심이 없는 건 아니었다. 더 가깝고, 더 농도 짙은 관계. 쉽게 잘라 낼 수도, 끝낼 수도 없는 끈을 뜻하는 증거들이 갖고 싶었다.

"지금 모르겠으면 천천히 생각해 보세요. 아직 시간 있으니까."

빈 유리잔을 트레이에 내려놓은 그가 관대하게 말했다. 나는 긴장했던 어깨에서 겨우 힘을 풀었다.

"다 먹었으면 집에 갑시다, 이제. 내일 출근해야지."

"……네."

그가 일어서며 트레이를 들었다. 불투명한 얼음 녹은 물이 유리그릇 안에서 넘실거렸다. 나는 그가 트레이를 카운터에 반납하는 동안 화장실에서 찬물로 손을 씻고 나서야 진정할 수 있었다. 카페 유리문 밖에서 기다리던 그는 내가 문을 열고 나오자 핸드폰을 주머니에 넣었다. 나는 희미하게 달콤한 향이 섞인 따뜻한 밤공기를 들이마시며 그와 발을 맞췄다.

길거리는 그새 조금 한산해져 있었다. 길 건너 버스 정류장에 모여 있던 대학생들도 흩어지고 없었다. 멀리서 가까워지는 차의 하얀 헤드라이트와 저만치 멀어지는 차의 빨간 백라이트가 보였다.

짙은 보랏빛의 하늘 밑으로 여전히 불 켜진 고층 건물들이 늘어서 있었다. 윤곽이 선명하면서도 몽롱하게 떠 있는 듯한 밤 풍경이었다. 나는 빙수가 술이라도 된 듯이 몸이 열로 들떠 있었다.

횡단보도 앞에서 멈춰 서면서 좁은 틈만을 남겨두었던 어깨가 맞닿았다. 몸이 만들어 낸 그림자에 가려서 한 팀장의 손가락이 스치듯 내 엄지와 검지 사이의 틈으로 파고들었다. 단단한 손끝이 손바닥 안쪽을 부드럽게 쓰다듬었다. 나는 보는 사람이 없나 빠르게 둘러보면서도 깍지 끼듯 그의 손끝을 그러쥐었다. 심장이 쿵쿵 소리 높여 뛰었다.

"이서단 씨가 오늘 같이 나와 줘서 좋네요."

그가 내 귓가에만 닿을 나직한 목소리로 말했다. 나는 대답 대신 조금 더 대담하게 그의 손가락 사이로 내 손가락을 엮었다. 밀착된 체온도, 맨팔에 닿은 그의 셔츠의 감촉도 좋았다.

몇 주 전 연이어 폭우가 쏟아질 때 그는 아침에 검은 장우산을 들고 내 집 앞에 서 있었다. 커다란 우산 아래서 그와 함께 비 냄새 나는 거리를 걸었다. 물방울이 세상의 모든 표면에 맺히고 아스팔트의 물웅덩이가 찰박찰박 발끝을 적시는 계절. 익숙한 날씨인데, 한 팀장의 곁에서 보내는 여름은 지금까지와는 전혀 다른 온도, 다른 감촉을 띠고 있었다. 나는 내내 싫어하던 여름이라는 계절이 이제는 조금씩 좋아지게 될 것 같다는 어렴풋한 예감이 들었다.

⁂

TF가 끝나고도 주기적으로 이어지던 모임의 주 인원은 박 대리, 김 주임, 그리고 나까지 셋이었다. 권 대리와 윤 대리는 가끔씩만 얼굴을 비췄고, 한 팀장의 참석률이 가장 저조했다. 박 대리와 김 주임은 가끔 투닥거리기는 해도 죽이 잘 맞는 편이었고 둘 다 식당 탐방에 관심이 많았다. 나는 둘이 나를 불러낼 때마다 시간이 되는 한 따라다녔다. 주로 박 대리의 딸 사진 자랑과 김 주임의 근황 이야기로 이루어진 가벼운 대화가 전부였지만 나는 그 자리가 좋았다. 같은 부서도 아니고 따로 만날 일도 없는데, 바쁜 사람들끼리 시간을 확인하고 약속을 잡아 식사를 같이 하는 것 자체가 끈을 이어가기 위한 노력처럼 느껴졌다.

그 모임에 최근 생긴 변화라고 한다면, 장마가 시작될 즈음 김 주임의 왼손 약지에는 가느다란 반지가 생겼다. 남의 연애 이야기를 좋아하는 박 대리는 여러 번에 걸친 끈질긴 심문 끝에 결국 김 주임의 항복을 이끌어 냈다.

"아니, 뭐가 그렇게 궁금해서 지난번부터……. 알겠어요. 나 이것만 먹고."

"먹으면서 얘기해 줘도 되잖아."

김 주임은 박 대리의 말을 들은 체도 않고 천천히 샐러드를 포크로 찍어 먹었다. 오늘의 식당은 회사 근처에 최근 생긴 멕시칸 식당이었는데, 김 주임과 박 대리의 표정만 봐서는 다시 오게 되지는 않을 것 같았다. 테이블에는 아직 음식이 남은 접시가 많은데 박 대리는 아까부터 눅눅한 타코를 과자 먹듯이 씹고 있었다.

박 대리는 김 주임이 샐러드를 마무리하는 동안 기다리다가, 김 주임이 주스를 마시기 시작하자 인내심이 동난 모양이었다.

"회사 사람인 건 알겠으니까 이름만 말해 봐요. 아무한테도 얘기 안 할 테니까."

"……누가 회사 사람이라고 했어요?"

"회사 사람 아니면 진작 얘기해 줬겠지. 그리고 요즘 회사에 꾸미고 오잖아요. 메신저 프로필도 요즘 보면 죄다 어디 놀러 가서 누가 찍어 준 사진인데, 정작 누구랑 같이 찍은 사진은 없고."

묘하게 날카로운 탐정을 보는 기분이었다. 김 주임도 어이가 없는지 웃음이 터져서 주스 빨대를 입에서 뱉어 냈다.

"박 대리님 의외로 관찰력 좋으시네요."

"반지 낄 거면 티 나는 건 예상했어야죠. 그래서 누군데?"

김 주임은 한숨을 쉬었지만 순순히 이름을 말했다. 나는 처음 듣는 이름이었지만 박 대리는 박수까지 치면서 오오, 하고 길게 감탄했다.

"그 친구 괜찮은 친구지. 근데 같은 팀이면 헤어지면 둘 중 하나는 퇴사해야겠는데."

"불길한 소리 하지 마요."

박 대리의 팔을 한 대 세게 쳐서 응징한 김 주임이 나를 위해 핸드폰의 비밀 갤러리를 열어 주었다. 화면을 들여다보자 회사에서 마주쳐서 어렴풋이 낯이 익은 남자와 김 주임이 같이 찍은 사진이 쭉 펼쳐졌다. 몇 백 장은 되는 것 같았다.

앞으로 셋이 밥을 먹을 때마다 박 대리의 딸만큼이나 자주 보게 될 얼굴임을 예감하며 나는 김 주임에게 핸드폰을 돌려주었다.

"축하드려요."

"축하할 일인지는 모르겠지만 고마워요."

막상 못 이긴 척 털어놓고 나자 김 주임의 눈이 반짝이고 있었다. 박 대리는 누가 봐도 더 말하고 싶어하는 김 주임을 손쉽게 구슬렸다.

"얘기 더 해 봐요. 언제부터 사귀었는데?"

"음…… 이제 한 달 정도 됐나? 7월 초부터요."

"뭐야, 얼마 안 됐네. 일하다 알게 된 거죠? 따로 아는 사이 아니라?"

"그렇죠."

"그럼 누가 먼저 접근했는데? 누가 먼저 좋아했어요? 고백은? 회사에서 고백하거나 그런 건 아니죠?"

박 대리는 혼자 웃다가 같은 팔을 한 대 더 얻어맞았다. 김 주임은 손을 털어내면서 기가 막히는지 허, 웃었다.

"사내 연애한다고 다들 그렇게 경우 없는 줄 아나."

나는 축 늘어진 케사디야 끝을 조금씩 잘라 먹으면서 오가는 대화에 집중하다가 난데없는 과격한 반응에 놀랐다. 김 주임은 멈칫하고 시선을 내 쪽으로 돌렸다.

"아…… 그러고 보니 이서단 씨는 작년 TF 때 회사에 없었죠? 나중에도 얘기 못 들었어요?"

"어떤 얘기요?"

"……좋은 얘기는 아니니까 오늘 듣고 그냥 잊어버려요. 그때 한 팀장님한테 누가 회사에서 고백하고 차여서 회사가 다 뒤집어졌거든요. 한동안 유명한 일화였죠."

"네?"

나는 뒤늦게 표정과 목소리를 아무렇지 않게 관리하려고 애썼다. 심장이 갑자기 속도를 높여 뛰었다.

"작년에 TF 하시던 분이……."

"아니아니, 그건 아니고. 그랬으면 진짜 큰일 났죠. 이분은 나도 모르는 분인데, 팀장님이랑 아예 접점도 없던 마케팅 팀 소속이었을 거예요. 지금은 퇴사했지만."

"퇴사할 만하지."

박 대리도 그때가 떠오르는지 쓴웃음을 짓고 있었다.

"복도에서 이건 너무하지 않냐고 소리 지르고 울고 그랬다던데. 한 팀장님은 팔짱 끼고 반응 없이 서 있고."

"……왜 굳이 회사에서……."

"팀장님을 너무 좋아해서 제정신이 아니었나 보죠."

김 주임이 질색하는 얼굴로 대답했다. 나는 포크를 내려놓고 두 손을 테이블 아래로 숨겼다. 손목의 맥박이 빠르게 뛰는 것을 들킬 것 같았다. 회사 복도에서의 상황, 그의 표정이나 내려다보는 무심한 시선 같은 것이 직접 눈으로 본 것처럼 선명하게 그려졌다.

박 대리는 치즈를 올린 세모난 나초를 입에 넣으면서 불분명한 발음으로 말을 이었다.

"작년 TF가 그것 말고도 좀 스펙타클했어서 그 일은 그냥 지나갔는데, 다시 생각해도…… 회사 사람 사귀지 말라는 건 아닌데 때와 장소는 가려야지. 한 팀장님 입장도 곤란하고."

"근데 그 일 이후로 한 팀장님한테 목매는 사람 많이 줄어서…… 팀장님은 오히려 편하시지 않을까요?"

"그런가? 줄어든 건 아니고 티를 덜 내는 것 같은데."

"그러니까 어쨌든. 회사에서 티를 안 내면 훨씬 낫잖아요."

김 주임이 또 고개를 절레절레 저으며 덧붙였다.

"주말에 한 팀장님 불러내서 고백을 하든 데이트를 하든, 회사까지 끌고 오지만 않았으면 좋겠네요."

나는 그 말에 한 팀장이 지나갈 때마다 따라 움직이는 수많은 시선이 떠올랐다. 내 자리가 입구 쪽이다 보니까 우리 부서를 지나갈 때만 느려지는 여사원들의 걸음걸이, 한 팀장의 파티션 뒤를 살피려고 기웃거리는 시선을 자주 볼 수 있었다. 정작 한 팀장은 그 시선들을 전혀 눈치채지 못하는 것처럼 행동했다. 신경 쓰지 않는 무심함이 그답다고 생각했는데, 지금 보니 워낙 익숙해서 무뎌진 모양이었다.

복잡해진 내 속을 모르는 박 대리가 잔소리로 대화를 끝맺었다.

"김 주임님도 회사 사람 사귈 거면 지금처럼 계속 숨기는 게 나아요."

"그러니까, 저도 그렇게 생각하는데…… 남자친구는 숨길 필요 없다고 하더라고요. 떳떳하지 않은 일도 아닌데 뭐 어떠냐고."

"그 친구는 사내 연애가 처음인가 보지."

"반지도 들킬까 봐 주말에만 끼겠다고 했다가 싸울 뻔했어요."

그렇게 말하면서 손가락을 쭉 펴 반지를 내려다보는 김 주임의 표정이 만족스러워 보였다. 내 생각에도 절대 들키지 말아야 한다고 주의를 주는 것보다는 저렇게 말하는 편이 훨씬 기분이 좋을 것 같았다. 아침부터 회사 근처에서 따로 내려 달라고 고집을 부리는 것보다, 다른 사원들이 애인의 유무에 대해 물으면 그가 버젓이 있는 곳에서 없다고 대답해야 하는 것보다, 말뿐일지라도 저쪽이 훨씬 당당하고 좋아 보였다.

계산할 차례인 김 주임이 카운터에 줄 서 있는 동안 박 대리와 나는 인파를 피해 먼저 밖에 나왔다. 계단을 내려와서 문을 열자마자 숨 막힐 정도의 더위가 느껴졌다. 해가 가장 높이 떠 있는 시간대였다. 입구의 좁은 처마 그늘 밑에 서 있어도 몸이 새빨갛게 탈 것 같았다.

"택시 잡을까."

더위에 유독 약한 박 대리가 아지랑이가 어릴 정도로 뜨거운 도로를 내다보며 중얼거렸다.

"……안 잡힐 것 같아요, 여기서는."

저쪽으로 고개를 쭉 빼면 회사 건물이 작게 보였다. 웬만한 택시로는 어려울 것 같았다.

"그런가."

미련이 남은 얼굴로 도로를 훑어보던 박 대리는 갑자기 김 주임이 내려올 계단을 힐끗 올려다봤다.

"이서단 씨."

"네?"

김 주임의 연애 소식에 대한 화제를 꺼낼 줄 알았는데, 박 대리의 입에서 나온 것은 의외의 질문이었다.

"컨설팅부는 요즘 어때요? 사수분 따라서 외근 나간다면서."

"아…… 일도 재밌고, 팀원 분들도 다 좋으세요. 팀장님도 정말 좋으시고……."

"다행이네요. 이제 와서 말하지만…… TF 먼저 하고 가서 그쪽에서 이서단 씨한테 텃세 부리거나 할까 봐 걱정했는데, 그러지는 않나 보네요."

"네, 그런 건 전혀……."

"한 팀장님은 이상한 걱정하지 말라고 하시던데, 팀장이라고 아랫사람 상황 다 아는 건 아니니까."

나는 멈칫, 더위 때문에 흐릿해지던 시선을 돌려 박 대리를 올려다봤다.

"팀장님께 물어보셨어요?"

"아, 그냥 이서단 씨가 그쪽 팀 적응 잘하고 있는지…… 팀원들이 이서단 씨 괴롭히지는 않는지 물었더니 팀장님이 오히려 다들 이서단 씨를 지나치게 챙긴다고 하시더라고. 그래서 마음 놨죠. 혹시 기분 나빠요? 괜한 오지랖이었나."

"아니요, 걱정해 주셔서 감사합니다."

"감사할 건 아니고……."

박 대리가 땀이 맺히기 시작한 관자놀이를 난감하다는 듯이 긁었다.

"그래도 짧게나마 이서단 씨 사수였으니까. 어쨌든 다행이네요, 자리 잘 잡아서."

"네, 아직 도움은 많이 못 되고 있지만……."

"에이, 이서단 씨 생각만 그럴 거예요. 재능 있고 성실하고 배우는 것도 빠르고 야무지고…… 또 뭐더라. 칭찬 많이 하시던데."

"……누가요?"

"응? 이서단 씨 팀장님이."

당연한 걸 왜 묻냐는 표정을 보고 나는 눈을 깜박였다.

"저 기분 좋으라고…… 하시는 말씀이시죠?"

"……한 팀장님이? 아, 내가? 그럴 리가요. 들은 그대로 옮기는 건데? 그것 말고도 더 있었는데……."

"뭘 들었는데요?"

어느새 문을 열고 나온 김 주임이 물었다. 박 대리는 김 주임에게 처마 밑 그늘을 양보하며 대답했다.

"이서단 씨가 컨설팅부에 적응 잘해서 해피하게 회사 다니고 있다고요."

"그러게, 얼굴 좋아 보이더라고요."

김 주임이 바로 맞장구를 치며 내 얼굴을 아래위로 살폈다. 나는 붉어진 얼굴이 햇빛 때문인 것처럼 보이려고 애를 썼다.

"TF 때는 힘들어서 그랬나? 지금이 훨씬 안정돼 보이는 걸 보면 컨설팅부가 체질에 맞나 봐요."

"아니요, 저는 TF도 좋았어요."

"요즘 잘 웃고 잘 먹는 것도 그렇고. 성격도 훨씬 밝아진 것 같고. 이서단 씨 사수가 잘해 주죠? 그 차이인가."

"……내가 그때 이서단 씨를 많이 못 챙겨 주긴 했죠."

"아니요, 그런 게……."

"지금 이서단 씨 사수가 대놓고 살갑게 챙겨 준다고 소문 다 났던데. 그렇게 진심으로 대하니까 이서단 씨가 맘을 연 거죠."

박 대리가 정말로 약간 시무룩해진 게 보이는 데도 김 주임의 말은 가차 없었다. 사이가 좋은 건지 나쁜 건지 모를 지경이었다.

계속 투닥거리면서 앞서 걷기 시작하는 둘의 뒷모습을 보다가 나는 좁은 인도 위에서 잠시 발을 멈췄다. 머리 위에서 내리쬐는 정오의 햇빛이 타들어 갈 듯이 뜨거웠다. 울렁울렁 아스팔트에서 피어오르는 열기 너머로 저 멀리 작은 신기루 같은 회사 건물이 보였다.

⁂

무더운 날씨 때문에 불쾌지수도 높고 심신이 고단한 목요일이었다. 나와 사수인 김 대리는 며칠간 이어지던 외근 끝에 오전에는 회의에 참석하기 위해 회사로 출근했다. 회의가 끝나고 나는 오랜만에 고개를 돌리면 한 팀장의 파티션이 보이는 내 자리에 앉았다. 옆자리의 사수는 손바닥 위에 올라갈 만큼 작은 탁상용 쓰레기통과 물티슈를 이용해서 그새 먼지가 내려앉은 책상을 꼼꼼하게 닦고 있었다. 내가 쳐다보고 있자 뒤통수에 눈이 달린 사수가 내 쪽으로 물티슈 팩을 슥 밀어 주었다.

"아, 감사합니다."

쓰레기통이 귀여워서 본 거였는데. 나는 일단 물티슈를 한 장 꺼내서 먼지가 고이는 책상의 구석진 곳을 대충 문질렀다. 책을 빽빽하게 꽂아둔 북엔드와 토끼 장식품 두 개, 동그란 선인장이 자라는 화분, 텀블러와 미니 선풍기를 슥, 한 번씩 쓸었다. 별로 먼지가 묻어나는 것 같지도 않았다.

"오후에 출발할 생각인데 그때까지 다 끝낼 수 있을까?"

뚜껑 열린 쓰레기통을 내밀며 사수가 말했다. 나는 고개를 끄덕였다.

"그럼 그 안에 어제 말한 거랑 지금 메일로 보내 줄 것만 해결해 줘요."

"네."

"맞다, 어제 그건 팀장님한테 보내 드렸으니까 피드백 주시면 수정하고."

때마침 책상 위에 뒤집어져 있는 핸드폰이 부르르 진동했다. 나는 요즘 똑같은 진동음 중에서 한 팀장이 보낸 메시지를 구별할 수 있는 능력이 생겨 있었다. 아랫배가 울렁거리고 몸의 솜털이 곤두서는 일종의 직감이었다. 사수가 손까지 물티슈로 꼼꼼하게 닦고 나서 일에 착수하자, 나는 옆자리를 곁눈질로 살피고 나서 핸드폰을 조심스럽게 집어 들었다. 이번에도 정답이었다. [한주원 팀장님]으로 저장된 이름이 화면에 떠 있었다.

나는 그의 파티션을 힐끔 쳐다보고 나서 메시지 앱을 열었다. 그의 필체를 닮은 정갈한 폰트의 단어 두 개가 화면에 달랑 떠 있었다.

[오늘 점심?]

나는 일단 컴퓨터 마우스를 끌어와서 사수가 보낸 이메일이 도착해 있는 메일함을 확인했다. 첨부파일을 열어 보니 나머지 일까지 합쳐도 점심시간 전에는 충분히 끝낼 수 있을 것 같았다.

그 사이 2, 3분 정도 답장이 늦어졌을 뿐인데 그에게서 메시지 하나가 더 들어와 있었다.

[이서단.]

내 이름 끝에 점이 찍혀 있었다. 지금쯤 파티션 뒤의 그는 깔끔하게 넘긴 앞머리 아래 평소의 무표정한 얼굴로 핸드폰 화면을 내려다보고 있을 것이다. 나는 오른손으로는 마우스를 조작해 일하는 척을 하면서 왼손 손가락으로 핸드폰 화면을 한 글자씩 톡톡 두드렸다.

[ㅎㅎ]

[좋아요]

보내자마자 그가 확인했다는 표시가 떴다. 나는 짧은 대화가 아쉬워 괜히 대화창의 스크롤을 올렸다가 내렸다. 박 대리가 김 주임에게 사내 연애 티가 난다고 타박하던 것이 떠올랐다. 누군가 지금 우리 부서를 지켜보고 있다면 내 얼굴에서도 이 대화의 내용이 전부 보일지 모르는 일이었다.

그날의 대화가 떠오르자 자연스럽게 김 주임이 한 팀장에 대해 했던 다른 말들도 떠올랐다. 나는 문서를 열고도 하얀 화면 위 깜박이는 문서 커서를 멍하니 쳐다보고 있었다.

점심시간이 언제 오나 5분마다 시계를 확인하면서 일을 하다 보니 시간이 유난히 더디게 흐르는 것 같았다. 일이 거의 마무리되었을 때 화면 구석에 사내 메신저 팝업창이 깜박였다. 김 주임의 이름이 떠 있었다.

[이서단 씨!! 혹시 지금 잠깐 커피 괜찮아요?]

그 밑의 이모티콘이 발랄하게 춤을 추고 있었다. 나는 잠시 남은 일의 양을 확인하고 키보드를 두드렸다.

[오 분 정도 후에 뵐까요?]

[그래요!!]

답장이 바로 돌아왔다. 나는 빠르게 쓰던 이메일을 마무리하고 아까 정리하고 한 팀장에게 승인받은 문서를 클라우드에 업로드했다. 이 정도면 점심을 먹고 바로 클라이언트사로 출발해도 될 것 같았다.

평소 만나는 탕비실로 들어서자 김 주임은 벌써 창가 자리에 앉아 있었다. 테이블 위에 하얀 종이컵이 두 개였다.

"죄송해요, 늦어서."

맞은편에 앉으며 사과하자 김 주임이 잔을 내밀며 고개를 흔들었다.

"내가 일찍 온 것 같은데? 이서단 씨 커피도 타 놨어요."

"아…… 감사합니다."

김 주임의 컵에는 믹스 커피의 뿌연 갈색 액체가 들어 있었고, 내 쪽에 있는 잔에는 시럽이 들어간 검은 원두 커피가 들어 있었다. 몇 번 같이 커피를 마신 끝에 서로 파악한 취향이었다. 컵을 들어 한 모금 마셔 보자 적당한 쓴맛과 단맛이 혀를 적셨다.

"무슨 일 있으신 건 아니죠?"

가벼운 잡담이 오간 후에 침묵을 틈타 물었다. 눈은 나도 모르게 김 주임의 왼손으로 향했다. 지난주의 점심 식사 이후로 김 주임은 나를 연애 상담원으로 활용하기로 마음먹은 모양이었다. 며칠 전에도 메시지로 뜬금없이 [이서단 씨, 이거 무슨 뜻 같아요?]라는 질문과 함께 메신저 상태 메시지로 보이는 캡처 화면이 왔다. 나는 연애하는 남자의 보편적인 심리를 대변하기에는 여러모로 적합한 사람이 아니어서 조금 난감했지만, 박 대리보다는 내가 백배 낫다는 말에 할 수 있는 대로 성실하게 답하는 중이었다.

김 주임은 "응?" 하더니 뭔가 생각난 듯이 옆 의자 위의 가방을 뒤적거렸다.

"이거 주려고요. 이서단 씨 회사 온 김에."

부스럭, 하는 소리와 함께 햇살 어린 테이블 위로 비닐로 예쁘게 포장된 빵 몇 개과 유리병이 올라왔다. 김 주임은 빵을 정렬해 놓고 설명했다.

"이거 세 개는 버터 스콘인데 잼 발라 먹으면 맛있고 그냥 먹어도 괜찮아요. 나머지는 치즈 스콘인데 데워 먹으면 좋고."

"다 저 주시는 거예요?"

"집에 많아요, 요즘 계속 구워서. 바로 안 먹을 거면 집에 가자마자 냉동해 놓고, 나중에 해동해도 먹을 만해요."

자, 하면서 김 주임은 리본 손잡이가 달린 빳빳한 종이 가방도 내 쪽으로 밀어 주었다.

"우리 팀에만 돌렸으니까 들키지 말고 가져가요."

"잘 먹을게요. 감사합니다."

나는 진심으로 말하고 하얀 종이 가방 안에 조심스럽게 스콘을 하나씩 쌓았다. 김 주임은 포장된 유리병을 툭 두드리며 말했다.

"그리고 이건 오렌지청인데, 물이나 탄산수 타서 먹으면 맛있어요."

"……집에서 만들 수 있는 거였어요?"

병 안에 가지런히 담긴 과일 조각이 보였다. 오래된 시골 식당에 있는 인삼이 들어간 술병 같은 게 생각이 났다. 김 주임은 어깨를 으쓱하고 웃는 얼굴로 말했다.

"쉬운데. 먹어 보고 괜찮으면 나중에 다른 것도 줄게요. 겨울 되면 차에 넣어서 뜨겁게 먹어도 괜찮거든요."

"네…… 감사합니다."

나는 스콘을 다시 다 하나씩 꺼낸 다음에 무거운 유리병을 종이 가방 가장 밑에 넣었다. 그 위로 스콘을 쌓으니 가방 윗부분이 닫히지 않았다. 위에 뭐라도 덮어야 팀원들에게 안 들킬 것 같았다. 일단 가방을 의자 등받이에 기대어 놓고 말을 고르다가 입을 열었다.

"언제 시간 나시면…… 제가 밥 비싼 걸로 사 드릴게요."

"응? 왜 갑자기?"

"매번 만드신 걸 받기만 하니까 죄송해서요."

"죄송하긴. 내가 좋아서 만드는 거고, 어차피 회사 가져와서 돌리는 건데."

김 주임이 웃더니 대뜸 말했다.

"오늘은 어때요? 오늘 점심에 팀원들이랑 밥 먹기로 했어요?"

"오늘이요?"

"밥 사 달라는 게 아니라, 스케줄 없으면 나가서 같이 먹어요. 마침 점심시간인데."

"아……."

나는 탕비실 벽시계를 힐끔 봤다. 그러고 보니 벌써 점심시간이었다. 팀원들은 하나둘씩 구내식당으로 내려가거나 회사 근처 식당으로 향하거나 도시락 같은 걸 시켜 먹고 있을 것이다. 한 팀장을 생각하니 마음이 급해졌다. 지금쯤 없어진 나를 찾고 있을지도 모른다. 핸드폰을 뒤집어 봤지만 화면이 깨끗했다.

김 주임은 어차피 회사에 가져와서 돌리는 거라고 말했지만, 지난번에 김 주임이 쿠키를 구워서 돌린 날 보니 다른 팀원들은 한두 개 정도 받은 것 같았다. 내가 따로 건네받은 봉투에는 종류별로 열 개씩은 들어 있었다. 김 주임이 굳이 오늘 밥을 먹자고 말을 꺼내는 걸 보니 상담하거나 물어볼 내용이 있는 것 같은데. 나는 조금 망설이다가 입을 열었다.

"저도 여쭤볼 것도 있긴 해서 밥 사 드리고 싶은데, 오늘은……."

"이서단 씨."

등 뒤에서 들려온 목소리였다. 휙 돌리는 김 주임의 시선을 따라 나는 빠르게 고개를 돌렸다. 탕비실 문턱에는 한 팔에 겉옷을 걸친 한 팀장이 서 있었다. 냉랭한 얼굴에는 상사의 무표정이 떠올라 있었다.

"업무 시간에 어디서 노닥거리나 했더니."

"팀장님……."

"나오세요. 잠깐 갈 데가 생겼는데 심부름할 사람이 필요합니다."

나는 종이 가방과 핸드폰을 들고 지체 없이 일어섰다. 김 주임은 뒤늦게 항의하듯이 입을 열었다.

"그럼 이서단 씨 점심은요? 점심시간인데 밥은 먹고 가면—"

"점심은 나중에 시간 나면 대충 때우겠지. 내 팀원이 굶으면서 일하든 말든 김 주임님과 무슨 상관입니까."

"아니, 그래도……."

나는 커다란 손에 팔이 붙들려 탕비실에서 끌려 나가면서 아직 앉아 있는 김 주임에게 '죄송해요!'라고 입모양으로 말했다. 김 주임은 멀어지는 한 팀장을 못마땅하게 쳐다보다가 나와 눈이 마주치자 연민의 울상을 지었다.

한 팀장은 복도 모서리를 돌고서야 내 팔을 놓아주었다. 셔츠 너머로도 느껴지던 단단한 온기가 사라지자 팔이 욱신거렸다. 나는 숨이 조금 차서 그에게 질문했다.

"저희 어디 가는데요?"

그새 프로젝트에 문제라도 생겼나 싶었다. 멀쩡한 얼굴로 나를 돌아본 그가 대답했다.

"맛있는 것 먹으러."

"……아."

그새 그는 다시 내가 잘 아는 얼굴로 돌아와 있었다. 입가에 서린 웃음기가 짓궂었다. 나는 나도 모르게 따라 웃었다.

"그러다 악덕 상사로 소문나실 것 같아요."

"소문은 벌써 다 났습니다."

그가 받아쳤다. 사실이었다. 나도 그를 만나 보기 전에 그의 각종 악명을 먼저 접했기 때문에 익히 알고 있었다. 정작 상사로서의 한 팀장은 밥 먹을 시간은 충분히 주는 합리적인 사람이었지만, 얼핏 쌀쌀맞게 들리는 말투 때문에 타인에게 오해를 사기 마련이었다. 손에 쥔 핸드폰이 부르르 진동했다. 김 주임이었다.

[이서단 씨 ㅠㅠㅠㅠㅠㅠ엉엉 그래도 시간 내서 뭐라도 먹어요!!]

[한 팀장님 진짜 너무하네요 ㅠㅠㅠ아니 사람이 밥은 먹고 일을 해야지]

[노동청에 신고해 버려요]

한 팀장은 내가 탈 수 있게 엘리베이터 문을 잡아 주었다. 정작 김 주임을 버려두고 상사와 단둘이 희희낙락 맛있는 걸 먹으러 가는 나는 미안한 마음에 갈비뼈가 쿡쿡 쑤시는 기분이었다. 엘리베이터가 주차장으로 내려가는 동안 벽에 기대어 서서 답장을 보냈다.

[갑자기 나와서 죄송해요 :(:(스콘이랑 오렌지청이랑 정말 잘 먹을게요. 먹고 후기 들려 드릴게요!]

[그리고 나중에 꼭 밥 사 드릴게요. 드시고 싶으신 걸로요]

[점심 맛있게 드세요!]

사수가 선물해 준 이모티콘 세트를 열어 주의 깊게 살펴보고 적합한 것을 골랐다. 그 사이 엘리베이터 신호음이 울렸다. 고개를 들자 나를 물끄러미 보고 있던 한 팀장과 눈이 마주쳤다.

"또 웃네."

"……."

"일하러 가는 줄 알았는데 그게 아니라니까 좋아요?"

주차장의 공기가 후덥지근했다. 나를 위해 엘리베이터 문을 잡아 주는 한 팀장의 얼굴은 얼핏 무표정했지만, 자세히 보면 눈가가 살짝 휘어져 있었다. 나는 시선을 빼앗겨 주차장 문턱을 걸려 넘어질 뻔하며 대답했다.

"점심을 팀장님이랑 먹는 건 오랜만이라……."

저쪽 기둥을 지나면 그의 차가 있을 것이고, 내 몸에 맞춰진 조수석이 있을 것이다. 김 주임에게도, 지금쯤 구내식당에서 맛없는 밥을 먹고 있을 사수와 팀원들에게도 미안했지만, 어쩔 수 없이 마음이 들떴다. 대낮에 그와 회사를 빠져나와 둘만 점심을 먹으러 가는 일이 처음도 아닌데, 숨겨 놓은 단지에서 꿀을 꺼내 먹는 느낌이었다.

차에 타서도 들뜬 마음이 가라앉지 않았다. 나는 그가 내비게이션에 목적지를 입력하는 동안 머리를 기울여 같이 화면을 쳐다봤다. 툭, 귀가 그의 어깨에 부딪혔다. 셔츠의 바스락거리는 천 너머로 체온이 느껴졌다.

"저희 뭐 먹으러 가요?"

"……이서단 씨가 좋아할 만한 것."

가까이에서 내 얼굴을 내려다보며 그가 대답했다. 내비게이션을 입력하던 그의 손이 멎어 있었다.

"퓨전 한식인데 꽤 괜찮다고 들었습니다. 디저트도 평이 좋고."

"여기서 멀어요?"

"별로 안 멉니다. 계속 그렇게 웃을 겁니까?"

"아……."

그의 오른손이 갑자기 시트에 놓아둔 내 손을 덮어 눌렀다. 뜨거운 체온을 지닌 손가락이 내 손가락 사이로 얽히듯이 파고들었다. 나는 무겁게 짓눌린 손가락을 꼼지락거렸다.

"배고픕니까?"

그가 내 얼굴을 뚫어져라 내려다보며 물었다. 낮은 목소리였다.

나는 급하게 나오느라 아침을 부실하게 먹었기 때문에 고개를 끄덕였다. 한 팀장은 눈을 감았다 뜨며 왼손으로 시동을 걸었다. 차가 부드럽게 살아났다. 내비게이션이 덤덤한 목소리로 길을 안내하기 시작했다. 주차 공간에서 빠져나오기 위해 잠시 핸들을 잡았던 그의 오른손은 다시 내 손등을 감쌌다. 이번에는 손을 뒤집게 해 손바닥이 맞닿은 상태로 손가락을 엮었다. 욱신거림과도 같은 뜨거운 맥박이 전해져 왔다.

나는 두 손으로도 잘 못하는 운전을 그는 한 손으로도 충분히 할 수 있는 모양이었다. 그는 운전하는 내내 내게 한쪽 손을 빌려주었고, 나는 그의 손을 맞잡은 채로 둥글고 깔끔한 손톱 표면을 덧그리거나 그의 손가락 사이의 물갈퀴와도 같은 얇은 살점을 탐색했다. 특히 엄지와 검지 사이의 팽팽하고 아름다운 곡선을 따라 손끝을 움직여 봤다. 푸른 핏줄이 미세하게 불거진 손등을 손톱으로 살짝 누르자 패인 자국이 미세하게 남았다. 곧바로 옅어지는 자국이 신기해서 조금 더 오래, 조금 더 세게 꾹 눌러 봤다. 머리 위에서 억눌린 듯한 그의 목소리가 들렸다.

"이서단 씨."

"아…… 아프셨어요? 죄송해요."

문질러서 없애려고 해도 패인 자국이 남아 있었다. 나는 미안한 마음에 그 위를 손끝으로 쓰다듬었다.

마침 차가 골목길로 접어들었다. 한 팀장은 아슬아슬하게 좁은 길을 따라 운전하기 위해 내게서 손을 거두어 가고, 그 이후의 직선 구간에서도 돌려주지 않았다. 주차장이 머지않아서 그런 모양이었다. 지붕이 드리워진 주차장에는 자리가 아예 없어 보였는데, 느리게 한 바퀴 빙 돈 그는 그새 나타난 좁은 자리에 간단하게 차를 주차했다.

나는 허전해진 손바닥을 위로 하고 기다리고 있다가 그가 시동을 끄자 멈칫했다. 그새 익숙해졌다고 주차를 마치면 다시 그의 손이 내려와 내 손을 잡아 줄 것이라고 여겼을까. 생각해 보니 차에서는 몰라도 대낮의 거리에서 가능할 리가 없었다. 알고 있는데도 미세하게 열 오른 손바닥이 당연히 제 것인 체온을 돌려 달라는 듯이 따끔거렸다. 버릇이 들어도 한참 잘못 든 모양이었다.

“그건 뭡니까.”

차에서 내리자마자 한 팀장이 물었다.

“아까부터 들고 다니던데.”

“네?”

내가 차에서 내리기 전에 그늘진 바닥에 조심스럽게 보관한 하얀 봉투를 말하는 모양이었다. 나는 창문으로 햇빛이 닿지 않는 것을 한 번 더 확인하고 대답했다.

“저거 스콘이랑, 오렌지청이랑……. 김 주임님이 직접 만드셨대요.”

“청은 요리할 때 쓰는 겁니까? 이서단 씨한테는 쓸모없잖아요?”

차 안의 에어컨 바람에 익숙해지다 보니 밖은 순간적으로 말문이 막힐 정도로 더웠다. 사우나에 잘못 들어왔나 싶을 정도의 무자비한 열기였다. 나는 몽롱해지려는 정신을 겨우 추스르고 대답했다.

"주스로…… 타 먹을 수 있나 봐요. 물에 섞으면 오렌지주스가 되고, 탄산수에 섞으면 탄산음료가……."

횡단보도 앞이었다. 주변은 온통 손부채질을 하는 붉은 얼굴의 사람들이 서 있는데, 한 팀장은 타이까지 완벽하게 매고 있으면서 혼자만 멀쩡해 보였다. 나는 보행자 신호를 기다리는 동안 그를 그늘로 활용하며 말을 이었다.

"나중에 저희 집 오시면 팀장님도 타 드릴게요."

"……그래요. 기대되네요."

"스콘도 드시고 싶으시면 하나 정도 드릴 수 있을 것 같아요."

많으니까 그 정도는 김 주임한테 큰 실례는 아니지 않을까. 왠지 오늘 김 주임은 한 팀장의 '한' 자만 들어도 눈을 부라릴 것 같았지만. 내가 스콘의 개수를 기억해 내려고 애쓰는 사이 신호가 바뀌었다. 걷기 시작하며 한 팀장이 바람 빠지는 소리를 내며 웃었다.

"나머지는?"

"나머지는 저 주신 거니까……. 남는 건 냉동해 놨다가 매일 아침용으로 먹으려고요."

며칠은 아침이 해결됐다고 생각하니 저절로 배부른 마음이 들었다. 한 팀장은 로비와 엘리베이터를 지나 넓고 세련된 인테리어의 식당에 도착할 때까지도 아무 말이 없었다.

홀의 내부와 은은한 음악만 봐도 음식의 가격대가 꽤 나갈 것이라는 생각이 들었다. 변형된 한복 차림의 직원을 따라가며 나는 주머니 안의 지갑을 확인했다. 나갈 때 카운터 앞에서의 설전이 예상

되는 바였다.

홀에 비어 있는 테이블도 있었는데, 우리가 안내된 곳은 작은 룸이었다. 그가 미리 예약을 해 둔 모양이었다. 앉자마자 직원 두 명이 트롤리를 밀고 들어와 하얀 테이블보 위에 정갈하게 담긴 밑반찬과 첫 코스로 보이는 고운 죽을 세팅했다. 나는 한 순갈을 먹어 보고 다시 한번 회사 구내식당에서 식판을 앞에 두고 있을 사수를 향한 강한 죄책감을 느꼈다.

"괜찮습니까?"

묻는 한 팀장을 향해 고개를 끄덕였다.

"맛있어요."

"입맛에 안 남는 건 남기고, 다양하게 많이 먹어요."

그가 깔끔한 젓가락질로 알록달록한 반찬을 집어 내 접시 위로 얹어 주었다. 점원들이 나가고 문은 닫힌 상태였다. 나는 곁눈질로 아무도 없는 룸 안을 살피고 나도 맛있어 보이는 접시에서 동그란 완자를 집어 그의 접시에 가져다 놓았다. 그렇게 넓은 테이블도 아니었고 그의 팔이 충분히 닿을 거리였지만 아랑곳하지 않았다.

"괜찮네요."

완자를 입에 넣은 그가 몇 번 씹더니 말했다. 그 말에 궁금해져서 그 접시로 향하는 내 젓가락을 그가 툭 쳐 냈다. 직접 완자를 집더니 아무렇지 않게 내 입술 앞에 젓가락을 대기시켰다.

"받아먹어."

"……."

"누구 들어오기 전에."

말끝이 단단하고 끝자락이 갈린 듯이 미세하게 거칠었다. 권유가 아닌 명령이었다. 나는 빰이 달아오르는 걸 느끼며 입안에 든 것을 얼른 삼키고 그의 젓가락을 입술 사이로 받아들였다. 동그란 완자를 이미 혀 위에 올렸는데도 단단한 쇠로 된 젓가락 끝은 내 입에서 빠져나가지 않고 느릿하게 더 깊숙이 들어왔다. 젓가락 두 쪽이 입안에서 벌어지며 뺨 안쪽의 연한 피부를 짓눌렀다. 나는 그의 시선에 꼼짝도 못 하고 붙들려서 코로 간신히 조각숨을 들이쉬었다. 누군가 문을 열고 들어올 것 같은 불안감이 긴장감을 가중시켰다.

혀 위에서 천천히 녹는 완자의 달콤한 맛이 입안의 여린 살을 느릿하게 헤집는 단단한 감각과 섞였다. 눈을 마주친 채로 젓가락을 놀리는 그의 단정한 손을 눈앞에서 보고 있으니 손발이 묶인 채로 진득한 입맞춤을 당하는 기분이었다. 테이블보 끝을 그러쥔 손에 땀이 찼다. 그의 체온인지 내 체온인지 모를 것으로 달아오른 젓가락이 입천장을 슥 긁었다. 등줄기가 오싹 달아올랐다. 더 못 참겠어서 몸을 움츠리며 입안에 고인 달콤한 타액을 삼켰다. 스윽, 그가 입에서 젓가락을 빼 줌과 동시에 문 두드리는 소리가 들렸다.

실례합니다, 하는 나긋나긋한 목소리와 함께 문이 열리고 다음 코스가 들어왔다. 테이블 위의 음식이 교체되고 다시 룸 안에 둘만 남자, 접시만 내려다보는 나에게 그는 조용히 가라앉은 목소리로 말했다.

"오늘 밤에는 계획 있습니까?"

"……없습니다."

입안이 부었을 리도 없는데 발음이 흐트러져서 나왔다. 한 팀장은 뭔가 고민하듯이 접시 옆을 느릿하게 톡 톡 두드렸다.

"그럼 내가…… 아닙니다. 접대 끝나면 몇 시일지 모르니까 기다리지 말아요. 혹시라도 예상보다 일찍 끝나게 되면 내가 연락하겠습니다."

"……네."

"내 집에 가서 자고 있어요. 연락 기다린다고 깨어 있지는 말고."

내가 봐도 가능성은 희박했다. 접대 자리면 그는 새벽까지 붙들려 있을 것이 분명했고, 내일도 둘 다 출근해야 하는 평일이었다. 나는 아랫배의 근질거리는 열기를 애써 무시하고 먹는 일에 집중했다.

그도 이만하면 공개적인 장소에서의 희롱은 충분하다고 여겼는지 남은 코스가 다 나오고 디저트를 먹는 동안에도 음식에 대한 평가나 진행 중인 프로젝트 이야기처럼 일상적인 대화를 멀쩡한 얼굴로 이어나갔다. 반면에 나는 대화의 흐름을 놓치기 십상이었다. 에어컨이 돌아가고 있는 실내에서도 더위를 먹은 것처럼 생각이 헛돌았다. 결국 오늘은 기필코 계산하겠다는 계획도 방심한 사이 그에게 기회를 빼앗겨 무참히 실패했다.

식당을 나와 보니 커피를 마실 시간도 남아 있지 않았다. 늦지 않으려면 서둘러 회사로 복귀해야 하는 시간이었다. 계란이라도 익힐 수 있을 것 같은 땡볕을 받으며 길을 건너서 다시 그가 운전하는 차의 조수석에 올랐다. 그가 시동을 걸자 내비게이션이 덤덤하게 [예상 소요 시간은 십이 분입니다.]라고 알렸다.

나는 눈 깜짝할 사이 지나간 점심시간이 아쉬워서 시선을 내리깔았다. 상사로서의 그도 좋았지만, 지금 옆자리에 있는 애인으로서의 그를 반납하고 싶지 않았다. 그의 밑에서 일하는 것은 더 바랄 게 없을 정도로 순조롭고 보람찼지만, 나는 유난히 속이 좁은 사람인지 그가 나를 다른 부하 직원과 똑같이 대할 때마다 치미는 사소한 상실감을 어쩔 수 없었다. 다른 부서 여사원이 일부러 용건을 만들어 그와 이야기하는 동안, 잔뜩 상기된 얼굴로 내 옆을 지나치는 동안, 그걸 가만히 지켜보고 있을 수밖에 없는 내 위치가 싫었다.

대시보드 화면에 예상 소요 시간이 11분으로 줄어 있었다. 차가 주차장을 빠져나가며 턱에 걸려 미세하게 덜컹거렸다. 그 덜컹거림에 가슴에 얼마 전부터 박혀 있던 작은 가시가 흔들렸다. 결국 한참 나중에나 조심스럽게 물으려 했던 질문이 내 입술 사이를 비집고 나왔다.

“팀장님.”

“왜.”

“팀장님은 예전에…… 여자 분도 만나 보셨어요?”

골목은 그리 길지 않았다. 큰 길로 나서면 다시 올 때처럼 그의 손을 잡을 수 있었을 지도 모른다. 질문을 내뱉자마자 그의 미간이 슬쩍 찌푸려지는 것이 보였다.

“그건 갑자기 왜 궁금합니까?”

"……그냥 궁금해서요."

"이서단 씨가 말하는 게 연애면, 애초에 이서단 씨가 아닌 대상과는 연애를 해 본 적도 없고, 하려고 생각해 본 적도 없습니다."

"……."

"하지만 그건 이서단 씨도 이미 알고 있을 테고. 그러니까 지금 물어보는 건 그게 아니겠지."

몇 초의 침묵 동안 차 안의 공기가 얇아지고 서늘해졌다. 한 팀장은 말을 잇기 전에 들이쉰 숨을 천천히 한번에 내뱉었다. 마침내 들려온 목소리는 이렇다 할 감정도 고저도 없었다.

"뭐가 궁금합니까? 물어봐요, 답할 수 있는 거면 대답해 줄 테니까."

"……팀장님."

"왜 갑자기 그런 바람이 분 건지는 모르겠지만, 궁금하면 알아야지."

나는 벌써 이 대화의 물꼬를 튼 것을 후회하고 있었지만, 동시에 다듬어지지 않은 말들이 와글와글 입안을 채우는 것을 물러서서 지켜보는 기분이었다. 연을 놓치고 리본 달린 꼬리가 흔들흔들 멀어지는 것을 관망하는 기분이기도 했다.

"그냥…… 팀장님이 저 이전에 다른 회사 사람도 연애 대상으로 생각해 보신 적 있는지 궁금해서요."

"그런 적 없습니다."

그는 재깍 대답했다. 감정을 드러내지 않는 평온한 목소리였다.

"그리고 그 질문이라면 굳이 여자건 남자건 할 것 없이 해당되는 것 같은데."

"그럼 다른 조건이 모두 동일하고, 성별만 달랐다면, 그게…… 팀장님이 선택하시는 데 영향을 미칠까요?"

"성별 말고 다른 모든 조건이 똑같은 게 가능할 리 없잖습니까."

"말 그대로 같다는 게 아니라, 객관적인 평가나 팀장님 취향에 있어서……."

"지금 질문은 아까 질문과 아무런 연관도 없는 것 같은데. 하고 싶은 말이 있으면 그냥 하는 게 어떻습니까?"

"알아들으셨으면서 대답을 피하시는 건 아니고요?"

핸들을 잡은 그의 손에 하얗게 힘이 들어가는 게 보였다. 나는 그가 내뱉지도 않은 대답에 혼자 먼저 상처를 받아 기묘한 열에 들떠 있었다. 그를 외면하고 차 앞유리를 내다보며 말을 마저 뱉었다.

"저도 팀장님을 만나기 전에는 잘 몰랐는데, 회사에서 대놓고 말할 수 있고, 사람들 보는 데서 손잡고 다닐 수 있고, 주변 사람들도 다 관계를 인정해 주고…… 그런 것도 분명히 중요하잖아요. 그런 게 되고 안 되고는 분명히 차이가 있고……."

"……."

"그래서 저는 선택사항이 없지만, 팀장님은 있으시니까…… 저와는 그런 게 안 되는 게 팀장님께……."

"무슨 얘기인지 이제 알 것 같네요."

그의 목소리는 낮고 침착했다. 그를 잘 모르던 시절이었다면 분명한 발음 사이사이 금방이라도 폭발할 듯이 지글거리는 분노를 알아차리지 못했을 것이다.

"다시 말해 이서단 씨는 게이여서 어쩔 수 없이 나를 선택했지만, 여성도 만날 수 있는 성향이었으면 내가 아닌 비슷한 조건의 여자를 선택했을 거란 얘기 아닙니까."

"그게 아니라—"

"아니, 알아들었습니다."

그가 내 말을 끊었다. 날카롭게 잘린 말의 단면이 시려서 나는 차마 더 항변할 수 없었다. 그 뜻이 아니라는 말을 하기 위해 두어 번 더 입을 열었지만, 그때마다 생각이 정제되지 않고 뭉쳐졌다가 흩어졌다. 그 사이 신호에 한 번 걸리지 않고 차는 회사에 도착했다. 지하 주차장으로 미끄러져 내려가는 내내 나는 무거운 침묵 속을 헤매는 내 위태로운 숨소리가 들렸다.

평소 주차하는 자리가 아닌 엘리베이터로 올라가는 문 앞에 차를 멈춘 그가 차갑게 끊어 말했다.

"내리세요."

"팀장님."

"나중에 다시 얘기합시다. 김 대리가 기다릴 것 같은데 올라가 보세요."

정말로 내 핸드폰은 사수에서 온 게 분명한 메시지로 연달아 진동하고 있었다. 그의 말이 시간과 장소도 가리지 못하고 말을 꺼냈다는 비난으로 들려서 나는 입술 안쪽을 깨물었다. 주차장은 늦은 밤처럼 비어 있는 것이 아니었다. 사람이 타고 있을지 모르는 차량이 한가득 주차되어 있었고, 우리가 있는 곳은 점심을 먹고 들어온 사람들이 엘리베이터를 타려고 지나가는 길목이었다.

"이서단 씨."

어쩌다 갑자기 상황이 이렇게 됐을까. 차 문손잡이를 잡고 어쩔 줄 모르고 있는 나에게 그가 한숨처럼 말했다.

"알았으니까 일단 올라가요. 연락할 테니까."

"……네."

그를 돌아보면 정말로 표정 관리가 안 될 것 같아서 나는 떨리는 손끝으로 문을 열고 내렸다. 주차를 하기 위해 곧바로 멀어지는 그의 차 뒤꽁무니를 가만히 보고 있다가 더듬거리는 걸음걸이로 빈 엘리베이터에 올랐다.

나 말고도 엘리베이터에는 두어 명이 타 있었고, 1층에서 줄 서 있던 사람들까지 합세하자 숨 쉴 틈도 없어졌다. 여름의 마른 땀 냄새가 엘리베이터 안에서 진동했다. 3층에서 사람들이 한 차례 빠져나가고 떠밀리듯이 4층에 내리고 나서야 정신을 차릴 수 있었다.

핸드폰은 거의 다 왔냐는 사수의 메시지를 빼고는 깨끗했다. 나는 정처 없이 걷다가 인적이 드문 복도로 숨었다. 복사기 돌아가는 소리, 막 점심을 먹고 돌아온 사람들끼리 두런두런 이야기하는 소리가 멀찍이서 들렸다. 나는 하얀 복도 벽에 등을 기대고 눈을 감은 채로 쿵쿵 뛰는 심장을 진정시키려고 애썼다.

그 뜻이 아니었는데, 그런 말을 하려는 게 아니었는데. 요령이 없다는 걸 증명해 보이려는 것처럼 성급했다. 요즘 들어 나를 괴롭히던 막연한 불안감을 두서없이 내뱉고 그가 마음을 읽어 줄 것이라고 기대했다. 연애 초기를 빼면 싸운 적도 없었는데, 바쁜 와중에 신경을 써서 식당을 알아보고 데리고 나가 밥을 사 준 사람을 붙들고 엉뚱한 싸움을 만든 것은 나였다.

내가 소용없는 후회를 곱씹는 사이 핸드폰이 울렸다. 사수의 목소리가 쾌활했다.

-이서단 씨, 이제 나갈 건데! 회사 들어왔어?

"……네."

-그럼 주차장에서 볼까? 아니면 올라갔다 갈래? 가방 자리에 있던데. 내가 챙겨 줄까?

"……부탁드릴게요. 가방에 다 들었으니까 그것만 있으면 돼요."

-오케이! 주차장 로비에서 봐요!

핸드폰을 내려놓고도 가슴이 울렁거렸다. 헤어진 것도 아닌데, 헤어지자는 말을 들은 것도 아닌데. 오해도 아닌 말실수에서 비롯된 작은 해프닝일 뿐인데, 이대로 평소 같은 하루를 이어가기에는 눈앞이 깜깜하고 숨이 가빴다. 바로 앞이 절벽의 끝인 것처럼 아무것도 생각나지 않았다.

⁂

평소에는 쓸데없는 일로 길어지고는 했던 클라이언트사에서의 일이 오늘따라 6시에 칼같이 끝났다. 약속이 있다는 사수는 나를 근처의 큰 지하철역에 내려 주고 기대에 찬 얼굴로 떠났다. 여름다운 알록달록하고 가벼운 차림새로 지하철을 기다리는 사람들은 핸드폰을 귀에 대고 있거나 작은 화면을 가로로 기울여 떠들썩하게 웃는 사람들이 나오는 예능 프로그램을 보고 있었다. 깊은 우물 같은 불안에 잠긴 것은 나 혼자인 것 같았다.

나는 도착한 지하철을 그냥 보냈다. 타고 내리는 사람들에게 휩쓸려 광고 전광판 옆에 작게 웅크린 몸을 붙였다. 핸드폰은 조용했다. 그의 집에 가 있어야 하는지, 그냥 내 집으로 퇴근해야 하는지 알 수 없었다. 어떤 결정을 내리는지에 따라서 타야 하는 방향이 달라서, 열린 지하철 문 안으로 마지막 한 발짝이 떼어지지 않았다.

밥 먹듯이 잦은 싸움을 겪고도 견고한 연인들도 있는데 한 번의 말다툼으로 이렇게까지 불안해할 필요는 없을 것이다. 알고 있는데 조금도 기분이 나아지지 않았다. 깨끗한 핸드폰 화면을 괜히 켜 보고 유리 위를 손끝으로 문질렀다. 지금쯤 그는 일이 끝나고 임원들과 함께 접대 자리로 향하고 있을까. 평소에도 그는 그런 종류의 자리를 가장 싫어했다. 새벽이 되어서 술에 절고 피곤한 기분으로 집에 돌아왔을 때 내가 그의 공간에서 기다리고 있다면, 작은 소나기 같은 어긋남이 폭풍으로 번질지도 모른다. 오늘 밤의 그는 내가 하려는 말에 귀 기울일 상태도 기분도 아닐 것이다. 그래서 그의 반응에 나는 저만치 밀려나고, 가뜩이나 서로 바쁜데 억지로 시간 내서 볼 필요가 없을 정도로 서먹해지고. 내가 원하는 건 그런 게 아니었다.

지하철의 도착을 알리는 팡파르가 울렸다. 스쳐 지나는 지하철 차의 좁은 창문마다 타고 있는 사람의 얼굴이 비쳤다. 스크린도어가 열리고 나는 쓸려 들어가는 사람들의 파도에 몸을 맡겼다.

내 집에 도착하자 7시 반이 조금 넘어 있었다. 지하철역에서 아파트 건물까지 걸어오는 길은 여전히 환했고 숨이 막힐 정도로 습했다. 온화하게 느껴졌던 열대야의 공기가 오늘따라 무겁고 진득했다. 좁은 집 안은 밖과는 달리 어두웠다. 나는 하루 사이 방 안에 고인 덥고 텁텁한 공기를 들이쉬며 거실을 가로질러 침대 옆의 충전기에 핸드폰을 연결했다. 볼륨이 최대로 높여져 있는 것을 다시 확인하고 문을 열어 둔 채로 거실로 나왔다.

"……아."

바스락거리는 소리에 내려다보니 팔에서는 조금 구겨진 종이봉투가 달랑거리고 있었다. 김 주임이 준 간식거리였다. 나는 손잡이의 접힌 모양대로 자국이 남은 팔에서 봉투를 떼어 내고 거실 바닥의 쿠션 위에 주저앉았다. 봉투 안에 손을 넣어 잡히는 첫 번째 스콘의 바스락거리는 비닐을 벗겼다. 물기 없이 마른 입안으로 바스러지는 빵을 조금씩 떼어 넣었다. 제자리에 앉아서 스콘을 하나 다 먹었다. 혀 위에서 흩어지는 부스러기에서는 치즈 맛이 났다. 빵의 희미한 단맛이 났다.

평소에 이렇게 일찍 퇴근한 날에는 틈틈이 하고 있는 컨설팅 관련 공부를 계속하거나 영어 공부를 위해 가입한 스트리밍 사이트에서 점찍어 둔 영화를 봤을 것이다. 그 모든 게 오늘은 한없이 어렵고 아득하게 느껴졌다. 나는 불 꺼진 거실에 멍하니 앉아 있다가 여전히 조용한 핸드폰을 들고 욕실로 들어가 씻고, 반팔 잠옷을 입고 침대로 기어들어 갔다.

눈을 감으니 꿈이 되다 못한 파편들이 물살에 쓸리듯 머릿속을 떠돌았다. 기묘한 논리와 비이성적인 생각들이 낮의 대화를, 그의 목소리와 눈빛을 부풀리고 일그러뜨렸다. 한 마디, 단어 하나마다 강조가 붙었다.

"이서단 씨는 게이여서 어쩔 수 없이 나를 선택했지만……."

"하고 싶은 말이 있으면 그냥 하는 게 어떻습니까?"

"……."

나는 억지로 상체를 일으켰다. 오래 뒤척였다고 생각했는데 핸드폰을 확인해 보니 겨우 30분이 흘러 있었다. 뻑뻑해진 눈을 깜박이며 천천히 옆으로 돌아누웠다. 다 닫지 못한 커튼 이음새로 새어드는 빛 한 줄기가 이불을 가로질러 가슴에 닿도록 구부린 내 무릎에 닿았다.

잠든 것도, 깨어 있는 것도 아닌 이런 시간은 내게 익숙했다. 그를 알게 된 후에는 뜸했지만, 그 이전에는 10년을 겪었던 진저리나는 불면이었다. 어둠에 익숙해진 눈을 깜박이고, 자세를 뒤척이고, 숫자를 센다. 스스로의 호흡 소리를 의식한다. 숫자와 호흡이 어긋나면 가슴이 갑갑해졌다. 그렇다고 빨리 세면 잠이 오지 않았고, 느리게 세면 폐가 허덕였다. 그날 겪었던 모든 일이 머릿속을 자근자근 밟으며 돌아다녔다. 스치듯이 봤던 풍경들, 들었던 말들. 몸은 이제 그만하라고 지쳐서 매달리는데, 머리는 하루의 여백에 숨은 모든 것을 캐내겠다는 듯이 강박적이고 집요했다.

나는 나중에는 아예 잠들 생각을 접고 그를 보면 할 말을 한 문장씩 쌓고 다듬었다. 지나치게 감정적인 해명의 모서리를 깎아 내며 그의 반응을, 그의 표정을 생각했다. 내일은 회사로 출근하긴 하지만 그를 따로 만나기는 애매할 것이다. 점심시간은 너무 짧게 느껴졌다. 퇴근한 후에, 미리 연락해서 시간을 내 달라고 부탁한 다음에, 그의 집 같은 조용한 곳에서…….

쾅—

처음에는 윗집이나 아랫집에서 나는 소리라고 생각했다. 눈을 떠 깜박였다.

쾅—

문 두드리는 소리였다. 나는 정신이 번쩍 들어 넘어질 뻔하며 일어났다. 조명을 켤 생각도 하지 못하고 맨발로 어두운 현관까지 달렸다.

고리를 풀고 손잡이를 필사적으로 더듬어 열어젖힌 문 뒤에는 설마 싶었던 대로 그가 서 있었다. 복도의 흐릿한 조명이 그의 등을 적시는 역광이었다. 장신의 몸에서 술 냄새가 희미하게 풍겼다.

"팀장님."

손목이 잡히고 몸이 뒤로 밀렸다. 내 집 안으로 몸을 들인 그가 내 팔을 잡은 채로 현관문을 닫았다. 삐빅, 도어락이 걸리는 소리가 들렸다. 바짝 붙은 몸이 가까웠다. 어둠 속에서 그가 바짝 얼어붙은 내 얼굴을 내려다보고 있었다.

"자고 있었습니까?"

목소리가 탁하게 잠겨 있었다. 나는 빠르게 뛰는 심장 때문에 말을 할 수 없어서 고개만 저었다. 그는 숨을 느리게 뱉으며 다시 물었다.

"내가 올 걸 알아서?"

이번에도 고개를 흔들었다. 어떻게 예상했을까. 습관처럼 확인하던 핸드폰은 내내 조용했으며, 이 시간에 그가 연락도 없이 내 집에 온 적은 한 번도 없었다. 그를 마주하고 있는 지금도 얼떨떨하기만 했다. 멍하니 올려다보다가 가까스로 정신을 차렸다.

"팀장님, 저—"

"섹스부터 하고 얘기합시다."

그는 손쉽게 내 몸을 이끌어 어두운 거실을 가로지르고 침실 문턱을 넘어 흐트러진 침대 위로 밀어 눕혔다. 내 위로 올라탄 후 거슬리는지 구겨진 이불을 대충 뭉쳐 바닥으로 내던졌다. 그가 무릎으로 짚은 좁은 침대가 삐걱거렸다.

어쩌면, 업무에 시달리고 내 괜한 시비에 언짢아지고 즐겁지 않은 자리에서 술을 마셔야 했던 하루 끝에서 그는 무언가 필요해졌을까. 그 필요성을 채우기 위해 다짜고짜 새벽에 나를 찾아왔을까. 예전 같으면 그가 다른 사람이 아닌 나를 찾은 것이 기뻤을 텐데, 그에게 무엇이라도 해 줄 수 있는 것이 좋았을 텐데, 그와 몇 달 연애를 했다고 욕심이 많아진 모양이었다. 그가 내 잠옷을 밀어 올려 벗기는 동안 팔을 올려 협조하면서도 조금은 서러운 기분이 들었다.

"젤."

내 옷을 다 벗겨 침대 밖으로 내던져 놓고 그는 거친 호흡으로 물었다. 나는 한 박자 늦게 말을 알아듣고 팔을 뻗었다. 그는 이미 몸을 일으켜 둘러보더니 침대 옆 서랍장에서 지난번에 놓고 간 젤과 콘돔을 꺼내고 있었다.

그것들을 한 손에 쥐고 그는 다시 싸늘한 얼굴로 내 위로 올라탔다. 매트리스가 위태롭게 삐걱거렸다. 나는 당장이라도 다리 사이로 파고들 손가락과 젤의 차가운 감촉을 예상하며 어깨를 움츠린 채로 눈을 감았다. 그와 연애를 시작한 이후 셀 수 없이 많은 섹스를 했지만 플레이가 아닌 상황에서 화가 나 있는 상태의 그를 마주하는 건 처음이어서, 조금 무서웠다. 마치 몇 달간의 시간이 아무것도 아니라는 듯이 관계가 도돌이표를 찍은 것 같았다. 강압과 복종, 숨쉬듯 자연스러운 권력 관계가 다시 자리 잡아 있었다.

하지만 닿은 최초의 접촉은 다리 사이가 아니었다. 질끈 감긴 눈꺼풀 위로 뜨겁고 말랑한 감촉이 천천히 닿았다. 뺨으로 내려온 입술은 내 아랫입술을 머금고 가볍게 잡아당겼다.

"내 옷 좀 벗겨 봐요."

"……훗."

"빨리."

벌어진 입술 사이로 뜨거운 혀가 미끄러져 들어왔다. 그가 잠긴 목소리로 내뱉는 말들이 소리가 되기 전에 입술의 움직임으로 먼저 느껴졌다. 나는 깊어지는 키스에 숨을 토해 내며 서툰 손가락으로 그의 타이를 끌렀다. 매듭이 꽉 조여져 있어서 쉽지 않았다.

내가 헛손질을 반복하는 동안 그의 뜨거운 손바닥은 내 허리를 감싸고 몸을 쓰다듬기 시작했다. 습한 입안에서 혀가 얽히고 느리게 비벼졌다. 희미한 술맛에 나도 취한 것처럼 몽롱해졌다. 열이 오르기 시작한 몸을 그에게 붙였다. 그의 셔츠를 벗기려는 손길이 점점 다급해지고, 급기야 툭 하고 단추가 떨어져 굴러가는 소리가 들렸다.

맞닿은 입술로 그가 픽 웃는 소리가 들렸다.

"이왕 뜯은 거 그냥 벗기세요."

"죄송해요……."

목소리가 열에 들떠 나왔다. 단추를 하나 더 희생하고 나서야 그의 셔츠를 벗길 수 있었다. 그는 그의 맨 가슴팍을 더듬듯이 달라붙는 내 손길이 거추장스러웠는지, 아까 이불 위로 떨어진 타이를 집어 들어 끝부분에 남은 매듭을 풀고 내 손목에 둘렀다. 순식간에 양쪽 손이 머리 위로 묶였다. 느슨한 매듭이었지만 빠져나갈 수 있을 정도는 아니었다.

"팀장님, 저도, 만지고 싶……."

"나중에 하세요."

평소에 묶이는 타이가 아니라 그런지 감촉이 달랐다. 나는 손목 안쪽으로 까슬한 매듭을 몇 번 밀어 봤다가 포기했다. 나를 묶어서 얌전하게 만든 후에 한 팀장은 오히려 여유가 생긴 듯했다. 조금 물러나서 좁은 침대 위에 하얗게 맨몸을 드러내고 있는 나를 내려다보더니, 손끝으로 가쁘게 오르락내리락하는 내 가슴 위를 짚었다.

"흐읏……."

거기서부터 물들듯 천천히 접촉의 범위가 넓어졌다. 손가락 두 개, 세 개. 단단한 손가락이 내 몸을 구석구석 쓰다듬고, 입술로 빨아들이고 잘근잘근 씹고 뜨거운 혀로 달래는 감각이 이어졌다. 연애를 하게 된 이후 그가 재미 붙인 방식의 섹스였다. 온몸을 녹일 듯이 살살이 손과 입술로 어루만지고, 내가 애가 타 울먹일 때까지 부드럽게 애무한다. 그렇게 다정하게 시작된 섹스는 인내심을 보답받듯 새벽녘까지 이어지기 십상이었다.

"하으, 응, 읏. 흣……."

목과 귀를 어루만지다가 다시 내 벌어진 입술을 빨아들이는 입맞춤이 달콤했다. 엉덩이를 쓰다듬는 손은 뜨거웠지만, 전희만 끈질기게 이어갈 것처럼 엉덩이 사이의 틈새는 매번 지나치고 있었다. 나는 그의 목에 팔을 두르지 못해 대신 그의 어깨에 이마를 비비며 헐떡이는 목소리로 물었다.

"저한테, 화나신 게, 아니었……."

"났습니다, 아직은."

거친 음이 섞인 목소리는 담백했다. 단단한 손마디 사이로 민감한 유두가 끼워지고 문질러졌다. 크게 움칠거리는 몸을 내리누르며 그가 귓가에 대고 낮게 물었다.

"그래서, 내가 화가 났다고 침대에서 이서단 씨에게 화풀이를 할 쓰레기로 보입니까?"

"응, 아으—"

귓불이 깨물렸다. 미끌거리는 성기가 그에게 붙잡혔다. 나는 밀려드는 감각의 달콤함에 진저리 치면서도 자연스럽게 물음표가 떠올랐다. 당장 몇 달 전만 해도 그에게 화풀이 같은 섹스를 당했던 일이 허다한데. 물론 그때는 연애 전이었지만. 같은 생각을 했는지 그가 내 목덜미에 코를 대고 웃음 같은 한숨을 내쉬었다.

"이서단 씨가 나를 사람 만드네요."

"흐읏……."

"무서우면 지금 그만하자고 하세요."

그렇게 말하면서 그의 손가락이 내 성기의 기둥을 잡고 쓰다듬고 있었다. 왜 물어보는 건지 모를 지경이었다. 나는 대답 대신 턱을 치켜 올려 그에게 입을 맞췄다. 그의 입술 사이로 내 혀끝을 집어넣었다.

"……나중 가서 후회하지 말고."

그의 목소리에도 초조함이 섞였다. 나는 움직이는 그의 입술을 내 입술로 쫓아가듯이 깨물었다. 그는 이 상태에서도 족히 30분은 더 손과 혀만으로 나를 괴롭힐 수 있는 사람이었다. 재촉하는 의미에서 입술을 뗐다가 몇 번 더 붙였다. 쪽, 쪽, 하는 소리가 났다.

"……아."

엉덩이를 감싸고 있던 그의 손이 콱 앞으로 당겨졌다. 벌어진 내 다리 사이로 그가 자리 잡았다. 아직 한참 남은 튜브를 거의 비우다시피 손바닥에 짜낸 그가 굵은 손가락에 골고루 묻히고 나머지를 내 엉덩이 골 사이로 떨어뜨렸다. 그의 체온에 조금 덥혀지기는 해도 아직 차가운 점성 있는 액체가 내 회음과 입구 위를 질척하게 적셨다.

단단한 감촉이 다물린 입구를 매만지고, 단번에 꿰뚫었다. 뜨겁고 딱딱한 손가락이 윤활제에 힘입어 좁은 통로를 파헤쳤다.

"흐읏!"

"오랜만도 아닌데……"

입술이 다시 스치듯 맞닿았다. 그의 억누른 호흡이 고스란히 느껴졌다.

"왜 이렇게 좁아졌어."

"아, 아윽, 흡……."

"이래서 어떻게 내 걸 다 넣으려고."

안을 잘게 헤집던 손가락이 입구까지 빠져나왔다가 다시 안으로 처박혔다. 콱, 콱, 예민한 내벽을 쑤시며 같은 동작이 가차 없이 되풀이됐다. 나는 급격히 밀려오는 사정감에 입술 안쪽을 아프게 물었다. 얼굴이 너무 가까워서 쾌감에 달뜬 표정이 그에게 고스란히 보일 것 같았다.

"흑!"

머릿속이 뒤섞이는 흐물거리는 감각이 단번에 멎었다. 성기를 계속 만져 주던 그의 손이 사정 직전에 뿌리 부분을 꽉 조인 것이었다. 나는 자각도 없이 허리를 허공에 띄웠다. 몸 안에 들어와 있는 손가락을 무의식적으로 꽉 조였다. 손가락의 불거진 마디가 열 오른 내벽을 파고들었다.

"놓, 놓아주세요……. 아으, 팀장님, 이거 놓……."

"안 됩니다. 그러다가 먼저 잠들려고."

"아니, 안, 안 그럴…… 제발, 흐, 흐읏……."

사정이 가로막히자 아무 생각도 나지 않았다. 구속된 손이 아니었으면 그를 붙잡고 매달렸을 것이다. 오므라드는 허벅지를 팔로 잡아 벌린 그가 덜덜 떨리는 내 몸을 느긋하게 내리눌렀다. 힘의 차이를 도저히 당해 낼 수 없었다.

"싸고 싶어?"

낮은 목소리, 귓가에 닿는 숨결만으로도 몸이 소스라쳤다. 나는 몸을 뒤틀며 고개를 여러 번 끄덕였다.

"한 번만……. 이거, 이렇게는 힘들, 아으, 흣!"

몸 안에 있던 손가락이 쑥 빠졌다. 힘이 들어가 있던 속살 안쪽이 같이 끌려 나가는 느낌이었다. 붉게 젖은 구멍으로 다시 손가락을 밀어 넣으며 그가 느긋하게 말했다.

"알겠습니다. 예쁜 좆으로 싸게 해 줄 테니까."

"으, 읏!"

"서른 번만 참아 봐요."

쓰읏, 주먹의 관절 부분이 엉덩이에 바짝 붙을 정도로 깊게 들어왔던 손가락이 다시 입구 부근까지 빠져나갔다. 예민한 안이 파헤쳐지는 감각에 허덕이던 나는 그제야 그가 한 말의 의미를 깨달았다. 수치심에 눈가가 뜨거워졌다.

"그, 그런 건, 아읏……."

"그럼 내가 넣고 쌀 때까지 기다리겠습니까?"

그렇게 했다간 성기나 배 둘 중 하나가 터질 것 같았다. 더디게 회전하는 머리로도 여기가 막다른 길임을 알고 있었다. 나는 결국 고개를 끄덕이며 질끈 눈을 감았다.

"그럼 빨리, 빨리 해 주세요……. 아, 흐으……."

빠르게만 들락거리면 서른 번이 빨리 끝날 것 같은데, 그는 서두를 것 없다는 듯이 베개를 끌어와서 내 허리 밑으로 넣었다. 한 손으로는 철두철미하게 내 터질 듯이 부푼 성기를 인질 잡은 채였다. 그가 긴장으로 보조개가 생긴 내 엉덩이를 툭툭 두드리고 손끝으로 부어오른 입구 위를 슥 쓸었다.

"넣겠습니다."

"으응, 으, 빨리……."

닿는 감촉이 굵다 했더니, 손가락이 하나가 아닌 두 개였다. 입구의 주름을 확장시키며 안으로 푹 들어왔다. 젖은 살이 벌어지는 질척거리는 소리가 내 귀에까지 들렸다. 더 안 들어갈 때까지 밀어 넣은 그가 끔찍하게 예민한 곳 위로 손가락을 가볍게 비튼 후 다시 느리게 빼냈다. 나는 경련하는 몸을 통제하지도 못하고 입술을 문 채로 떨었다.

"숫자는 왜 안 세."

그가 지나가듯 무심히 물었다. 손가락이 자꾸만 오므라드는 입구를 장난치듯 벌리고 있었다. 차가운 바람이 핥듯이 젖은 주름에 닿았다. 나는 울음을 삼켰다. 머릿속을 붉게 물들이는 수치심보다 몸의 간절함이 더 컸다.

"하나…… 흐윽!"

좋아하는 손이었다. 여러 번 주의 깊게 관찰했기에 손가락의 모양까지도 그리라면 그릴 수 있었다. 길고 굵은 손가락을 내 안으로 찔러 넣을 때마다 손등과 손목 안쪽의 힘줄이 도드라질 것이다. 끝까지 넣었을 때는 차에서 만져 봤던 손가락 사이의 물갈퀴 부분이 입구에 비벼지고, 다시 빼낼 때는 불거진 관절 때문에 입구가 힘겹게 벌어졌다.

"다, 섯……. 으, 흐으, 여섯, 아, 더 빨리, 빨리……."

나는 뭉개지고 울음 섞인 발음으로 숫자를 세면서 몸을 벌벌 떨고 발을 동동 굴렀다. 기준치를 넘은 극단적인 쾌감에 사고가 정지한 지 오래였다. 그는 눈물로 범벅이 된 내 얼굴을 뚫어져라 내려다보며 손가락에 힘을 주어 내 안을 쑤셨다. 안을 무자비하게 때리듯이 단번에 치고 들어오기도 했고, 내가 흐느껴 울 때까지 느리게 안을 문지르다가 빼 주기도 했다. 서른 번의 왕복은 내 예상보다도 훨씬 길고 잔혹했다. 마침내 제대로 나오지도 않는 목소리로 마지막 숫자를 채우자 그가 약속대로 엄지로 내 회음을 콱 누르며 하얗게 질린 성기를 문질러 주었다. 나는 소리도 지르지 못했다. 몸의 껍질이 벗겨지고 내부가 찢겨 나가는 듯한 격렬한 절정이었다.

참았던 시간만큼이나 긴 절정이 이어졌다. 사정을 멈췄던 성기가 다시 막혔던 것을 쏟아내듯 떨며 툭, 툭 정액을 흘리고, 가라앉았던 성감이 다시 롤러코스터처럼 무섭게 치솟았다. 내가 하얗게 물든 시야로 허우적대는 사이에 계속해서 뜨거운 손으로 몸을 어루만져 주던 그는 그만하면 충분히 기다렸다고 판단했는지 허벅지를 넓게 잡아 벌렸다. 얼얼한 입구에 콘돔을 씌운 뜨겁고 뭉툭한 귀두가 문질러졌다.

"흐읏, 잠깐만, 하읏, 팀장님, 저 아직……."

"제대로 벌리고, 안쪽에 힘 빼."

한 번에 깊숙이 넣겠다는 경고였다. 탁하게 갈라진 목소리에 긴 인내심의 흔적이 묻어 있었다. 나는 붙들 게 없어서 손목을 묶은 타이를 그러쥐었다. 숨을 참지 않고 뱉으려고 노력했다. 내 얼굴 옆의 침대를 짚은 그의 팔에 힘줄이 불거졌다. 사나운 욕망을 숨기지 않은 단정한 얼굴이 코가 닿을 듯이 가깝게 다가왔다.

"흣."

아랫입술이 깨물렸다. 그가 내뱉은 뜨거운 숨이 내 입안으로 빨려 들어갔다. 입술을 맞댄 채로 그가 속삭였다.

"안이 다 풀려서, 아프지 않을 겁니다."

"흐, 흣……."

"겁낼 필요 없어요."

화나서 하는 섹스가 아니라는 말이 정말이었을까. 목소리가 어쩔 수 없다는 듯이 느리고 다정했다. 나는 입술을 떼지 않고 작게 말했다.

"손, 풀어 주세요……."

"그래요."

손쉬운 매듭인 모양이었다. 타이가 풀려나가자마자 나는 팔을 올려 그의 목을 끌어안았다. 어딘가에서 미끄러져 떨어진 듯한 아찔함에 몸이 후들거렸다. 숨을 깊게 들이마시고 말했다.

"저 힘 뺐으니까……."

그가 웃은 것 같았다. 그리고 그의 몸에 단단하게 힘이 들어갔다. 푸욱, 두꺼운 선단이 좁은 틈새를 갈랐다. 열 오른 안을 거침없이 벌리면서 들어왔다. 겁준 것과는 달리 그렇게 거친 삽입은 아니었다. 다만 그가 오래 참았음을 여실히 보여 주는 크기가 받아들이기 힘겨웠다. 소리를 참다가 결국 젖어 드는 내 눈가를 그는 입술로 훔쳐 주었다. 돌덩이처럼 딱딱한 귀두가 그의 손가락이 닿았던 한계를 넘어 아직 닫힌 배 속에 길을 내면서 안으로 더 깊숙이 들어왔다.

배가 불룩 올라온 것 같았다. 몸 안의 장기가 그의 모양대로 밀려 올라가서 술렁이는 기분이었다. 이러다가 정말 뭔가 잘못되겠다고 생각할 때쯤 긴 삽입이 중단되었다. 숨이 가빴다. 그가 내 떨리는 호흡을 입술을 맞대 가볍게 먹어 치우며 속삭였다.

"아직 좀 남았지만…… 이 자세로는 안 들어가겠네."

"흐, 으으……."

"일단은, 이 정도로 만족하겠습니다."

"하읏, 으, 흣!"

겨우 넣은 성기가 쑥 빠지더니 다시 푹 치고 들어왔다. 처음부터 그가 허리를 크게 써서 박기 시작했다. 거친 호흡이 섞였다. 안고 있는 그의 등도 땀으로 번들거렸다.

"안이, 잘 풀렸네요, 그래도."

"아아! 흑! 팀장님, 너무, 빠르, 하으……."

"뜨겁고."

흉악한 살덩이가 불이라도 붙일 듯 통로를 드나들고 있는데 어떻게 뜨겁지 않을 수가 있을까. 배 속에서 피어난 열기에 시야가 흐려지고 몸에 힘이 풀렸다. 그가 허리를 써서 깊숙한 곳을 쳐 올릴 때 얻어맞는 속살은 멍이 들 것처럼 부어오르고, 거친 마찰에 길들여진 내벽이 녹진녹진해졌다. 아직 제대로 발기하지도 못했는데 질금질금 사정하는 기분이 들었다. 시야가 붉어질 정도로 숨이 찼다. 그때 안에서 툭 끊어지는 느낌이 들었다. 움직임을 잠시 중단하며 그가 혀를 찼다.

"써도 문제네."

그가 느리게 성기를 빼냈다. 찢어진 콘돔이 너덜거리며 같이 빠져나오다가 입구에서 뭉쳐서 걸렸다. 그는 손가락을 넣어 구겨진 고무를 잡아 뽑고 성기에서도 나머지를 벗겨 냈다. 천천히 오므라드는 입구를 달래듯 젖은 기둥이 엉덩이 골 사이로 느리게 문질러졌다. 나는 상황을 확인하려고 힐끔 내려다봤다가 눈을 감았다. 핏줄이 불거진 검붉은 성기의 크기를 보는 것만으로도 배 속이 벌벌 떨렸다. 저런 게 몸 안에 들어온다니 새삼 믿기지 않았다.

"없이 합시다."

간단하게 결정한 그가 곧바로 내 엉덩이를 받친 채로 다시 삽입했다. 그새 오므라든 입구가 찢어질 듯 벌어지며 굵은 선단을 집어삼켰다. 성기를 감싸고 있던 고무가 없으니 살과 살의 마찰이 적나라했다. 그는 허리를 쳐 넣어서 한 번에 아까 길을 낸 데까지 들어왔다. 깊은 곳을 몽둥이로 침범당하는 느낌이었다. 굳게 닫힌 안쪽을 열겠다는 듯이 꾹 누른 귀두는 내가 숨을 제대로 쉬지 못하고 바들바들 떨자 조금 물러났다. 길쭉한 기둥으로 엉겨 붙는 속살을 달래듯 잘게 움직이는 동작에 쓰라리고 달콤한 감각이 피어났다.

"아, 응, 으……."

나는 마비된 머리로도 생각했다. 내일도 평일인데, 이건 평일의 섹스가 아니었다. 주말 내내 쉬기 전의 금요일 밤의 섹스에 가까웠다.

그도 같은 생각을 했는지, 다시 허리를 뒤로 물리고 빠르게 박기 시작하며 낮은 목소리로 말했다.

"내일 반차 내세요. 승인해 줄 테니까."

"흐읏! 읏! 흑……."

"병가를 내든가."

오늘 잠을 못 자고 시달렸으니 내일은 편히 쉬게 해 주겠다는 자비로운 배려가 아니었다. 앞으로도 몇 시간은 족히 봐주지 않을 거라는 통보였다. 나는 후들거리는 다리로 그의 허리를 감았다. 섹스 때문에 회사를 아예 못 갈 수는 없었다. 이왕 이렇게 된 것, 빨리 끝나도록 적극적으로 협조하는 것이 최선이었다.

⁂

혼자 잘 때는 몰랐는데, 침대가 좁긴 좁은 모양이었다. 커다란 널빤지 두 개 사이에 껴서 압살당하는 꿈을 꾸다가 눈을 떠 보니 몸이 한 팀장과 벽 사이에 짓눌려 있었다. 에어컨을 켜 두지 않아서 공기가 덥고 텁텁했다. 체온이 높은 편인 그가 멀쩡하게 자고 있는 것이 신기했다.

나는 잠시 고민하다가 결국 그의 품에서 빠져나가기 위해 몸을 조금씩 물렸다. 새벽 5시 40분. 한 시간도 못 잔 셈이었다. 침대 밑으로 발을 딛자 천장이 한 바퀴 빙글 돌았다. 배 속이 얼얼하고 뒤가 쓰라렸다. 그래도 땀과 체액으로 젖었던 몸이 깔끔해진 걸 보니 그가 닦아 준 모양이었다.

나는 느리고 힘든 걸음으로 화장실에 갔다가 에어컨 리모컨을 들고 침대로 돌아왔다. 거실의 낡은 에어컨에서 약한 바람이 나오도록 설정하고 침대 위에 조심스럽게 걸터앉았다. 매트리스가 삐걱거려도 그는 눈을 뜨지 않았다. 체력의 차이가 있을 뿐 좁은 침대에서 얼마 못 잤으니 그도 피곤한 건 마찬가지일 것이다. 나는 반차를 낸

다 해도 그는 낼 수 없을 텐데, 주말이 머지않아서 다행이었다.

"……팀장님."

그가 뒤척이는 것 같아 작은 목소리로 불렀지만, 찌푸려졌던 그의 미간이 다시 곧게 펴졌다. 숨소리가 느리고 규칙적이었다. 나는 다시 그의 팔로 만들어진 작은 테두리 안으로 몸을 조금씩 밀어 넣었다. 단단한 가슴에 웅크린 몸을 붙였다.

처음도 아닌데, 혼자만의 공간이었던 작은 집에 그가 있는 것은 어색하고 낯설었다. 사진을 오려내서 붙인 것처럼 옆에 잠들어 있는 그의 모습이 비현실적이었다. 넓고 단단한 가슴을 응시하다가, 심장 소리가 들리는 곳에 뺨을 가만히 대 봤다. 뜨겁고 단단한 피부 위로 입술을 눌렀다.

"……."

조금 물러났다. 위치를 정밀하게 계산해 신중하게 선정했다. 그가 설령 타이를 풀고 셔츠 단추 하나 정도를 풀더라도 보이지 않을 곳, 주말에 외출할 때 입을지도 모르는 캐주얼 셔츠의 넥라인 살짝 아래 위치한 곳. 목표 지점을 정해 놓고 숨을 한 번 깊게 들이쉰 뒤 입술을 붙였다. 살짝 벌린 채로 매끈한 살을 빨아들였다. 그가 깰까 봐 몸을 짚지 못하고 침대를 잡은 채였다.

"……."

5초 정도 하고 입술을 떼었다. 눈을 가까이 대고 들여다봐도 희미한 빛 때문에 제대로 된 건지 알 수 없었다. 나는 눈을 떼지 않고 팔을 뻗어 커튼을 조금 걷었다. 푸른 햇살이 방 안으로 새어 들었다.

그의 가슴팍에는 희미하게 붉은 자국은 남아 있었지만 아무리 봐도 이게 아닌 것 같았다.

내 몸을 내려다보니 그가 얼마 전에 만든 희미한 흔적도 있었고 어젯밤에 남겨 놓은 붉은 멍 같은 자국도 있었다. 모범 사례를 참고하듯이 내 몸을 유심히 내려다보다가 다시 자세를 잡았다. 이를 써야 하나. 그의 따뜻한 피부 위로 입술을 눌러 붙이고 고민했다.

"더 세게 해야지, 그걸로 되겠습니까."

잠긴 목소리가 머리 위로 찾아들었다. 화들짝 고개를 들었더니 그가 눈을 뜨고 있었다. 비스듬히 내 머리통을 내려다보는 시선에 나는 입을 다물었다.

"……죄송해요."

잠을 깨울 생각은 아니었는데. 눈썹을 슬쩍 찌푸린 그가 천장을 보는 자세로 돌아누웠다. 뜨거운 팔이 내 허리를 감아 그의 위로 올라타게 했다. 균형을 잃을 뻔한 나는 그의 가슴을 짚었다. 그는 내 다리를 얽어 고정한 채로 여전히 잠에 취한 목소리로 낮게 말했다.

"다시 해 보세요. 아까 거기."

"……해도 괜찮아요?"

"안 될 게 뭐 있습니까."

기분이 나빠 보이는 얼굴은 아니었다. 나는 잠시 망설이다가 양손바닥을 그의 단단한 가슴에 지지대처럼 댔다. 아까 만든 희미한 자국에 입술을 붙이고 힘껏 빨아들였다.

"……더 세게. 그걸론 턱도 없습니다."

"……아프실 것 같아서요."

"이건 아팠습니까?"

그의 손가락이 내 허리에 남은 자국을 쓰다듬었다. 나는 움찔 튀는 몸에 힘을 주었다. 정신이 없었을 때라 기억이 나지 않았다.

"참을 만, 했던 것 같아요."

"나도 참을 테니까 해 보세요."

왠지 그의 눈이 웃고 있는 것 같았다. 나는 입술을 다시 붙였다가 각도를 바꿔 봤다. 코 때문에 입술이 피부에 바짝 붙지 않아서 어려웠다. 코끝이 자꾸 눌리면 내가 숨을 쉬기 어려웠다.

"……나와 보세요."

보다 못한 그가 나를 떼어 냈다. 이미 군데군데 붉게 물든 내 몸을 훑어보다가, 팔을 들게 해서 팔뚝 안쪽의 여린 곳을 손끝으로 느리게 문질렀다.

"당분간 반팔 입고 외출할 계획 있습니까?"

"내일부터 주말이니까……."

"나랑 외출할 때는 상관없고."

없는 것 같아서 고개를 저었더니, 그가 누운 그대로 내 팔을 가져가 적당한 곳에 입술을 댔다. 피부에 따뜻한 감촉이 닿자 갑자기 기대감인지 두려움인지 모를 것에 가슴이 두근거렸다. 침대 시트를 내려다보고 있자 등 뒤에서 넘어온 손이 내 턱을 치켜올렸다.

"보라고 하는 건데 봐야지."

"……아플까요?"

"안 아프게 하겠습니다."

손목을 잡은 그의 손이 단단하고 따뜻했다. 화끈거리는 배 속에 열이 오르는 기분이 들었다.

"잘 보고 있어요."

그가 내 팔의 부드러운 피부 위로 키스했다. 가볍게 쪼듯이 닿았다가 떨어지고, 이를 세워 아프지 않을 정도로 살짝 물었다. 그리고 뜨거운 입술 사이로 살을 빨아들였다. 나는 그에게 팔을 맡긴 채로 숨을 쉬는 데 집중했다. 단단한 압박감과 살짝 얼얼한 느낌이 있을 뿐 아프지 않았다. 그런데도 그가 입술을 떼어 냈을 때, 고개를 숙이거나 팔을 들어야만 볼 수 있는 팔뚝 안쪽에 선명하게 자국이 남아 있었다.

"이서단 씨 피부가 멍이 잘 잡히는 피부이긴 합니다."

팔을 뚫어져라 보는 내게 그가 말했다.

"그래도 원리는 같으니까 해 보세요. 아마 될 겁니다."

이론적으로는 그럴 거라는 뜻 같았다. 나는 순간 그에게 이런 식으로 흔적을 남기려고 시도한 사람이 아무도 없었다는 사실을 깨달았다. 그들이 원하지 않았기 때문이라기보다, 그가 허락하지 않았기 때문일 것이다. 심장이 조금 더 빨리 뛰었다. 미개척의 대륙에 첫 번째 오두막을 건설하듯이 그의 가슴팍에 입술을 댔다. 그의 말대로 힘을 줘서 세게 빨아들였다. 입술이 얼얼해질 정도로, 숨이 찰 정도로 길게 입술을 붙이고 있었다. 그리고 기진맥진해진 몸을 떼어 냈을 때, 그의 심장이 뛰고 있을 가슴 위로 점령된 땅을 알리듯이 희미한 붉은 자국이 남아 있었다.

"이거, 된 거죠?"

문질러도 없어지지 않았다. 나는 갑자기 이 자국이 영구적인 게 아니라 며칠이 지나면 희미해질 거라는 사실이 아쉬워졌다. 내가 하는 짓을 물끄러미 보고 있던 그가 손을 뻗어 올라가 있는 내 입꼬리 끝을 매만졌다.

"기분이 그렇게 좋습니까?"

"……죄송해요, 주무시다가 난데없이……."

"이왕 했으니 몇 개 더 해 봐요. 연습 삼아."

"……그래도 돼요?"

그가 별 상관없다는 듯이 고개를 끄덕여서 나는 사양하지 않았다. 탐색 끝에 두 군데의 위치를 더 선정했다. 반대편 가슴의 조금 더 위쪽, 그리고 단단한 근육으로 감싸인 어깨 위. 다 끝났을 때는 내 입술도 부어 있었지만, 나는 집 하나로는 마음이 안 놓여서 대피용으로 몇 개를 더 지은 사람처럼 배부르고 만족스러웠다.

"재미 다 봤으면 이제 잠이나 자요."

점점 진한 색을 띠는 자국에서 눈을 못 떼고 있는 내게 그가 건조한 목소리로 일갈했다.

"나는 시간이 애매해서 이서단 씨 잠드는 걸 보면 슬슬 출근 준비할 생각입니다."

"저도 그냥 팀장님이랑 같이 출근할게요."

몸이 좀 무겁기는 했지만 괜찮을 것 같았다. 내가 몸을 일으키려

하자 그가 팔을 뻗어 내리눌렀다.

“지금은 괜찮아도 오후 되면 힘들 겁니다. 일단 자고 있어요, 점심 시간에 데리러 올 테니까.”

“……그래도 괜찮아요?”

“그게 낫습니다.”

그가 한마디로 정리했다. 따로 상사에게 연락해야 했다면 못 할 일이지만 눈앞에 직속 상사가 있으니 괜찮을 것 같았다.

“그럼 제가 점심시간 끝나는 시간에 맞춰서 회사 나갈게요.”

“그렇게 먼 거리 아닙니다. 이제 그만 토 달고 쉬어요.”

나는 얌전히 하라는 대로 하기로 했다. 한 팀장은 내가 편하게 누울 수 있게 베개를 받쳐 주고 옆으로 누운 몸을 등 뒤에서 끌어안아 주었다. 에어컨 온도를 너무 낮게 설정했는지 바람이 서늘했다. 닿아있는 몸이 뜨끈해서 좋았다.

“……팀장님.”

눈을 감은 채로, 얼굴이 보이지 않는 그를 향해 작게 입을 열었다.

“죄송해요.”

“……뭐가.”

바짝 닿아 있는 그의 몸이 조금 뒤척였다.

“차에서…… 그렇게 생각하실 거라고는 생각도 못 했어요.”

“…….”

“제가 게이라서 팀장님을 좋아하는 게 아니라, 제가 여자였어도, 아니면 이성애자였어도, 사람이 아니라 다른 거였어도…… 저는 똑

같이 팀장님만 좋아했을 거예요."

누워서 준비했던 말들, 한 문장 한 문장 애를 써서 다듬었던 해명들. 지금 입술 사이로 흐르는 건 정작 그 말들이 아니었다. 보다 자연스럽고, 보다 평범한 말들이었다.

"팀장님이랑 만나다 보니까 욕심이 나서……. 팀장님을 좋아하게 되는 다른 사람들이 제 눈치를 보고, 제가 팀장님이랑 제일 가까운 관계라는 것을 모든 사람이 알고……. 그런 공인된 관계였으면 좋겠다는 생각이 들기는 해서……."

"……."

"그래서 팀장님도 그러실까 봐, 그래서 언젠가 저로는 부족하다고 느끼실까 봐, 여쭤봤던 건데……."

"……."

"……저는, 팀장님도 저만 좋아해 주셨으면 좋겠어요."

사람이 사람에게 나눠 줄 수 있는 애정이 한정되어 있다면, 그래서 한 사람에게 주는 만큼 다른 사람에게는 덜 줘야 한다면. 그가 가진 마음의 백 퍼센트, 완전한 동그라미를 다 차지하고 싶은 막무가내의 욕심은 어디서 나온 것일까. 늘 주춤거리던 마음 어디에서 탐욕스런 싹을 틔워 이만큼 자라났을까. 언어로 형태를 부여받은 마음은 놀라울 정도로 이기적이고 유치했고, 또 놀라울 정도로 그 사실을 개의치 않아 했다.

등 뒤의 그는 잠든 것처럼 조용했다. 나는 감았던 눈을 천천히 떴다. 그를 돌아보려고 고개를 돌리는데, 어깨가 붙잡혀 몸이 돌려 눕혀졌다. 나를 올라타고 가까이에서 내려다보는 그의 얼굴은 고요하게 가라앉아 있었다.

"이서단 씨."

지극히 당연한 사실을 말하듯이 평온한 호흡으로, 피곤하기까지 한 담담한 목소리로, 그가 입을 열었다.

"나라고 공인된 관계에 대한 조바심이 없는 게 아닙니다."

"……."

"할 수만 있다면 이서단 씨에게 내 이름이 새겨진 목걸이를 채워서 회사에 보내고 싶습니다. 그렇게 못 한다고 해도 달라지는 게 없을 뿐이지."

그의 손가락이 내 목의 연한 피부를 움켜쥐듯 가볍게 힘을 주었다. 아무것도 숨기지도 가리지도 않은 눈으로 내 눈을 들여다보며, 그가 차분히 말했다.

"태어나서 누굴 사랑한 건 이서단 씨가 처음이고 마지막입니다."

"……."

"나한테는 나 자신을 포함한 세상의 나머지보다 이서단 씨가 더 중요합니다. 그걸 몰랐으면 지금부터는 새겨 둬요."

한 글자 한 글자가 천천히 내 귀를 적시듯 떨어져 내렸다.

그를 올려다보는 표정도 시선도 어떻게 해야 할지 몰랐다. 심장 뛰는 소리가 점점 커져서 그에게도 들릴 것 같았다. 가슴에 뜨거운 것이 차올라 넘칠 듯이 넘실거렸다. 나는 충동적으로 팔을 뻗어 그를 세게 끌어안았다. 넓고 단단한 가슴에 뺨을 비볐다.

뒷머리를 감싸 안은 그의 손이 나를 느리게 쓰다듬어 주었다. 내가 그의 품에 얼굴을 묻은 채로 팔을 베고 누울 수 있게 자세를 잡아 주었다. 맞닿은 체온이 뜨거웠고, 안겨 있는 품은 든든하고 안정적이었다.

나는 잠든 것처럼 계속해서 느리게 숨을 쉬었다. 너무 좋아서, 너무 좋아해서, 지금 그를 보면 어떤 표정을 지어야 할지 알 수 없었다. 내가 잠들었다고 생각했는지 등을 도닥이는 손이 느려졌다. 닿아 있는 몸이 조금 들썩이고, 내 이마 위로 느리고 부드러운 접촉이 머물렀다.

"서단아."

속삭이듯 낮고 다정한 목소리였다. 느린 손길이 내 이마에서 머리를 쓸어 넘겨 주고, 다시 한번 입술이 닿았다.

"이서단."

"……."

"서단아."

그는 부드러운 입맞춤 사이사이 몇 번을 더 나직하게 내 이름을 속삭였다. "서단아, 서단아." 하는 낮고 부드러운 반복이 자장가라도 되는 것처럼 나는 그의 품속에서 서서히 잠이 들었다. 몇 시간 전 같은 침대에서 겪었던 지겨운 불면은 흔적도 없이 사라진 채였다.

⁂

눈이 떠졌다. 무의식적으로 팔을 뻗었더니 빈 침대가 만져졌다. 그때 시트 위를 더듬던 내 팔이 낯익은 온기에 부딪혔다.

"……팀장님."

벌써 회사에 간 줄 알았던 한 팀장이 침대 가장자리에 앉아서 나를 내려다보고 있었다. 나는 뻑뻑한 눈을 깜박이며 정신을 차리고 시간을 확인했다. 생각보다 그렇게 많이 잔 것은 아니었다.

"지금…… 나가시려고요?"

그는 상체는 탈의한 채였고, 머리가 제대로 말리지 않은 것처럼 젖어 있었다. 나는 몸을 반쯤 일으키려다가 이를 악물며 다시 누웠다. 아까는 분명 괜찮았는데, 허리부터 엉덩이까지 안 아픈 데가 없었다.

"더 쉬어요."

그럴 줄 알았다는 듯이 그가 미묘한 표정으로 말했다. 다가온 손등이 내 뺨을 쓸었다.

"반차로 처리하고 점심때쯤 전화 주겠습니다."

"……네."

"속은. 괜찮고?"

"네, 괜찮은 것 같아요."

"아침을 차릴 건데, 지금 먹겠습니까, 아니면 나중에 일어나서 먹겠습니까?"

"아침도 드시게요?"

그의 집에서 잘 때 그가 늘 아침을 차려 주기는 했지만, 오늘 같은 날까지 먹을 줄은 몰랐다. 그러고 보니 내가 집주인인데, 원래라면 내 일이 아니었을까. 내 생각을 읽은 것처럼 그가 말했다.

"먹고 싶은지만 말해요, 나머지는 내가 할 테니까."

"……팀장님이 지금 드실 거면 저도 먹을게요. 근데 지금 집에 드실 만한 게 없는데……."

"안 그래도 아까 봤습니다."

그가 몸을 일으키며 대답했다.

"냉장고가 텅 비었던데. 집에서 밥을 어지간히 안 해 먹나 보네요."

"……네."

저 말에서 이어지는 잔소리를 들은 게 한두 번이 아니라 나는 단정한 얼굴을 올려다보며 가까스로 다른 할 말을 생각해 냈다.

"그거 먹으면 될 것 같아요. 김 주임님이 주신 스콘…… 집에 딸기잼은 있어요."

한 팀장은 미간을 찌푸릴 뿐 대답을 해 주지 않았다. 그가 거실과 연결된 부엌으로 들어가자 모습은 보이지 않았지만 집이 좁아서 소리는 선명하게 들렸다. 냉장고를 여닫는 소리, 찬장 문이 덜컹거리는 소리가 났다.

"이서단 씨."

그의 목소리가 열린 침실 문으로 넘어왔다.

"계란은 유통기한이 많이 지났습니까?"

"아…… 아니요, 계란은 산 지 얼마 안 됐어요."

그가 아침에 완벽한 계란 후라이를 만드는 걸 한 번 옆에서 지켜보고 나서 나도 할 수 있을 것 같아 샀는데, 결국 한 번밖에 해 먹지 않았다. 어떻게 해도 밑은 눌어붙고 위는 안 익어서 포기했었다.

돕지도 못하고 부엌에서 들리는 소리를 듣기만 하니까 마음이 불안했다. 물론 부엌으로 가도 그에게 큰 도움은 되지 못할 것이다. 귀를 기울이고 있으니 그가 뭔가를 만드는지 부스럭거리는 소리, 캔 뚜껑을 따는 소리, 가스불을 켜는 소리가 들렸다. 내 집에서 내가 아닌 다른 사람이 내는 소리를 듣고 있는 것이 신기했다.

침실에 있는 시계로 7분 정도 지났다. 내가 계속 안절부절못하다가 수저라도 갖다 놓기 위해 일어나려던 차에 그가 반쯤 열려 있던 미닫이문을 완전히 밀어 열었다. 받쳐 든 트레이에는 김이 모락모락 올라오는 커다란 접시 두 개가 있었다. 반으로 잘린 스콘도 있었지만, 완벽한 럭비공 모양의 노란 오믈렛도 두 개 있었고 작은 그릇에 담긴 옥수수 샐러드도 있었다. 머그잔 하나에는 커피, 하나에는 데운 우유로 보이는 것이 들어 있었다.

"다 못 먹겠으면 남겨요."

내 무릎 위로 천천히 트레이를 내려놓으며 그가 말했다.

"재료가 없어서 구색만 맞췄습니다."

"여기서 드시려고요?"

"불편하면 거실로 가도 되고."

내 식탁은 다리가 짧은 테이블이라 바닥에 앉아야 밥을 먹을 수 있었다. 나는 결국 때아닌 환자 취급을 어색하게 받아들였다. 그가 예전에도 해 준 적 있는 오믈렛은 기억하는 대로 보드랍고 맛있었고, 옥수수에서는 캔에서 바로 꺼낸 것보다 훨씬 풍부한 맛이 났다. 그가 따로 조리를 한 모양이었다.

"팀장님 늦으시는 거 아니에요?"

자른 스콘에 오믈렛을 올려 먹다가 거실의 밝아진 햇빛이 눈에 들어왔다. 시계를 힐끗 본 한 팀장이 잠시 미간을 찌푸렸다.

"집에 들렀다 가려 했는데. 시간이 안 되겠네요."

"예전에 두고 가신 셔츠 제가 클리닝 맡겼는데……. 좀 덥긴 하겠지만 그걸로 입으시면 될 것 같아요."

팀원들의 시선도 문제지만, 어제 그가 입고 온 셔츠는 당분간 셔츠 구실을 못할 것이다. 그가 없는 동안 떨어진 단추 두 개라도 찾아놔야 할 것 같았다. 그렇게 쉽게 단추가 떨어질 줄 누가 알았을까.

"저기 옷장에……."

몸을 일으키려 하다가 그에게 저지당했다.

"앉아 있어요. 먹을 만치 먹었습니까?"

"네."

"그럼 누워서 더 자요."

그는 내가 만류하는 데도 기어코 트레이를 가져가 치우고 설거지까지 끝마쳤다. 내 욕실에서 내 빗으로 머리를 정돈하고, 내 옷장에 있던 셔츠로 갈아입었다. 여름 셔츠라기보다는 봄 셔츠였지만 크게 문제는 없을 것 같았다. 단추를 채우고 칼라를 정돈한 그가 옷장 문에 붙은 작은 거울 앞에 서 있다가 나를 돌아봤다.

"타이만 하나 빌려야겠습니다."

그러고 보니 그가 어제 하고 온 것은 무참히 구겨져서 침대 귀퉁이에 뒹굴고 있었다. 나는 엎드린 채로 팔만 뻗어 가리켰다.

"옷장 안에 서랍…… 왼쪽에, 비닐 안에 있는 걸로 쓰세요."

그가 선물해 준 것을 빼고는 가진 타이 중에는 제일 좋은 것이어서 회사에 하고 간 기억이 거의 없었다. 색도 무늬도 무난해서 아무도 내 것인지 눈치 채지 못할 것이다. 그가 빳빳한 타이를 칼라 밑에 넣는 것을 이불에 둘둘 싸인 채로 구경하던 나는 문득 스친 생각에 입을 열었다.

"그거…… 팀장님 전용 넥타이……."

거울을 통해 눈이 마주쳤다. 그가 표정을 관리하기 전에 웃음으로 짙게 휘어지는 눈이 내 시야에 선명하게 들어왔다.

"못하는 말이 없네, 이제."

"……저 오후에 알아서 출근할게요. 정말로, 여기까지 먼데 굳이 오실 필요 없고……."

"내가 오고 싶어서 오는 겁니다. 연락할 테니까 쉬고 있어요."

넥타이가 반듯한 매듭이 되었다. 몇 번 미세하게 당겨서 조절한 그가 완벽한 출근 차림새로 서류 가방을 들고 침대 발치에 멈춰 섰다. 이불만 몸에 감은 무례한 차림새로 상사를 올려다보는 기분이 이상했다.

"점심은 사 올 테니까 미리 먹느라 애쓰지 말고."

"네."

그가 에어컨 리모컨을 핸드폰과 나란히 내 손이 닿는 곳에 놔 주었다.

"김 대리한테는 내가 연락 받았다고 말하겠습니다. 걱정해서 호들갑 떨면 귀찮으니까 이서단 씨도 문자 보내 놔요."

"네."

그의 뒷모습이 침실 문턱을 넘을 때쯤 나도 따라 일어났다. 침대 밑으로 발을 내리기도 전에 그가 나를 돌아봤다.

"왜."

"현관까지만 배웅해 드리려고요."

"……배웅에는 뭐가 포함됩니까?"

이불을 두르고 침대 가장자리에 앉은 나를 향해 그가 다가왔다. 아침의 햇살이 그의 머리카락에도, 웃고 있는 단정한 얼굴에도, 새하얀 셔츠의 주름에도 눈부시게 어렸다.

"현관에서 할 생각이었던 것, 여기서 해 봐요."

"……허리 숙여 주세요."

내가 이렇게 나올 줄 몰랐다는 듯 그는 눈썹을 치켰지만, 순순히 몸을 굽혀 주었다. 얼굴이 점점 가까워지고 한 뼘 정도의 거리에서 멈췄다.

"이렇게?"

"……네, 그렇게 가만히 계세요."

나는 침대를 짚고 앉아 있는 몸을 조금 띄웠다. 입술이 닿기 조금 전에 그의 눈이 감기는 것을 보았다. 그의 속눈썹에 어린 햇살을 보며 나는 그의 입술에 내 입술을 붙였다. 맞닿은 입술이 조금의 틈도 없이 완벽하게 맞물렸다.

"……차 많이 막힐 텐데 안전 운전하세요. 이따 뵐게요."

쪽, 소리를 내며 떨어진 입술이 화끈거렸다. 한동안 물끄러미 나를 내려다본 그가 손을 뻗어 내 머리를 헝클었다.

"전화하겠습니다."

"네."

"점심때 먹고 싶은 것 있으면 생각해 둬요."

나는 그가 현관을 나설 때까지 앉아서 작게 손을 흔들었다. 하얗고 빳빳한 셔츠 아래 내가 남긴 선명한 도장이 세 개나 있다고 생각하니 그를 회사에 보내는 게 조금 안심이 되는 기분이었다. 철컥, 현관문이 닫히고 잠금쇠가 걸리는 기계음이 들렸다. 그제야 좁은 집 안에 평소와 같은 적막이 내려앉았다.

"……."

나는 그의 체향이 남은 베개에 코를 묻고 침대 위를 뒹굴었다. 달큼하고 몽실몽실한 것이 자꾸만 가슴속에서 부풀었다. 숨만 쉬어도 전기가 통하듯이 손가락과 발가락 끝까지 전부 찌릿찌릿했다. 이 상태로 어떻게 잠을 잘 수 있을까. 아직 남아 있는 졸음으로 눈꺼풀이 무거운데, 조금이라도 더 깨어 있고 싶었다.

훨씬 더 오랜 시간이 지난 후에도 지금 이 순간을 귀한 진주처럼 품어 되돌아보게 될 것이라는 예감이 들었다. 따스했던 추억도 아니고, 미래에 대한 덧없는 기대도 아닌, 태어나서 처음으로 확신하는 현재진행형의 행복이었다. 그런 역사적인 시간을 잠으로 낭비할 수는 없어서 몸을 일으켜 앉았다.

지금, 오늘, 여기. 주변의 모든 것을 담아서 기억할 듯이 눈을 크게 깜박였다. 그가 머물다 간 자리 위로 새어 드는 햇빛이 여름의 눈부신 금빛을 띠고 있었다.

Arrival

9월이 되어도 더위는 물러갈 생각을 하지 않았다. 다만 출근길의 새벽과 퇴근길의 해질녘에는 바람이 제법 쌀쌀해졌고, 긴 옷자락을 늘어뜨려 밤의 영역을 침범하던 낮도 조금씩 짧아졌다. 사수인 김 대리를 포함한 팀의 나머지는 9월의 첫날부터 기분이 좋아 보였다. 그도 그럴 것이, 그들에게 9월은 기대할 만한 일들이 가득한 달이었다. 마지막 날부터 시작되는 긴 추석 연휴가 있었고, 그보다 조금 전에는 2주나 되는 한 팀장의 장기 해외 출장이 있었다.

나에게도 9월은 특별한 달이었다. 본격적인 가을이 시작될 9월 말에 한 팀장의 생일이 있기 때문이었다. 출장의 막바지와 겹치는 날짜였다. 다시 말해 그는 출장지인 미국에서, 나는 한국에서 그의 생일을 따로 보내게 될 것이라는 얘기였다.

"대리님."

"응."

처음 그 사실을 알고 나는 이해가 가지 않아 사수에게 물었다.

"대리님은 지금도 생일 챙기는 편이세요?"

사수는 한 손으로 입을 가리며 다른 쪽 손을 대충 들어 보였다. 입 안에 있는 걸 다 먹을 때까지 기다리라는 뜻이었다.

"……놀래라. 그건 갑자기 왜 물어요? 이서단 씨가 챙겨 주게?"

"아…… 그냥 궁금해서요."

하필이면 오늘 구내식당의 국은 미역국이었다. 내 식판에도 허여멀건 국물 위로 동그란 기름방울들이 떠 있고 검은 미역줄기가 비죽 튀어나와 있었다. 사수는 젓가락으로 미역을 휘저으며 대답했다.

"챙기죠. 이십 대 때처럼 거창하게 뭘 하는 건 아니지만. 그쯤 친구들 만나서 밥 먹고, 본가 가서 밥 얻어먹고. 아, 남친 있을 때는 남친 만나서 데이트하고. 그 정도?"

"……그렇죠."

내가 짐작하기로도 그 정도가 보통이었다. 나야 생일을 축하해 줄 사람이 없었으니 조금 다른 경우였지만, 선물 받은 꽃을 들고 다니거나 프로필 사진에 케이크 사진을 올리는 사람들이 있는 걸 보면 사회인이라고 생일을 아예 잊고 사는 건 아니었다.

사수는 밥 한 숟갈을 꼼꼼하게 씹어 삼키고 덧붙였다.

"2월이에요, 참고로. 아직 좀 남았지만."

"네, 기억할게요."

"농담이에요. 이서단 씨 생일은 언젠데?"

"저는…… 11월이요. 11월 말……."

날짜가 곧바로 떠오르지 않을 정도로 오랜만에 말해 보는 것 같았다. 고등학교 이후로 챙겨 본 적 없는 탓에 얼핏 들었을 때 다른 날짜와 그렇게 다르지도 않게 느껴졌다. "11월 말……." 이라고 사수가 외우듯 중얼거렸다. 나는 뒤늦게 고개를 흔들었다.

"저는 축하해 주지 마세요."

"축하해 주지 마세요, 는 또 뭐야."

"아…… 저는 생일을 아예 안 챙겨서……."

"올해부터 챙기면 되지. 내가 해 줄게요. 그때 밥 맛있는 걸로 사 주면 되지?"

사수의 눈이 반짝이고 있어서 놀리는 건지 진심인 건지도 알 수 없었다. 나는 곤란한 기분으로 밥을 반 숟갈 더 먹고 수저를 내려놓았다.

"대리님."

"응."

"예를 들어서…… 생일을 원래 안 챙기는 사람이 있는데요."

"응."

"그 사람이 사귀는 사람이 있는데, 사귀는 사람 쪽은 생일을 축하해 주고 싶어하는데…… 그 사람이 그걸 모르고 그 날짜에 다른 일 약속을 잡거나 하면, 그래서 생일을 같이 보낼 수 없게 되면, 사귀는 사람 쪽에서는 서운해할 권리가 있는 건가요?"

얼굴 없고 정체 모호한 사람들로 가득한 복잡한 문장을 사수는 진지하게 들어 주었고, 수저까지 내려놓으며 골똘하게 고민해 주었다.

"음…… 바꿀 수 없는 약속이에요?"

"네."

"그 사람 쪽에서 일부러 그렇게 잡은 건 아니고?"

"네."

"그럼 뭐 큰 잘못은 아니어도 애인 입장에선 서운하긴 하겠네. 권리가 있어야 서운할 수 있나? 서운하면 서운한 거지."

"……네."

"11월 말에 다른 일 생겼구나. 그래서 이서단 씨 여자 친구가 서운하대?"

사수가 다 안다는 듯이 눈을 찡긋하며 완전히 잘못 짚어서 나는 무심코 웃었다.

"그런 건 아니고요."

"음……."

사수는 내 말을 영 못 믿겠다는 표정이었다. 이러다가 더 곤란한 추궁이 들어올 것 같아 나는 식판을 조금 당겼다.

"다 드셨으면 올라갈까요? 저는 회의 전에 자료 좀 봐야 할 것 같아요."

"아, 맞아요. 나도 그러려고. 오늘 팀장님이 너무 저기압이어서 자칫하다 크게 깨질걸요."

사수가 시계를 확인하며 대답했다. 오늘따라 한 팀장의 기분이 왜 저조한지 알고 있는 나는 침묵했다. 사수와 나란히 식판을 반납하고, 물을 마시고, 북적이는 엘리베이터에 타서 다시 4층으로 올라갔다. 부서는 아직 텅 비어 있었다.

나는 내 자리에 앉아서 일을 시작하기 전에 비어 있는 한 팀장의 책상에 눈길을 주었다. 어제저녁 그의 집에서의 가벼운 다툼을 반추했다. 당연하다는 듯이 생일은 챙길 필요 없다고 말하던 그의 의아한 표정이 떠올랐다. 몇 달 전 그의 생일 날짜를 그의 여권에서 몰래 알아낸 후 혼자 미역국과 반찬을 연습하고 선물을 찾아 백화점을 돌아다니던 시간을 생각하면, 나에게는 그렇게 쉽게 넘길 만한 일이 아니었다.

그래서 나는 그가 상황을 종결시키기 위해 사과했음에도 불구하고 며칠만 더 서운해하기로 했다. 마음이 풀리지 않았는데 그런 척할 필요가 뭐가 있을까. 사수의 말대로 서운함은 감정의 문제이지, 별다른 자격이 필요 없는 것 같았다.

⁂

그리고 며칠 지나지 않아 나는 그 결정을 뼈저리게 후회했다. 내가 서운해 하는 동안 모처럼 따로 보낸 주말이 한 팀장이 출장 준비로 눈코 뜰 새 없이 바빠지기 전에 같이 보낼 수 있는 유일한 시간이었다는 것을 뒤늦게 알았기 때문이다. 그는 출장 전 주부터 매일 늦은 밤까지 야근을 하거나 일거리를 집으로 가져가는 듯 했다.

간간이 문자가 오가기는 했지만 형식적인 대화가 길게 이어지지는 않았다. 나는 연애만큼이나 싸움과 화해에도 경험이 부족했고, 한 번 서먹해진 분위기를 어떻게 매끄럽게 해결해야 할지 몰랐다. 이러다가 이 상태로 그를 그냥 가게 두고 2주 동안 내내 후회할 것 같았다.

결국 나는 그가 출발하기 사흘 전인 금요일 저녁, 아직 회사에서 일하고 있을 그에게 조심히 문자를 보냈다.

[팀장님, 주말에 많이 바쁘세요?]

겨우 전송 버튼을 누르기 전에 한 시간을 지하철 입구 옆의 벤치 귀퉁이에 앉아 있었다. 옆으로는 지하철 계단을 내려가거나 올라가는 사람들이 끊임없이 스쳐 지났고, 고개를 들면 그가 있을 길 건너의 회사 건물이 보였다. 해가 져서 바람이 선선했다. 이럴 때는 가을의 초입인 것이 실감이 났다.

그의 답장은 3분 정도 지나서 도착했다.

[내 집에 가 있어요.]

단정한 글자를 내려다봤다. 대화의 가운데 두 단계 정도를 그냥 생략한 것 같은 대답이었다. 바빠서 못 본다는 말보다는 나았지만 무감정한 목소리가 들리는 것 같아 몸에서 힘이 쭉 빠졌다. 그가 화가 날 만도 했다. 그의 입장에서는 사과하는 것 말고 뭘 더 할 수 있었을까.

나는 [네.]라고 한 글자만 보내 놓고 몸을 일으켰다. 인파를 피해 길 옆에 붙어서 역과는 반대 방향으로 걸었다. 일찍 도착해 불안한 마음으로 그를 기다리기보다 몸을 움직이는 편이 나을 것 같았다.

금요일 저녁의 밤거리는 떠들썩했고 지나치는 건물마다 사람으로 북적거렸다. 몇 번 운전해 보고 수없이 다녀 봐서 잘 알고 있다고 생각했던 길은 막상 생각만큼 거리가 짧지도 걷기가 수월하지도 않았다. 길을 잘못 건너서 다시 왔던 길로 되돌아가며 나는 생각했다. 열정만으로 일을 잘할 수 있는 게 아니듯이, 관계에도 절차와 규칙이 있기 나름이었다. 당연한 일인데, 좋아하는 마음만으로 연애가 잘 풀리는 것이 아니라는 사실이 막막했다. 차라리 모든 것을 그에게 맡기고 집어삼켜지는 파멸적인 관계가 쉬웠을 것이다. 아슬아슬한 균형을 유지하는 것이, 대등한 위치를 가늠하는 것이 언제나 어려웠다.

완전히 지친 채로 한 팀장의 집에 도착하자 9시가 넘어 있었다. 나는 왠지 그가 그새 나보다 먼저 도착했을 거라는 생각이 들었고, 그래서 문을 두드리고 기다렸다. 현관에서는 금세 인기척이 들렸다.

"들어와요."

문을 열어 준 한 팀장이 짧게 말하고 물러섰다. 나는 말없이 서늘한 집 안에 발을 들였다. 그가 방금까지도 일하고 있었는지 거실에는 소파와 테이블을 비추는 간접 조명만이 들어와 있었다. 테이블 위 흩어진 서류와 노트북이 있었고 창문의 통유리는 반쯤 커튼으로 가려져 있었다. 그 틈새로 방금 전까지 내가 있던 도시의 야경이 내다보였다.

"집에서 온 게 아닙니까?"

그가 내 차림새를 보고 물었다. 나는 어깨를 지끈거리게 하던 배낭을 천천히 풀어 현관 옆에 내려놓았다.

"연락 드릴 때 회사 근처에 있었어요."

"그런 거였으면 같이 들어오는 게 나을 뻔했네요."

"……일찍 오실 줄 몰라서."

"……."

"시간도 때울 겸……."

등 뒤의 그는 아무 말이 없었다. 나는 러그 위에 길게 드리워진 그림자 안으로 한 걸음 떼었다. 문득 열린 옷방 문 옆에 있는 것이 눈에 띄었다. 까만 캐리어였다.

"짐…… 싸던 중이셨어요?"

"몇 가지 챙길 것이 있어 미리 꺼내 놨습니다."

그가 대답했다. 나는 입을 열었다가 다시 다물었다. 러그 위로 발가락을 느리게 오므렸다.

"저희가 지난번에 같이 샀던 것보다 크네요."

"그건 같이 여행할 때 쓰려고 남겨 놨고. 이건 예전부터 있던 겁니다."

"네. ……이 주면 짐도 많이 필요하실 것 같아요. 옷도 그렇고……."

"그렇지도 않습니다. 거기서도 세탁 맡기는 건 가능하고."

"……네."

이상했다. 셀 수 없이 들락거린 그의 거실이 오늘따라 넓고 낯설었다. 한마디씩 오가는 대화도 평소의 박자를 잊은 것처럼 미세하게 어긋나고 있었다. 고작 며칠을 못 봤을 뿐인데, 거리가 벌어지는 건 이렇게 순식간이었을까.

발끝이 러그 가장자리에 닿았다. 나는 한 번 숨을 크게 들이쉬고, 멈췄다.

"일…… 계속하세요. 다 하시면 그때 시간 내 주셔도 되니까……."

"시간 내면."

"네?"

"이서단 씨는 오늘 여기 뭘 하러 온 겁니까?"

그의 말끝이 질문이 아닌 것처럼 평이했다. 나는 그가 짓고 있을 표정이 무서워 그를 돌아볼 수 없었다. 내 등 뒤에서부터 시작해 거실 저편까지 뻗어 나가는 장신의 그림자가 조금 흔들렸다.

"현관 들어서고부터 지금까지 내 얼굴 한 번 안 본 건 알고 있습니까?"

"……."

"화가 났으면 화를 내요. 따질 게 있으면 따지고. 입 다물고 서서 사람 미치게 하지 말고."

여백마다 억눌린 짜증이 들어찬 목소리. 나는 더 이상 그 자리에서 있을 수가 없어서 몸을 돌렸다. 그의 집을 나가려는 것은 아니었다. 마음이 진정될 때까지, 그를 쳐다볼 수 있을 때까지 화장실이나 옷방에라도 들어가 있어야 할 것 같았다.

"아."

러그 끝에서 두 걸음 정도 내디뎠을 때였다. 어느새 등 뒤에 서 있던 그에게 몸이 붙잡혔고, 그대로 거칠게 끌어 안겼다.

"팀장님."

강한 힘이었다. 갈비뼈가 아플 정도로 그의 품에 꽉 안겨서 저항할 수도 없었다. 고개를 돌리려 하자 뺨이 그의 어깨에 짓눌렸다.

"가라는 게 아니었습니다."

가라앉은 목소리가 귀에 대고 속삭였다.

"아무것도 안 해도 좋으니까…… 그냥 여기 있어요."

"……팀장님."

온몸이 그의 온기에 맞닿아 있었다. 들이쉰 숨에 낯익은 그의 체향이 섞여 있었다. 나는 오랜 기갈 끝에 미지근하고 달콤한 물을 발견한 사람처럼 놀라움에 얼어붙었다. 이렇게 좋은 것을 어떻게 일주일이나 안 하고 지냈을까.

나는 그의 품에 짓눌린 팔을 빼내려고 애썼다. 한 팀장은 내가 빠져나가려는 것으로 오해했는지 몸을 두른 팔에 더 힘을 주었다.

"저 조금만, 팔만 놔주세요……."

그가 마지못해 만들어 준 작은 공간 안에서 팔을 빼내고 몸을 돌렸다. 마주 본 채로 그의 등을 끌어안았다. 그의 가슴과 목 사이 익숙한 위치에 뺨이 안착했다. 일주일 내내 나도 모르게 힘이 들어가 있었던 몸이 그대로 녹아내리는 것 같았다.

의심스러운 눈으로 나를 내려다보던 그는 내가 얌전히 품을 파고

들자 가까이 당겨 꽉 안아 주었다. 나는 그의 셔츠 위에 코를 묻고 깊게 호흡하며 낯익은 체향을 들이마셨다. 폐를 채우는 따뜻하고 달콤한 공기에 오랜만에 맡는 희미한 담배 냄새가 섞여 있었다.

"담배…… 피우셨어요?"

뺨이 눌려 있어서 목소리가 불분명하게 나왔다. 짧은 침묵이 지나고 그가 대답했다.

"이서단 씨가 없었으니까."

피로로 까슬해진 목소리였다. 나는 그제야 이번 주가 그에게도 쉽지 않은 한 주였음을 깨달았다. 회사에서 스치던 그의 무심한 시선, 밥 먹었냐는 간단한 안부가 전부였던 문자에서는 깨닫지 못했던 초조함이었다.

"기분은 좀 풀렸습니까?"

그가 내 머리에 짧게 입 맞추며 물었다. 나는 고개를 끄덕였다가 이내 가로저었다. 이 상황의 시발점이었던 생일 문제는 이제 잘 기억나지도 않을 정도로 까마득했다.

"팀장님이야말로…… 저한테 화나신 줄 알았어요."

"내가 화낼 이유가 뭐가 있습니까."

그가 대답했다. 드러난 뒷목에 그의 코끝이 가볍게 비벼졌다.

"이서단 씨 생각을 모르겠어서 답답했을 뿐이지."

"……."

결국 화가 나긴 났다는 얘기였다. 예전 같으면 진작 나를 어딘가로 끌고 가 어떤 방식으로든 싸움이 종결될 때까지 몰아붙였을 텐데, 일주일씩이나 내가 연락할 때까지 잠자코 기다린 인내심이 대단할 뿐이었다.

"내가 어떻게 하면 좋겠습니까?"

나를 안은 채로 러그 위에 앉으며 그가 물었다. 나는 그의 허벅지 위에 올라앉아 팔을 목에 둘렀다.

"말보다 행동으로 보여 주는 편이 낫겠지만, 지금 시점에서 출장 일정을 바꾸기는 어려울 것 같습니다. 꽤 오래전부터 정해져 있던 출장이라."

"……네, 알고 있어요."

"이서단 씨가 내 생일에 신경을 쓸 거라고는 생각을 못 했습니다. 원래 생일을 별로 안 좋아하기도 하고, 어렸을 때 이후로는 가족도 챙기지 않고 넘어가서. 애초에 날짜는 어떻게 알았습니까?"

"전에…… 여권 보여 주셨을 때요."

그는 잠시 기억을 되돌리는 듯이 조용했다.

"도장 보고 싶다고 했을 때?"

"네."

"꽤 됐네요. 몰래 봐 놓고 당일까지는 아무 말 안 할 생각이었습니까?"

"……그런 것 까지는 아니고……. 좀 전에 여쭤봐서 팀장님이 다른 약속 없으시면 같이 보내면 좋을 것 같았어요. 선물도 필요하신 걸로 드리고……."

사실 선물을 이미 준비하긴 했지만, 그건 내가 사고 싶어서 산 거였다. 그가 갖고 싶다고 하는 게 있으면 무엇이든 더 사서 그에게 주고 싶었다.

"케이크도 사드리고……."

"응."

"플레이도…… 팀장님 하고 싶으신 걸로 하고."

"마지막은 좀 괜찮네요."

그가 웃었다. 몸이 들썩이는 것이 고스란히 느껴졌다. 나는 이런 순간에도 여유로운 그가 원망스러워서 손가락으로 그의 등을 눌렀다.

"11월에 전부 제대로 하면 되잖아요."

화답하듯 내 등을 쓰다듬은 그가 말했다.

"11월에…… 아."

나는 뒤늦게 그가 무슨 말을 하는지 깨달았다.

"아니요, 저는…… 정말로 그런 거 안 해 주셔도 돼요."

"그건 왜."

몸을 비틀어 빠져나가려 했지만, 꼼짝없이 그의 팔이 만든 울타리 안에 갇혀 있었다. 그는 나를 간단하게 제압하며 다시 물었다.

"본인 생일은 또 챙기기 싫습니까?"

"저는 그런 건 원래……. 팀장님 귀찮으시잖아요. 신경 안 써 주셔도 되고, 저는 원래 안 챙겨서……."

바르작거리는 나를 누른 채로 그가 중얼거렸다.

"이러니까 확 알아듣겠네."

"팀장님."

"알았습니다. 그건 그때 얘기하고, 내 생일은 다녀온 후에 약식으로 합시다. 너무 많이 신경 쓰지는 말고. 나는 이서단 씨가 기억해 준 것만으로 충분합니다."

"……네."

담백한 목소리로 그가 결론을 내려 주었다. 내가 저항하던 몸에서 힘을 빼자, 상처럼 내 뒷목의 둥글게 솟은 경추 위로 그의 입술이 가볍게 닿았다.

"나한테 중요하지 않은 일이라고 이서단 씨에게도 중요하지 않을 거란 법은 없는데, 미리 이서단 씨 기분을 생각하지 못해서 미안합니다."

"아니요……. 저도 죄송해요. 여쭤보지도 않고 저 혼자 계획을 세운 건데……."

나는 몸에 점점 힘이 풀려서 그의 품 안에 늘어졌다. 가슴이 맞닿아 있자 숨 쉬는 속도가 맞춰졌다. 그가 숨을 내쉴 때 내가 들이쉬고, 내가 들이쉴 때 그가 내쉬면, 퍼즐조각처럼 오르락내리락하는 몸의 윤곽이 완벽하게 맞아들었다. 높은 편인 그의 체온이 내 밀착된 몸으로 전해졌다. 손끝, 발끝까지 따뜻한 온기가 번졌다.

"……이 주는 너무 긴 것 같아요."

그 외에는 듣는 사람도 없으니 아이 같은 진심을 그대로 입 밖에 내었다.

"국내도 아니고, 미국은 너무 멀고……."

지난 몇 달간 거의 매일 그의 얼굴을 보았고, 거의 매일 그와 살갗을 맞댔다. 섹스가 아니더라도 넓은 품에 안기고 입을 맞추고 손을 잡았다. 연애를 시작한 이후의 거의 모든 주말을 그와 함께 보냈는데, 곧 그가 내 옆이 아닌 지구 반대편에 있을 거라는 사실 자체가 실감이 나지 않았다.

한 팀장은 나를 나무라는 대신 한숨을 쉬었다. 몸이 그의 품 안으로 더 가까이 당겨졌다.

"나라고 이서단 씨를 여기 두고 가고 싶겠습니까."

낮게 잠긴 목소리였다. 등 아랫부분을 받친 그의 손이 셔츠 자락을 들치고 안으로 파고들었다. 크고 따뜻한 손바닥이 천천히 내 등을 위에서부터 아래까지 어루만졌다.

아이를 달래듯 쓰다듬어 주는 손길에 나는 간신히 정신을 차렸다. 입을 다물고 남아 있는 투정을 혀 위로 삭혔다. 어차피 정해진 일로 그를 얼마나 더 곤란하게 만들 셈이었을까. 1년을 헤어져 있는 것도 아니었고, 고작 2주였다. 다른 사람이 들었다면 비웃었을 것이다. 그가 가는 곳이 목숨이 위험한 오지도 아니고, 연락이 아예 끊기는 것도 아닌데.

그래서 지금만 조금 불안할 뿐, 막상 그를 보내고 나면 괜찮을 거라고 생각했다. 허전하긴 해도 그가 없는 일상이 평소와 다름없이 흘러갈 거라고, 그러다 보면 2주는 순식간에 지날 거라고.

터무니없이 안이한 생각이었다.

⁂

월요일 새벽에 나는 한 팀장보다 먼저 눈을 떴다. 침대를 빠져나와 아래층으로 내려가자 벽면의 통유리에서 새어 드는 푸르고 서늘한 빛이 거실을 적시고 있었다. 현관 앞에는 그의 캐리어와 서류 가방이 가지런히 놓여 있었다.

나는 씻고 나와서 부엌에서 원두를 갈아 커피를 진하게 내렸다. 식빵 두 장을 토스터기에 넣고 프라이팬에 작은 소시지와 계란을 구웠다. 완성된 아침 식사를 접시에 담아 식탁에 놓고 나서 숨을 죽이고 들어 보니, 위층의 그는 아직도 잠들어 있는 것 같았다.

옷방에는 지난번에 추석 여행용으로 그와 함께 사 두었던 내 하늘색 캐리어가 있었다. 같은 사이즈에 색깔만 다른 그의 남색 캐리어를 한 번 쓰다듬고, 내 캐리어를 눕혀 놓고 열었다. 새것이라 지퍼가 뻑뻑했다. 캐리어 안에서는 자잘한 구슬이 들어 있는 방부제가 두 개나 굴러 나왔고, 새것 특유의 매운 냄새가 났다.

나는 그의 서재에서 내 책과 폴더와 펜, 부엌 냉장고에서는 초콜릿이 든 통을 주워 담고, 캐리어를 위층으로 끌고 올라갔다. 자고 있는 그의 옆을 소리 없이 지나서 옷장 문을 열고 들어갔다. 속옷, 양말, 셔츠. 타이는 둥글게 말아 열린 캐리어 안으로 떨어뜨렸다. 셔츠를 전부 옷걸이에서 빼서 구겨지지 않게 접었다. 선반 위에 단정하게 접힌 바지 중에서 정장 바지를 골라내고 있는데, 정수리가 따끔거렸다. 올려다보니 옷장 문에 기대어 선 한 팀장이 나를 내려다보고 있었다.

"이제 일어나셨……."

나는 멈칫 멎었다. 내 짐으로 수북하게 쌓여가는 캐리어를 내려다보는 그의 눈이 잠이 덜 깬 것처럼 싸늘했다. 모양 좋은 입술이 한일자로 다물려 있었다.

"……이 주 동안 저도 팀장님 집에 올 일이 없으니까, 미리 챙겨 가려고요. 그동안 출근하려면 옷도 필요하고……."

그가 요구하지도 않은 변명이 입술을 비집고 나왔다. 한 팀장은 반쯤 빈 행거를 힐끗 쳐다보고 느리게 대답했다.

"그래야겠네요. 내가 없으면 이서단 씨가 여기 올 일이 없을 테니까."

"……네."

"……삼십 분 정도 후에 출발할 겁니다. 같이 나갈 거면 준비해 놓으세요."

나는 그가 사라진 문틈을 쳐다보고 있었다. 곧 욕실 문이 닫히는 소리가 나고 희미한 물소리가 들리기 시작했다. 이상했다. 주말 내내 붙어 있으면서 더 좁혀질 수 없을 정도로 가까워졌던 거리가 어느새 다시 한 뼘으로 서먹서먹하게 벌어져 있었다.

짐을 싸서 현관에 갖다 두고 식탁에 먼저 앉아 있자 젖은 머리에 편안한 셔츠 차림을 한 그가 내려왔다. 아무렇지 않게 웃는 얼굴로 내 맞은편에 앉았다.

"이서단 씨가 차려 준 아침도 먹고. 가끔 출장도 갈 만하네요."

"……앞으로는 출장 안 가실 때도 해 드릴게요."

"계란도 안 터뜨리고 잘 익혔고."

사실 깨진 건 내가 먹고 하나 더 익혔지만, 그 얘기는 할 필요 없을 것 같았다. 나는 한 팀장이 토스트 귀퉁이를 자르고 먹기 시작하는 것을 지켜보다가 조심스럽게 말했다.

"저, 가능하면 공항에 같이 가서 팀장님 배웅해 드리고 싶은데……."

"음."

그는 여전히 웃는 얼굴로 나이프를 내려놓았다.

"시간이 애매해서 안 될 것 같습니다. 같이 가는 건 괜찮아도, 인천에서 다시 오려면 이서단 씨가 제시간에 출근을 못 할 겁니다."

"……네."

나도 어제 각종 공항버스와 택시 시간까지 계산해 본 결과 같은 결론을 내린 후였다. 혹시 다른 방법이 있나 싶었을 뿐이다. 그리고, 라고 한 팀장이 덧붙였다. 슬쩍 찌푸린 미간을 빼고는 무덤덤한 얼굴이었다.

"이서단 씨를 남겨 놓고 출국장으로 들어가게 되면 내 쪽에서 마음이 불편할 것 같습니다."

"……네."

"차라리 내가 가는 길에 회사에 내려 주겠습니다. 일찍 출근하는 게 괜찮으면."

나는 고개를 끄덕였다. 그는 어느새 접시를 거의 비운 채였다. 나는 없는 식욕을 억지로 끌어모아 내 몫으로 구운 소시지를 반으로 잘라 먹었다. 토스트는 귀퉁이만 잘라 입에 넣었다. 어제도 그가 샌드위치로 만들어 줘서 맛있게 먹었던 빵인데, 내가 구워서 그런지 아무 맛도 나지 않았다.

한 팀장은 내가 출근 준비를 마치는 동안 설거지와 부엌 정리를 해결하고 내 것을 포함한 캐리어 두 개를 차에 실어 놓고 돌아왔다. 그리고 현관에서 서성거리는 나를 두고, 2주간 아무도 출입하지 않을 집의 간단한 문단속을 했다. 정갈하게 정리된 거실이 오전의 차가운 푸른빛에 잠겨 있었다. 나는 오랫동안 못 볼 풍경을 기억에 새기듯이 현관에 서서 통유리 너머의 도시를 쳐다보고 있었다.

"나갑시다."

겉옷을 한쪽 팔에 걸치고 위층에서 내려온 한 팀장이 말했다. 나는 그가 먼저 현관을 나설 수 있도록 옆으로 비켜섰다.

"챙길 건 다 챙겼습니까?"

"네."

"짐이 많아서 퇴근할 때 번거롭겠네요."

아침에 짐을 쌀 때는 미처 생각지 못한 부분이었지만, 나는 가볍게 고개를 저었다.

"바퀴 달린 거니까 괜찮아요."

현관문이 닫혔다. 삐빅 소리를 내며 안쪽의 잠금쇠가 걸렸다. 나는 한 팀장을 따라 엘리베이터를 타고 아파트 주차장으로 내려갔다. 그가 가까운 곳에 주차해 둔 차의 조수석에 올라탔다. 시간이 조금 이를 뿐, 그리고 차의 트렁크에 캐리어가 두 개 실려 있을 뿐, 그와 함께 출근하던 평소의 일상과 같았다.

그래서인지 나는 회사까지 가는 동안 제법 여러 가지 이야기를 했다. 보통 공항에서 체크인을 마치고 나면 탑승 시간까지 뭘 하고 기다리느냐고 묻기도 했고, 그가 없는 동안 어떤 식으로 업무 보고와 검토가 이루어질지 재차 확인하기도 했다. 추석 연휴에 같이 갈 해외여행의 구체적인 일정에 대해서, 주말에 읽어 봤던 각종 여행 후기에 대해서 말을 꺼냈다. 대화는 매끄럽고 조곤조곤하게 이어졌다. 그러다 보니 어느새 회사 앞이었다.

나는 말하던 문장을 중간에 아무렇게나 끊었다. 차는 신호에 멈춰 있었다. 하얀 횡단보도를 건너가는 사람들이 보였다.

"괜찮으면 밖에 내려 주겠습니다."

그가 말했다. 핸들을 잡은 그의 손에서, 그의 목소리와 억양에서, 이미 떠날 채비를 마친 사람의 거리감이 느껴졌다. 바로 옆에 있는데 손을 뻗어도 잡히지 않을 것 같았다. 내가 하릴없이 그를 올려다보는 사이 신호가 바뀌었다. 차를 돌린 그가 회사 건물 앞에 차를 멈췄다.

주차할 수 있는 곳이 아니었다. 그는 기어도 바꾸지 않은 상태였다. 나는 창문 밖의 인도를 애써 외면하듯이 작게 말했다.

"가방, 꺼내야 하는데……."

그는 결국 다시 차를 돌려 회사 지하 주차장으로 접어들었다. 그렇게 번 값진 몇 분을 나는 아무 말도 하지 못하고 고스란히 날려먹었다. 그가 지하 엘리베이터 로비 앞에 차를 멈추고, 먼저 내려서 내 캐리어를 꺼내 주고, 내려서 우두커니 선 내 차 문을 대신 닫아 줄 때까지도 아무런 말도 나오지 않았다.

출근 시간대 이전의 주차장은 아직 비어 있었다. 매연향이 섞인 공기가 탁하고 서늘했다. 그가 건네준 캐리어의 플라스틱 손잡이가 손바닥을 아프게 파고들었다.

"잘 다녀오겠습니다."

내가 연습했던 말을 가로채며 그가 먼저 말했다. 감정을 읽을 수 없는 사무적인 표정이었다.

"무슨 일이 없어도 자주 연락하세요. 시차 신경 쓰지 말고."

"……네."

"도착하면 연락하겠습니다."

"무사히…… 다녀오세요."

여기가 회사 주차장이 아니었다 해도, 바로 옆에 엘리베이터 로비의 CCTV가 없었다 해도, 지금의 그에게는 팔을 뻗어 끌어안거나 키스할 수 없었을 것이다. 서늘하고 이지적인 얼굴이 마치 다른 사람의 것 같았다. 회사 로비나 엘리베이터에서 이따금씩 마주쳤던, 마주칠 때마다 내 하루를 온통 뒤흔들어 놓았던 한없이 어렵고 까마득한 상사의 얼굴이었다.

그래서 나는 다른 인사를 건네는 대신 고개를 숙였다. 한순간 무엇이라도 말하려는 듯이 나를 물끄러미 내려다봤던 그는 고개를 한 번 끄덕이고 보닛을 돌아 운전석 문을 열었다. 차의 창문으로 그의 옆얼굴이 보였다.

"먼저 들어가요."

창문을 반쯤 내리고 그가 말했다. 나는 고개를 끄덕이고 캐리어를 끌고 엘리베이터 로비 안으로 물러섰다. 유리문이 고요한 소리를 내며 닫혔다.

나는 엘리베이터 버튼을 누르며 그를 돌아봤다. 은색의 거대한 차체는 내가 엘리베이터에 타고 두꺼운 철문이 닫힐 때까지도 출발하지 않고 제자리에 서 있었다. 내가 서 있는 곳에서는 그의 얼굴이 보이지 않았다. 그래서 나를 두고 가는 그가 어떤 표정을 하고 있는지 끝내 알 수 없었다.

⁂

그가 없는 월요일은 평소와 다름없이 지나갔다. 나는 그의 항공편이 출발하기 조금 전에 그에게서 탑승 게이트와 티켓을 찍은 사진을 전송 받았고, 조금 침착해진 마음으로 그에게 잘 다녀오시라는 메시지를 남겼다. 그가 외근으로 자리를 비우는 일이 흔해서 그의 책상이 비어 있는 건 그렇게 생소한 일도 아니었지만, 팀 분위기는 왠지 모르게 어수선했다. 사수는 이제야 좀 적당히 놀면서 일할 수 있겠다고 신이 나 있었다. 파티션 옆을 지나갈 때 무심코 본 화면에 인터넷 쇼핑몰 사이트가 떠 있는 걸 보면 정말로 그가 없는 기회를 틈타 실컷 놀 계획인 것 같았다.

나는 일을 하는 내내 마음 한편으로 지금쯤 하늘 어딘가 높이 떠 있을 그를 생각했다. 직접 비행기를 타 본 적이 없어서, 쇠로 만든 거대한 물체가 하늘을 나는 원리가 잘 상상이 되지도 않았다. 사람이 비행기를 타고 다른 대륙으로 갈 수 있다는 것 자체가 비현실적으로 느껴졌다. 사실 그는 전화도 닿지 않는 하늘 어딘가에 있는 게 아니라 여전히 서울 어딘가에 숨은 게 아닌가 싶기도 했다.

퇴근하고 내 집에 들어가면서는 흐리고 어슴푸레한 하늘을 보고 그가 비행기 창문을 통해 보고 있을 하늘 위의 풍경을 상상했다. 검색해 보자 비행기는 시속 1,000km 정도로 비행한다고 나와 있었다. 내가 이곳에 서 있는 와중에도 그는 내게서 1초에 280m 정도의 속도로 멀어지고 있는 것이다. 멀미가 날 것처럼 가슴이 울렁거렸다. 그에게 서운한 일이 있다고 그를 피했던 지난주의 내가 얼마나 바보 같았는지 새삼 깨달았다. 감정적인 거리는 마음만 먹으면 좁힐 수라도 있지, 물리적인 거리는 어떻게 해 볼 수도 없는 문제였다. 지금의 그는 정말로 내가 달려갈 수 없는 곳에 있었다. 인간의 손발로는 헤칠 수 없을 것 같은 아득한 바다가 우리 사이를 가로막고 있었다.

전화는 밤 11시 20분에 걸려 왔다. 낯익은 이름이 화면에 뜨는 것을 보고 나는 숨소리를 가라앉히느라 두어 번의 벨소리를 흘려보냈다.

-잘 도착했습니다.

수화기 너머의 낯익은 목소리가 말했다. 긴 비행 때문인지 통화의 거리 때문인지 목소리 끝이 잠겨 있었다.

-이제 짐 찾고 나와서 차 빌리러 가는 중입니다.

"……어떤 차 빌리시게요?"

-평소 쓰는 업체가 있어서 무난한 걸로 미리 예약해 뒀습니다. 찾으면 사진 보내 줄게요.

그가 있는 곳은 밖인지 낯선 바람 소리가 섞여 들렸다. 귀를 기울이면 바퀴가 아스팔트 위로 굴러가는 소리와 주차장의 엔진 소리, 지나치는 사람들의 외국어까지 희미하게 들려왔다. 이국의 소음이었다. 나는 그제야 그가 정말로 완전히 다른 나라에 있다는 것을 실감했다.

-거긴 몇 십니까?

그가 물었다.

"아, 여기가……."

-열여섯 시간 차이니까, 밤 열한 시 반 정도 됐겠네요.

"……네. 팀장님은요?"

-여기는 아침입니다. 오전 일곱 시 반.

"내일 일곱 시 반이요?"

-아니, 오늘.

그와 있던 주말에 시뮬레이션을 해 봤던 시차 계산이지만, 오늘따라 머리가 돌아가는 것이 더뎠다. 내가 가만히 있자 그가 낮게 웃었다.

-이서단 씨는 삼십 분 정도 있으면 내일로 넘어가겠네요. 그럼 거

기는 12일이고, 나는 아직 11일입니다.

"……팀장님 아까 출발하실 때 오전 열한 시 정도 아니었어요?"

-맞습니다.

"근데 계신 곳이 지금 오전 일곱 시 반이면…… 오히려 출발할 때보다 더 일찍 도착하신 거 아니에요?"

-그렇죠.

그가 또 웃었다.

-과학이 더 발달하기 전에 경험할 수 있는 시간여행의 유일한 형태입니다.

"……."

-같이 왔으면 좋았을 뻔했네요.

귓가에 나직한 목소리가 들리자 그가 바로 옆에 있는 것 같았다. 나는 갑자기 품 안이 텅 빈 것처럼 허전하게 느껴져서 숨을 멈췄다.

"비행기에서…… 식사는 잘하셨어요?"

-나쁘지 않았습니다. 이서단 씨는 별일 없었습니까? 저녁은 먹었고?

"……네."

사실대로 말하자면 하루 종일 별로 먹은 게 없었지만, 주말 내내 그가 해 주는 음식으로 하루 세 끼를 먹어서 그런지 오늘은 별로 식욕이 일지 않았다. 나는 몸을 일으켜 무릎을 끌어안으며 핸드폰을 귀에 더 가까이 붙였다.

"그럼…… 지금 바로 출근하시는 거예요? 잠 못 주무셨잖아요."

-호텔에 가서 짐 풀고 오후에 출근할 겁니다. 잠은 비행기에서 조금 자 두었고. ……아, 잠깐 있어 봐요.

그의 목소리가 멀어졌다. 누군가와 빠른 영어로 주고받는 대화가 드문드문 들려왔다. 나는 숨을 조용히 쉬면서 기다렸다. 차 트렁크 문이 열렸다가 닫히는 소리가 들렸다.

-……차는 찾았고. 이제 운전해야 해서 끊어야 할 것 같습니다.

"……네. 안전운전하세요."

-나야 늘 안전운전이지. 내가 이서단 씨도 아니고.

다정한 웃음기가 목소리에 듬뿍 배어 있었다.

-연락하겠습니다. 잘 자요.

"네, 팀장님도 좋은 하루 보내세요."

-그래요. 먼저 끊어요.

"……네."

나는 그의 이름이 떠 있는 화면을 5초 정도 쳐다본 후에 천천히 통화 종료 버튼 위로 손가락을 가져갔다. 연결되었던 선이 잘리고 어두운 방이 조용해졌다.

잠시 후에 메시지가 들어오는 신호음이 울렸다. 화면에는 그가 보낸 사진이 연달아 떴다. 비행기 창문과 그 너머의 비현실적으로 아름다운 푸른 하늘도 있었고, 기내식의 일부로 보이는 아이스크림도 있었다. 그 다음 사진은 맑은 하늘을 배경으로 한 공항 건물이었다. 정말로 아침인지 하늘에 푸른 기가 맺혀 있었다.

[팀장님 사진은요?]

충동적으로 보내자, 잠시 후에 답신이 왔다. 정직한 정면 각도에서 찍은 그의 무표정한 얼굴이었다. 검은 선글라스가 높은 콧대에 올라앉아 있었다. 운전석에 앉아 있는지 조금 흐트러진 머리 뒤로 등받이의 머리 부분이 보였다.

나는 사진을 확대시켜 놓고 가만히 숨을 쉬었다. 도착한 메시지로 핸드폰이 진동했다.

[답례는?]

나는 황급히 일어나 욕실로 달려갔다. 불을 켜고 거울을 보자 머리가 비죽비죽 헝클어져 있었고 얼굴은 하얗고 초췌해 보였다. 그가 기다리고 있을 것 같아 핸드폰 카메라 기능을 띄우고 거울을 찍었다. 확대해 보자 입 다문 하얀 얼굴이 눈만 커다란 아이 같았다.

더 찍어 봤자 나아지지 않을 것 같아 어쩔 수 없이 그에게 사진을 보내고 기다렸다. 확인했다는 표시는 뜨는데 답장이 없었다. 나는 욕실 조명을 끄고 천천히 어두운 침실로 돌아왔다. 침대 위에 올라앉아 이불자락으로 무릎 위를 덮었다.

마침내 도착한 답장은 짧았다.

[내가 없어도 밥 잘 챙겨 먹어요.]

화면을 쳐다보고 있자 핸드폰이 한 번 더 진동했다.

[그리고 셀카 연습 좀 합시다.]

그도 별반 나을 것 없다고 생각했지만 그렇게 쓰지는 않았다. [팀장님도 맛있는 거 많이 드세요.]라고 보내고 핸드폰 화면을 껐다. 이불 위로 아무렇게나 누워 불 꺼진 천장을 올려다봤다. 가슴에 난 구멍을 살살 피해 다니는 것처럼 느리고 조심스럽게 숨을 쉬었다.

문득 생각이 나서 시계를 보니 12시가 넘어 있었다. 그를 어제에 남겨 두고 내게 먼저 찾아온, 그가 아직 도착하지 않은 오늘이었다.

⁂

그가 출장을 간 동안에도 회사는 알아서 잘 돌아갔다. 사수는 그에게서 받은 업무 검토 메일의 일부를 내게 보여 주며 어깨를 부르르 떨었다. 형식적인 인사 한마디 없이 시작된 이메일은 '본인의 연봉을 시급으로 환산한 후에 항상 염두에 두고 업무에 임하도록 합시다.' 라고 끝을 맺고 있었다.

"나 진짜 하루의 반 정도밖에 안 놀았는데. 어떻게 아셨지?"

"……."

"이서단 씨, 상사가 출장을 갔다는 건, 남은 팀원들은 좀 쉬엄쉬엄 해도 된다는 뜻 아닌가? 어떻게 생각해요?"

사수는 아예 의자를 내 쪽으로 돌려놓고 진지하게 물었다. 나는 웃으며 고개만 흔들었다. 사수의 질문에 대해 별다른 생각이 있어서가 아니라, 수면 부족 때문에 말실수를 하면 안 될 것 같아서였다.

한 팀장이 출장을 떠난 월요일 이후 사흘간 다 합쳐서 쪽잠 세 시간 정도밖에 자지 못한 내 상태는 다른 사람의 눈에도 보일 정도로 심각했는지, 목요일에 밥을 같이 먹은 박 대리와 김 주임은 둘 다 걱정스러운 얼굴로 내게 밥은 잘 먹고 있냐고 물었다.

"어디 아파서 그런가? 요즘 퇴근도 빨리하지 않아요, 한 팀장님 없어서?"

가까이에서 내 얼굴을 살피며 박 대리가 하는 말에 나는 가슴이 어딘가로 떨어지는 것 같은 느낌을 받았다. 그의 이야기를 누군가 하는 것만으로도 숨을 쉬기가 어려워졌다.

"병원 가 보는 게 어때요, 서단 씨? 나도 여름에 갑자기 몸이 이상해져서 갔는데 더위 먹은 거라고 하더라고. 의외로 증상에는 다 병명이 있더라니까?"

"맞아, 환절기라 지금 아프면 제대로 아프니까 조심해야지."

나는 고개만 끄덕거렸다. 요즘 내 신경은 온통 핸드폰 속의 작은 메시지 화면에 쏠려 있었다. 그와 둘만 있는 가상의 방이 실제 공간이라도 되는 것처럼 나는 그 안에 웅크려 있었다. 틈만 나면 남들의 눈을 피해 그가 보내 준 사진들을 하나하나 훑었고, 그와 통화할 수 있을 때까지의 시간을 계산했다.

기본적으로 그는 연락의 빈도수가 높은 편이었고, 나에 한해서는 시간에 인색한 편이 아니었다. 유 대리와 화상 통화로 진행한 미팅은 칼같이 정해진 시간 내로 끝내도, 내가 퇴근 시간이고 그가 늦은 밤일 때 하는 통화나, 내가 늦은 밤이고 그가 출근하기 전 새벽에 하는 통화는 다른 볼일이 있지 않은 한 빨리 끊지 않았다.

나는 그렇게 잠들기 직전의 그의 나른한 목소리와, 아침에 일어난 직후의 그의 잠긴 목소리를 오롯이 차지했다. 그는 별로 할 이야기도 없는 내 일상에 대해서 물어봐 주고, 그곳에서 보낸 하루를 설명해 주었다. 그곳의 연구원이나 사원들과 함께 찍은 사진도 두어 개 보내 주었다. 환한 사무실에서 다양한 국적의 외국인들에게 둘러싸여 목에 출입증을 걸고 웃는 얼굴의 그는 원래부터 그곳에서 일하는 사람인 것처럼 편안해 보였다.

나는 그와 통화하고 있을 때만 멀쩡했고, 전화를 끊는 순간부터 갈증에 시달리듯 허덕였다. 늘 멍하고 시야가 흐릿했다. 들고 있던 물건을 손에 힘이 풀려 떨어뜨리거나 누가 건네주는 물건을 받지 못하고 가만히 쳐다보고 서 있었다. 목요일 오후에는 사수가 나를 따로 데리고 나가서 진지하게 물어볼 정도로 이상한 업무 실수를 거듭했다. "팀장님이 있었으면 이서단 씨 엄청 깨졌을 텐데, 없어서 다행이네."라고 사수가 말하는데, 나는 그 와중에도 백 번을 깨져도 좋으니 그가 있으면 좋겠다는 생각밖에 들지 않았다.

마침 그날은 그가 통화가 어려울 거라고 말한 날이었다. 나는 저질러 놓은 실수를 모두 수습하고 8시에 퇴근했다. 멍하니 지하철역 계단을 내려가다가 걸음을 멈췄다.

뒤돌아 나와서 방향을 선회했다. 역 입구에서 멀어질수록 걸음이 점점 빨라졌다. 도로변에 마침 주차되어 있던 주황색 택시가 출발하려는 참이었다.

"멈춰 주세요!"

들리지 않을 걸 알면서도 외쳤다. 길 건너에서 다른 택시가 멈추고 뒷좌석에서 사람이 내리는 게 보였다. 나는 보행자 신호가 켜지자마자 뛰면서 손을 크게 흔들었다.

"이거, 저……."

아직 빈차 표시등을 켜기도 전인 차 문을 잡아 열었다. 숨이 차서 말이 나오지 않았다.

"십 분 정도만, 갈 건데……."

"타세요."

택시 운전사가 멀뚱히 말했다. 나는 배낭을 벗어 밀어 넣고 올라타며 낯익은 주소를 뱉었다. 숨 가쁘게 헐떡이는 나를 곁눈질로 나를 살핀 택시 기사는 중요한 일이라고 생각했는지 제한 속도를 넘어가며 나를 목적지까지 배달해 주었다.

택시비를 내고 구르듯이 택시에서 내린 나는 무언가에 홀린 것처럼 웅장한 아파트 건물로 들어갔다. 내 집에라도 온 사람처럼 자연스럽게 로비 비밀번호를 누르고 엘리베이터를 탔다.

나흘 만에 보는 복도는 여전히 고급스럽고 서늘한 향이 풍겼다. 현관문 앞에 도착해서 나는 가쁜 숨을 가라앉혔다. 키패드의 커버를 올리고 손가락을 갖다 대자 파란 숫자가 깜박거렸다. 나는 오래전에 외운 열 자리 비밀번호를 정확하게 눌렀다. 철컥, 묵직한 소리를 내며 요새의 문이 열렸다.

어슴푸레한 어둠이 거실을 비추고 있었다. 넓은 통유리로 반짝거리는 도시의 야경이 내다보였다. 집은 그대로인데, 그가 없었다. 나는 한동안 그의 어두운 거실에 하릴없이 서 있었다. 째깍째깍 벽시계의 초침이 넘어가는 소리가 났다.

"……."

숨을 크게 한 번 들이쉬었다. 공기가 싸늘하고 텁텁하게 식어 있는 집이지만, 곳곳에서 그의 흔적이 느껴졌다. 매끄러운 나무 계단을 밟고 위층으로 올라갔다. 넓은 집에는 내 발소리밖에 들리지 않았다. 닫힌 침실 문의 손잡이를 잡고 문을 열자, 어둡게 커튼이 쳐진 아늑한 공간이 드러났다.

나는 원하는 것을 발견한 사람처럼 천천히 그의 넓은 침대 위로 주저앉았다. 깔끔하게 정리된 이불 위로 손바닥을 쓸어 봤다. 건조하고 보드라운 천이 땀에 젖은 피부에 달라붙었다.

처음에 택시를 잡았을 때는 아무런 생각이 없었고, 오는 동안에는 그의 베개라도 하나 가져가야겠다는 목표를 세웠었다. 잠을 자지 않고 그가 올 때까지의 열흘 남짓의 시간을 버틸 수는 없었다. 집에 남은 수면제는 먹어 봤지만 별로 효과가 없었고, 새로 처방받기 위해 병원에 가는 것은 내키지 않았다. 앞으로 조금이라도 자고 실수 없이 업무를 해내려면 가능성이 낮더라도 다른 방법을 시도해 봐야 했다.

손을 뻗어 그의 베개 중 하나를 끌어왔다. 푹신하고 커다란 것을 품에 안고 웅크려 누웠다. 숨을 깊이 들이쉬자 희미하지만 그의 체향이 맡아졌다. 그가 쓰는 샴푸 향과 향수 향, 아무것도 안 뿌린 몸에서 나는 따스하고 담백한 살 냄새가 배어 있었다.

나는 나머지 베개도 가져와서 베개 두 개 사이에 몸을 뉘였다. 그리고 조금만 머무르다가 베개를 들고 집으로 돌아가려던 원래의 계획이 무색하게, 그의 침대에서 셔츠와 정장 바지 차림으로 그대로 기절하듯이 잠에 빠졌다.

지끈거리는 머리로 눈을 떠 보니 다음 날 아침이었다. 어이없을 정도로 간단한 방법으로, 나흘 만에 취하게 된 숙면이었다.

⁂

그다음 날 그의 베개 하나를 집에 가져가 봤지만 효과가 없음을 발견한 나는 결국 늦은 토요일 저녁에 바퀴 달린 캐리어를 돌돌 끌고 그의 아파트로 향했다. 도착한 후에는 그의 집에서 챙겨 갔던 짐을 다시 풀어 놓고 편한 옷으로 갈아입었다. 그의 베개를 다시 침대에 올려놓고 그의 거실에서 노트북을 충전시켰다. 허락도 맡지 않은 무단 침입이었다.

처음에는 거실 한가운데에 조명 하나를 켜 놓고 불편한 자세로 앉아 있을 정도로 긴장해 있었지만, 몇 시간이 지나자 조금씩 대담해졌다. 못 마시던 물도 유리컵 가득 따라서 가져왔고, 그의 찬장에서 내 몫으로 그가 사둔 초콜릿도 몇 개 꺼내 왔다. 러그 위에 편하게 앉아서 테이블에 노트북을 놓고 그의 무선 인터넷까지 빌려 사용했다. 이메일을 확인하고 음악도 들었다. 노트북 스피커 소리가 너무 커서 깜짝 놀라고 얼른 이어폰을 꽂았다.

내가 토요일 저녁이면 그는 토요일 아침이었다. 평일에는 그가 출근하기 전의 새벽 시간에 통화했었지만, 오늘은 그도 조금 늦게까지 잘 것 같았다. 그래서 나는 이어폰을 꽂고 영화를 보다가 정작 전화가 오는 걸 놓칠 뻔했다. 밤 11시 반, 그가 있는 곳은 오전 7시 반의 통화였다.

"토요일인데 일찍 일어나셨네요."

급히 이어폰을 빼고 전화를 받아 말했더니, 그는 대답하기 전 짧게 침묵했다. 숨소리가 섞인 느린 목소리로 물었다.

-기분 좋은 일이라도 있었습니까?

"네?"

-목소리가 밝아서.

"……아."

나는 그에게 상황을 설명하고 허락을 맡으려고 입을 열었다. 이번 주말에만 여기 있겠다고, 모자란 잠만 보충하고 집에 돌아가겠다고 말하려 했다. 미리 허락 받지 않고 멋대로 들어와서 죄송하다는 사과도 하고 싶었다.

말을 꺼내려고 숨을 들이쉰 내 시야 끝에 밝은 하늘색이 잡혔다. 현관 옆에 세워 둔 캐리어였다. 그 순간 나는 그가 출장을 떠나기 직전 월요일 아침의 대화를 기억해 냈다.

"내가 없으면 이서단 씨가 여기 올 일이 없을 테니까."

그렇게 말하던 그의 표정이 섬뜩할 정도로 차가웠다는 사실이 생각났다.

-오늘은 뭐 했습니까?

그래서 그가 물었을 때, 나는 대답하기 전에 한 번 숨을 삼켰다. 건드리면 안 되는 것을 피해 가듯이 한 박자 쉬고 대답했다.

"그냥 영화 보고 집에 있었어요. 팀장님은 오늘 주말인데 예정 있으세요?"

-해결할 일이 좀 있어서 바쁠 것 같습니다. 이서단 씨 당부대로 맛있는 거라도 먹으러 갈까 했는데…… 당분간은 어려울 것 같네요.

깬 지 얼마 되지 않아 느리고 낮은 목소리에 숨소리가 섞였다. 유난히 피곤하게 들리는 목소리였다. 나는 이 전화를 끊고 나면 그의 침대에 몸을 묻고 잠들 예정이었던 내 속 편한 주말 계획에 갑자기 죄책감이 들었다. 그가 없어서 잠이 오지 않는다는, 그에게 말도 못할 정도로 우습고 유치한 문제가 뭐가 대수였을까. 그는 실제로 타지에서 쉴 시간도 얼마 없는 강도 높은 출장 일정을 소화하고 있었고, 얼마 없는 수면 시간의 일부를 나와의 통화에 할애하고 있었다. 그러면서도 팀원들이 올리는 업무 보고에 대한 검수도 하루도 밀린 적이 없었다.

"바쁘시면…… 끊을까요?"

나는 죄책감에 떠밀려 물었다.

-……갑자기 왜?

"제가 팀장님 시간을 너무 빼앗는 것 같아서……. 잠도 많이 못 주무셨잖아요."

그는 대답 대신 웃었다. 냉장고를 여는 소리 같은 게 희미하게 들렸다. 나는 만약에 그가 정말로 이만 끊자고 하면 하루에 한 번만 지급 받는 산소 호흡기를 빼앗기는 느낌이 들 것 같았다.

-어제 이서단 씨 꿈을 꿨는데.

짧은 침묵이 지나고 그가 말했다. 얼음이 유리와 부딪치는 소리, 병뚜껑을 여는 경쾌한 소리가 났다.

-무슨 내용이었는지 알고 싶습니까?

"……네."

-꿈속에서…… 내가 호텔방에 있었는데.

나는 야한 얘기를 예감하며 핸드폰을 쥔 손에 힘을 주었다. 여차하면 귀에서 뗄 작정이었다. 물을 한 모금 마신 그가 느리게 말을 이었다.

-우리가 한동안 만나던 호텔 있잖아요. 연초에.

"……네."

-거기가 왜 생각이 났냐면, 여기 호텔에 와 보니까 여기도 16층이라. 내가 방을 잡은 건 아닌데 그래서 무의식적으로 연상이 되었나 봅니다. 그 방의 구조나 가구 같은 걸 내가 비교적 뚜렷하게 기억하고 있었던 것 같습니다.

거기까지 말하고 그는 멈췄다. 나는 그가 있는 방을 알지도 못하면서 멋대로 나도 기억하고 있는 방의 구조를 덧씌워 이른 오전 가운 차림의 그를 상상했다. 물컵을 대충 든 긴 손가락과 헝클어진 머리, 창문으로 흐린 잿빛의 도시를 응시하고 있을 그의 무심한 표정을 생각했다.

"……그래서요?"

-그래서?

"저는 뭘 하고 있었는데요?"

나는 매도 빨리 맞는 게 낫다는 마음으로 먼저 물었다. 수화기 너머에서 짧은 웃음소리가 넘어왔다.

-뭘 하고 있었는진 모르겠는데, 적어도 그 방에는 없었습니다.

"……제 꿈 꾸셨다고 하셨잖아요."

-정확히 말하자면 그 호텔방에서 이서단 씨를 생각하고 있던 내 꿈이라고 해야 맞겠네요.

"……."

-아니면 약속 시간이 지났는데 안 오는 이서단 씨를 계속 기다리던 내 꿈이라고 해도 되고.

실제로 내가 그와의 호텔 약속에 지각한 것이 한두 번이 아니라 아예 근거 없는 꿈은 아니었다. 나는 그가 무슨 대답을 바라고 이 이야기를 하는지 모르겠어서 눈을 깜박였다. 입을 열려고 했을 때 그가 가벼운 한숨을 쉬었다. 나른하던 목소리가 포커스가 맞춰지듯 날카로워졌다.

-박 대리가 이서단 씨 컨디션이 안 좋은 것 같다고 하던데.

"……아."

그에게 전달되리라고는 생각지 못한 얘기였다.

-나한테는 잘 지내고 있다고 하더니. 다른 사람 입으로 내가 이서단 씨 상태에 대한 말을 들어야겠습니까?

매끄러운 목소리에 단단하고 위험한 심이 들어 있었다. 나는 러그 위에 편하게 기댔던 몸을 일으키며 정자세로 재빨리 대답했다.

"아픈 게 아니라, 그날만 소화가 안 돼서……. 저 괜찮아요."

-얼굴이 안 보인다고 거짓말이 안 들킬 것 같지.

"……."

-무슨 일 있으면 재깍 나한테 알리세요. 사소한 일, 그날의 기분, 전부. 내 눈으로 직접 확인할 수 없어서 안 그래도 돌아 버릴 것 같으니까.

말끝이 사포로 긁은 듯이 거칠었다. 나는 목소리만으로 고스란히 제압당해 네, 라고 고분고분 대답했다. 그리고 사소한 근황과 오늘 먹은 메뉴까지 전부 고해바치면서도 끝까지 내가 지금 그의 집에서 전화를 받고 있다는 사실은 말하지 않았다.

전화를 끊고 나서 노트북을 덮고 내 흔적을 지우려는 것처럼 러그를 테이블과 직각이 되도록 바로잡았다. 씻고 나서는 거울에 튄 물을 소매로 꼼꼼하게 문질러 닦았다. 계단을 올라가서 그의 침대 한쪽 귀퉁이에 몸을 뉘였다. 깨질까 반신반의했던 마법은 아직 유효한 모양이었다. 그의 베개에 뺨이 닿자마자 무겁고 달콤한 졸음이 밀려왔다. 나는 불어나는 죄책감을 마음 한쪽에 쌓으면서 그의 이불을 목까지 올려 덮고 눈을 감았다.

⁂

변덕스러운 가을 초입의 날씨였다. 아침에 일어나면 내리고 있는 비가 점심나절에는 말끔히 개고, 하루 종일 뜨겁게 내리쬐던 햇빛이 퇴근할 때쯤 갑자기 먹구름 뒤로 숨어 버리고는 했다. 나는 접으면 한 뼘 정도 크기가 되는 작은 우산을 편의점에서 사서 배낭에 넣어 다녔다. 사람 생각이라는 게 전부 비슷한지, 지하철 입구로 나올 때 부슬부슬 비가 내리고 있으면 사람들이 저마다 가방을 뒤적거리는 게 보였다. 곧 갖가지 무채색의 우산이 회색의 거리 위로 꽃처럼 피어났다.

그의 생일 전날이자 그가 돌아오기 사흘 전인 21일 금요일, 나는 스스로 인식하기에도 어떤 한계에 도달해 있었다. 약발이 떨어졌는지, 배어 있던 그의 체향이 시간이 지나며 점점 사라져서인지, 그의 침대에서도 두어 시간 이상을 잘 수가 없었다. 자다가 깨는 새벽에는 몽유병 환자처럼 그의 불 꺼진 집 안을 돌아다녔다. 그가 실재했다는 증거를 하나라도 더 모으려는 것처럼 그가 머물던 공간 안을 손끝으로 더듬었다.

출근하는 지하철 안에서, 회사에서 뻑뻑한 눈으로 업무를 처리하는 중에 갑자기 눈물이 날 것처럼 가슴이 고통스럽게 죄어오기도 했다. 막상 손을 들어 눈가를 만져 보면 말라 있었다.

그가 내 일상에 없을 때도 이십 몇 년을 잘만 살아왔는데, 이제 와서 그가 2주만 없어져도 버티지 못하게 된 게 우스웠다. 이런 게 건전하고 건강한 연애일 리 없었다. 이런 건 서로에게 든든한 지지대가 되지만 개인으로서의 독립적인 삶이 오롯이 유지되는, 헤어진다

해도 아픔을 성장의 밑거름 삼고 나아갈 수 있는 그런 긍정적인 관계가 아니었다. 식물이 생존을 위해 물과 산소와 햇빛을 필요로 하듯, 그의 존재는 이미 내 생활에 있어 필수불가결한 요소였다. 그가 언제라도 나를 떠나 버리면 그날이 내 세상의 끝일 것이다. 계속해서 숨은 쉬더라도 그걸 삶이라고 부를 수는 없을 터였다.

점심시간에 박 대리가 컨설팅부로 찾아왔다. 밥을 사 주겠다면서 나를 끌고 나가 내게 죽을 시켜 주었다. 내가 커다란 사발에 담긴 흰 죽과 박 대리의 얼굴을 번갈아 가며 쳐다보자 그는 겸연쩍은 표정이었다.

"아니, 이서단 씨 얼굴이…… 왠지 소화가 잘 안 될 것 같아서. 여기 맛있어요, 한동안 안 오긴 했는데 속 불편할 때 좋더라고."

"……감사합니다."

나는 숟가락으로 하얀 죽을 떴다. 박 대리는 작은 종지에 담긴 반찬을 전부 내 쪽으로 밀어 주었다.

"괜찮죠? 죽치곤 맛있고."

"……네."

죽은 밍밍했고 별맛이 느껴지지 않았다. 원래 그런 건지, 내 미각이 이상해진 건지 알 수 없었다.

먹는 내내 박 대리는 내가 굳이 대답을 하지 않아도 되거나 간단한 맞장구만 치면 되는 사소한 이야기들을 늘어놓았다. 주로 박 대리가 소속된 팀에서 벌어진 일상적인 사건이나 딸과 함께 보낸 시간의 이야기였다. 배려를 나는 감사하게 받아들였다. 내 현재 상태로는 대화를 멀쩡하게 이끌어 나가기 어려웠을 것이다.

"대리님."

그래도 뭐라도 먹은 것이 도움이 됐는지, 음식점을 나설 때는 그에게 먼저 질문할 정도로 기력이 회복되어 있었다.

"여쭤봐도 되는지 모르겠는데……."

"응?"

지갑을 뒤적거리던 박 대리가 나를 돌아봤다.

"왜 뜸을 들여요, 무섭게. 뭔데요?"

"……예전에 와이프분이랑 결혼하시기 전에 잠깐 같이 사셨다고 하지 않으셨어요?"

"아, 그랬죠. 육 개월 정도?"

카운터 뒤의 직원에게서 카드를 돌려받은 박 대리가 말을 이었다. 불쾌한 눈치는 아니었다.

"와이프가 오래 사귀었어도 막상 사는 건 다르다고, 서로 살아 봐야 결혼할지 결정할 수 있다고 해서."

"……대리님도 그렇게 생각하셨어요?"

"나는 뭐, 상관없었어요. 워낙 오래 만나서. 그냥 혼자 살던 좁은 집에서 둘이 부대끼고 살라니까 처음엔 불편했죠. 아무래도 사귀는 거랑은 그…… 일상을 침해하는 정도가 달라서 적응 안 되기도 했고. 근데 그건 왜?"

"아니요, 그냥……."

맑은 날이었다. 밖으로 나오자 아직 초록색의 잎이 무성한 가로

수 사이로 햇빛이 떨어져 길가에 드문드문 반짝였다. 나는 선선한 가을 공기를 들이마셨다.

"계속 같이 사는 사람들은 대단한 것 같아서요."

"아, 그래요?"

앞서 걷던 박 대리가 의외라는 듯이 웃었다.

"동거한다고 했을 때 별별 얘기 다 들었는데 그건 또 처음 듣네. 이서단 씨 지금 자취하죠?"

"네? 아…… 네."

"혼자 산 지 좀 오래됐어요?"

나는 아스팔트의 갈라진 틈을 밟지 않기 위해 발끝을 내려다보다가 눈을 들었다.

"네, 십 년 정도……. 어떻게 아셨어요?"

"원래 혼자 살다 보면 남이랑 사는 게 점점 어렵게 느껴지니까. 나도 이서단 씨만큼은 아니지만 꽤 오래 혼자 살았는데, 합치니까 처음에는 되게 불편하더라고. 내 시간이랑 공간을 쓰고 싶은 대로 썼었는데 남의 의견을 자꾸 고려해야 하는 게. 근데 또 뭐…… 그게 재미죠. 치고받고 싸우고 그러다 맞춰 가는 거고."

"……네."

"연애할 땐 서로 꾸미고 좋은 모습만 보니까 같이 살면 환상이 깨지는 건 좀 있는데, 그것도 어차피 거쳐야 하는 단계고. 하여간 나는 추천. 기회 되면 해 봐도 나쁘지 않아요."

박 대리는 엄지손가락 양쪽을 가볍게 내 쪽으로 치켜올렸다. 나는 구름 한 점 없는 하늘 때문에 현기증이 나서 걸음을 조금 늦췄다. 뻑뻑한 눈이 밝은 햇빛을 받아들이지 못하고 튕겨 내는 느낌이었다.

그날 퇴근길에 핸드폰을 주머니에 넣어 두었던 나는 지하철의 소음 때문에 최대 볼륨으로 설정해 놨던 벨소리와 진동 모두를 놓쳤다. 지하철에서 내려서 보니 그의 이름으로 된 부재중 통화가 두 건 찍혀 있었다.

심장이 빠르게 뛰기 시작했다. 오늘은 내가 그에게 자기 전에 전화하기로 되어 있었다. 그새 무슨 일이라도 생겼을까. 바로 다시 전화 버튼을 터치하려다가 멈칫했다. 지난 2주간 나는 시차 계산에 굉장히 능해졌고, 항상 머릿속에 시계 두 개가 나란히 돌아가고 있었다. 지금 그가 있는 곳은 새벽 3시가 조금 안 된 시간이었다.

[팀장님, 전화하셨었어요? 지하철에 있어서 못 들었어요. 제가 지금 다시 전화해도 괜찮아요?]

그의 잠을 깨울까 봐 붙여서 보냈다. 걸음을 멈추고 기다렸지만 답장은 없었다. 해가 떨어지고 있는 거리는 겉옷이 필요할 정도로 쌀쌀했다.

그의 집으로 돌아와서 씻는 동안에도, 욕실을 꼼꼼하게 정리하고 하루 한 번 하는 거실과 침실 청소를 하는 동안에도 핸드폰은 울리지 않았다. 나는 불 꺼진 거실에 아무것도 하지 못하고 앉아 있다가 약속한 시간인 밤 11시에 그에게 전화를 걸었다. 신호음은 끝도 없이 이어졌고, 그는 전화를 받지 않았다. 처음 있는 일이었다.

나는 경찰에 신고해야 하나 생각했고, 어차피 그에게 문제가 생겼다 한들 국내 경찰이 할 수 있는 일은 없다는 사실을 뒤늦게 떠올렸다. 다섯 번의 부재중 통화와 열 번의 메시지 끝에 내 핸드폰이 진동했다. 화면에 그의 이름이 선명하게 떠 있었다.

"팀장님."

멀쩡한 척, 괜찮은 척. 그가 걱정하지 않도록 그동안 통화할 때마다 숨겼던 내 상태와 감정이 오늘따라 얇은 피막을 찢으며 위로 솟았다. 핸드폰을 든 손이 덜덜 떨렸다.

"전화를, 아까 전화하신 걸 봤는데 제가 못 받아서……."

-…….

"지금…… 어디세요? 무슨 일 있으신 건 아니죠?"

내 귀에도 내 목소리가 울음이 터질 것처럼 불안정했다. 수화기 너머에서 그가 길게 내뱉은 숨소리가 들렸다. 이윽고 들린 목소리는 낯설 정도로 갈라지고 잠겨 있었다.

-별일 없습니다. 핸드폰을 잠시 꺼 놔서……. 걱정시킬 생각은 없었는데, 미안합니다.

"그럼 지금은…… 지금 출근하셔야 하는 시간인데……."

-음.

그가 웃음인지 한숨인지 모를 것을 느리게 뱉었다.

-그러고 보니 그런가.

너무 그답지 않은 말이라 나는 순간적으로 입을 다물었다. 수화기 너머로 덜컹거리는 소리가 났다. 창문이 열린 것 같았다. 라이터의 희미하고 날카로운 소리가 이어졌다. 나는 그의 입술 사이에 물린 담배를 떠올리면서 식은땀으로 축축한 몸을 러그에 천천히 뉘였다.

탁한 담배 연기가 섞인 느린 호흡이 귓가에 맺혔다. 나는 창밖의 불빛이 바닥에 남기는 둥그스름한 빛의 흔적들을 눈으로 쫓았다. 커다란 창문의 이쪽 끝에서 저쪽 끝까지 눈이 움직이는 시간, 담배 한 대가 다 타들어 갈 시간 동안 그는 조용했다. 마침내 들려온 목소리는 아까보다는 차분하게 가라앉아 있었다.

-이 주는 아무래도 좀 무리였던 것 같습니다.

"……."

-억지를 부려서라도 이서단 씨를 여기 데리고 올 걸 그랬네요.

쓴웃음이 묻어나는 나직한 목소리에 내 심장이 크게 한 번 고동쳤다. 통화할 때마다 늘 다정하고 여유로웠던 목소리는 무엇을 숨기고 있었을까. 그가 나보다 훨씬 멀쩡한 척에 능하다는 것을 까맣게 잊고 있었다.

"……이제 삼십 분만 있으면 금요일이고……. 그럼 이틀밖에 안 남으니까……."

-금요일 새벽과 일요일 밤은 시간으로 따지면 사흘에 더 가깝습니다.

그가 평소처럼 건조하게 일갈하고, 뒤이어 한숨을 쉬었다.

-오늘은 별일 없었습니까? 회사는 잘 다녀왔고?

"……네. 박 대리님이 점심 사 주셨어요."

-죽 먹었다면서.

"……어떻게 아셨어요?"

낮은 웃음소리가 수화기를 타고 넘어왔다. 메마르고 갈라진 땅을 적시듯이 귓속으로 스며들었다.

-다 아는 수가 있습니다.

"……팀장님은 아까 새벽에 왜 전화하셨어요?"

낮에만 해도 그와 별 내용 없는 메시지도 주고받았는데, 그가 그쪽 회사 사람들과 함께 먹었다는 저녁 식사의 사진도 전송받았는데.

"또 제가 꿈에 나와서요?"

-…….

얼굴도 보이지 않지만, 이번 침묵은 긍정이라는 사실을 알 수 있었다. 나는 목을 자꾸만 틀어막는 무거운 덩어리를 가라앉히기 위해 심호흡했다. 일어나 앉으며 목을 뒤로 젖혔다. 마른 눈가가 뜨겁게 당겼다.

시야 끝에 잡힌 시계의 분침이 막 12를 지나고 있었다. 그를 만나고 나서 처음으로 맞는 그의 생일이었다.

"열두 시 지나서 여기 이제 22일인데……."

-…….

"생일 축하드려요."

나는 그가 자신이 있는 곳은 아직 21일 아침이라고 딴죽을 걸거나, 끈질기게도 생일을 기억하고 있다고 면박을 주기를 기다렸다.

-고맙습니다.

하지만 뜻밖에도 그는 담백하게 대답했다.

-여기 있는 동안 깨달았는데, 언젠가는 이번 생일을 이서단 씨와 함께 보내지 못한 걸 후회하게 될 것 같습니다.

"……."

-지금 당장은 내게 생일이 큰 의미 없는 날이지만, 매년 이서단 씨가 축하해 주면 점점 날짜에 의미를 부여하게 될 것 같습니다. 그러다 보면 언젠가는 처음을 놓친 게 아쉬워질 거고. ……11월에 제대로 만회해야겠네요.

나는 왠지 두고 올 수 없어서 이곳에 올 때도 가방에 챙겨 가져온, 지금 위층 옷장에 있는 쇼핑백과 그 안의 작은 상자를 생각했다. 그와 마찬가지로 나에게도 내 생일은 큰 의미가 없었다. 11월에 무엇을 어떻게 하든 나도 그와 함께 보내지 못한 오늘을 앞으로 후회하게 될 거라는 예감이 들었다.

"선물…… 생각해 보셨어요?"

물질로 아쉬움을 만회하려는 사람처럼 나는 물었다.

"지금 말씀해 주시면 오시기 전에 제가 찾아볼게요."

-음.

"아니면 오셨을 때 같이 고르러 가도 괜찮고……."

-말하면 뭐든지 다 줄 겁니까?

"네."

내 계좌에 든 돈 정도로 그에게 필요한 것을 살 수 있을지는 모르겠지만, 그가 갖고 싶은 게 있다면 얼마를 써도 아깝지 않을 것 같았다. 짧은 침묵이 지나고 그가 웃는 소리가 들렸다.

-이럴 때는 일정 한도 내에서, 아니면 가능한 범위 안에서, 라는 토를 달아야 하는 겁니다. 내가 뭘 달라고 할 줄 알고.

"……뭘 갖고 싶으신데요?"

그는 대답하지 않았다. 그 대신 뜬금없이 말했다.

-지금 생각해 보면 우습지만, 이서단 씨를 만나기 전에는 나는 내가 굉장히 이성적인 사람이라고 생각했습니다.

"……."

-고작 두 주 출장이고, 그마저도 거의 다 끝나 가는데. 이서단 씨가 지금 내 눈앞에 없는 게…….

덤덤한 목소리 끝이 희미하게 갈라졌다.

-왜 이렇게까지 참기 어려운지 모르겠네요.

그리고 그는 스스로도 어이가 없다는 듯이 웃었다. 쓰디쓴 웃음에는 탁한 담배 연기와 2주간 되풀이된 끈질긴 악몽의 그림자가 서려 있었다. 나에게는 보이지 않았던 것들. 내가 내 괴로움에 함몰되어 있는 동안 그도 똑같이 겪고 있던 분리의 고통이었다.

나는 무언가에 이끌린 사람처럼 말했다.

"그럼…… 제가 갈까요?"

-……뭐?

"팀장님 계시는 곳으로요."

자리에서 일어나며 까맣게 죽어 있는 노트북 화면을 되살렸다.

비행기 티켓은 어디서 예약하면 되는 것일까. 귀에 대고 "뭐?" 하고 그가 한 번 더 되물었다. 거의 들을 기회가 없는 그의 당혹스러운 목소리였다.

-지금? 여길 오겠다고?

"네."

-……그럴 필요까진 없을 것 같습니다. 어차피 내가 사흘 후면 한국으로 돌아갈 거고.

"제가 그렇게 오래 못 기다릴 것 같아요."

나는 핸드폰을 들고 있지 않은 쪽의 손으로 독수리 타자를 쳤다. 비행기 티켓 예약. 하얀 화면이 눈부셔서 눈을 가늘게 뜬 채로 검색 결과를 훑어봤다. 사이트 이름이 주르륵 떴다.

"어디서 예약하면 돼요? 오늘 출발할 거면?"

-잠깐, 일단 있어 봐요. 그렇게 간단하게 생각할 일이 아닙니다.

"저 여권도 만들었고, 미국은 따로 비자 필요 없다고 하셨잖아요."

-비자는 필요 없지만, 따로 사전에 신청해야 하는 게 있습니다. 그리고 평일인데 회사는 어쩔 셈입니까? 회사를 안 가고 여길 오겠다고?

나는 본인도 별로 이성적이지 않은 상태면서 나를 설득하려 하는 한 팀장을 일단 무시하고 검색을 계속했다. 항공사 사이트와 티켓 예약 사이트 몇 개를 눌러 놓고 다른 탭에 '미국 여행 허가'라고 쳤다.

"이거 허가…… 신청하면 대부분은 바로 나오는 것 같아요. 회사는…… 회사 갔다가 바로 출발할게요. 그때 바로 비행기 타면 열두 시간 정도 걸리니까……."

흐릿하고 몽롱했던 머리가 놀라울 정도로 빠르게 시간과 시차를 계산했다. 그의 생일이 거의 다 지나간 저녁에 출발하고, 그가 그랬던 것처럼 시간을 거꾸로 간다. 도착할 때 한국에서 그의 생일은 이미 지났어도, 마법이 없는 세상에서 사용할 수 있는 유일한 마법처럼, 불가능이 가능해지는 것이다.

"팀장님 계시는 곳 시간으로는 아직 팀장님 생일일 때 도착할 수 있을 것 같아요."

-…….

그는 할 말을 잃은 듯이 조용했다. 그 사이 나는 공항 이름과 날짜를 넣고 티켓을 검색했다. 스크롤을 죽 내리면서 보니 그가 있는 곳으로 가는 비행기가 한두 대가 아니었다. 항공사의 작은 로고가 붙은 항공편이 시간대별로 늘어서 있었다. 적은 가격은 아니었지만 그를 조금이라도 빨리 볼 수 있다고 생각하니 비싸게 느껴지지 않았다.

-이서단 씨.

평소의 냉정을 되찾은 그가 수화기를 통해 팔을 잡아채듯 확실하게 나를 저지시켰다.

-알았으니까 일단 가서 자고, 이서단 씨가 내일 아침에 일어나면 다시 얘기합시다. 충동적으로 결정하지 말고. 내가 본의 아니게 이서단 씨까지 조급하게 만든 것 같은데, 하룻밤 자고 나면 또 다르게

느껴질 겁니다.

"……네."

심장이 혈류를 고스란히 느끼듯이 두근두근 뛰고 있었다. 만류하는 말이 귀에도 잘 들어오지 않았다. 나는 일단 일어나서 거실 조명을 켰다.

"그럼 팀장님 출근하셔야 하니까 끊고…… 제가 아침에 일어나면 다시 연락 드릴게요."

-……그래요.

그가 여전히 이상한 목소리로 대답했다. 나를 뚫어져라 쳐다보다가 고개를 흔들 것 같은 어쩔 수 없는 웃음기가 목소리에 섞여 있었다.

"좋은 하루 보내세요, 팀장님."

-이서단 씨도 잘 자고……. 내일 연락하세요.

"네."

나는 전화가 끊어진 이후의 짧은 공허함을 떨치기 위해 일어서서 제자리를 서성였다. 그의 말대로 내일 아침에 다시 일어나서 생각해 봐도 되는 문제였지만, 나는 지금보다 이성적인 상태의 나 자신에게 설득당하고 싶지 않았다. 생각할 시간을 스스로에게 주고 싶지 않았다. 나는 타고나기를 행동력이 부족한 성격이었고, 낯선 곳을 쉽게 가지 못하는 종류의 사람이었다. 비행기를 타보기는커녕 공항도 한 번도 가 본 적이 없는데, 천천히 생각하다 보면 두려움이 확신을 갉아먹어 버릴 것 같았다.

그래서 나는 어느 때보다 침착하게 자리에 앉아 마우스를 움직였다. 몇 번의 검색을 더 거치고 그 자리에서 미국 전자 여행 허가를 신청했다. 인터넷에는 친절하게도 스크린 샷을 첨부해 가며 신청 과정 전체를 설명해 준 사람들이 있었다. 내 여권이 그의 서재에 있어서 다행이었다. 여권을 펼쳐 놓고 사이트에서 공란을 채우고 신용카드로 결제하고 나자 곧바로 허가가 발급되었다.

나는 그 자리에서 비행기 티켓도 예약했다. 몇 번 헤매며 시행착오를 거쳤지만 결국 인천공항에서 저녁에 출발하는 좌석을 잡았다. 만만치 않은 돈이 계좌에서 한꺼번에 빠져나가고, 이메일로 전자 티켓이 도착했다. 그 정도였다. 막상 해 보니 그렇게 어려운 일이 아니었다.

1년치 결단력을 20분 만에 소진한 나는 위층으로 기어 올라가다시피 해서 핸드폰을 한 손에 쥔 채로 기절하듯 잠들었다. 베개에 뺨이 닿기 전에 생각했다. 사흘 후면 도착하는 사람을 겨우 하루 일찍 만나겠다고 바다 건너까지 가다니, 제정신으로는 할 수 없는 일이었다. 아무리 생각해도 연애란 놀라운 것 같았다.

⁂

아침에 일어나서 나는 1분 정도 멍하니 천장을 올려다봤고, 그 후에는 뜨거운 물로 오래 씻고 나와서 한 팀장에게 비행기 티켓의 스크린 샷을 전송했다. 옷을 입는 동안 그에게서 전화가 왔다.

-이서단 씨는 정말…….

그가 알맞은 단어를 찾지 못하겠는지 말끝을 내버려 두고 웃었다. 전화선을 가득 채우고 따뜻하게 물들이는 웃음소리였다.

-오세요, 그럼. 도착하는 시간에 맞춰 공항에 나가 있겠습니다.

"아…… 그때 오후니까 팀장님 회사 계실 시간이잖아요. 그냥 주소 알려 주시면 제가 이동할게요."

-그러다 국제 미아 됩니다. 외국 나가 본 적도 없다면서. 아니, 애초에…… 인천공항에서 어디로 가야 하는지는 알고 있습니까? 공항까지 갈 방법은 있고?

"그건…… 다 찾아보고 갈 테니까 걱정하지 마세요."

나는 시계를 힐끗 쳐다보며 셔츠의 나머지 소매에 팔을 밀어 넣었다. 그의 집이 회사에서 가깝다 보니 요즘 집을 나서는 시간이 점점 늦어지고 있었다.

"저 이제 출근해야 할 것 같아요. 비행기 잘 타고 갈 테니까 내일 봬어요."

-……알았어요. 공항 가서 수속 밟으면서 다시 연락하고, 문제 생기면 전화하세요.

"네, 그럴게요."

전화를 끊기 전에 또 그의 어이없어하는 웃음소리가 들렸다. 나는 하루치 식량처럼 통화의 여운을 차곡차곡 귓속에 저장해 두고 몸을 일으켰다. 회사에 가기 전에 짐을 싸야 해서 서둘러야 할 것 같았다.

하늘색 캐리어를 끌고 막 회사 앞 횡단보도를 건너고 있는데 핸드폰이 진동했다. 그가 보낸 스크린 샷은 내 것과 비슷한 비행기 전자 티켓이었다.

[돌아가는 티켓입니다. 내 것도 맞춰서 하루 늦췄습니다. 입국 심사 때 필요할 수 있으니까 이것도 인쇄해 가세요.]

[토요일부터는 둘이 놀다가, 이쪽에서 일요일 저녁에 출발하는 일정입니다.]

[월요일은 나는 어차피 휴가 예정이었으니 이서단 씨도 휴가 내세요.]

그럼 그가 일을 마친 후에 둘만 여행할 시간이 있다는 뜻이었다. 그리고 시차를 계산하면 한국에 월요일 밤에 도착해 새벽에 집에 들어와서 다음 날부터 출근해야 한다는 뜻이기도 했다. 내가 봐도 그렇게 상식적인 주말 일정은 아니었다. 내 마음을 읽은 듯이 그에게서 뒤늦게 메시지가 도착했다.

[이서단 씨랑 연애하면서는]

[이십 대 초반 정도로 어려진 기분이네요.]

글자만으로는 좋은 뜻인지 나쁜 뜻인지도 알 수 없었다.

나는 사수에게 미리 일찍 퇴근해도 괜찮다는 허락을 받고 하루 종일 컴퓨터 화면을 들여다보고 있었다. 몸은 계속 가라앉지 않는 미세한 흥분 상태였다. 마우스를 너무 격하게 움직여 커서가 자꾸 원하는 곳이 아닌 화면 모서리에 부딪혔고, 손이 떨려서 같은 글자를 두 번 치거나 백스페이스로 글자 하나가 아닌 문장 전체를 지워

버리기 일쑤였다. 그럼에도 일하는 속도는 평소보다 두 배 정도 빠른 것 같았다.

점심시간에 샌드위치 하나를 물고 월요일에 해야 하는 일까지 건드려 놨다가, 느긋하게 점심을 먹고 들어와 내 화면을 들여다본 사수에게 느린 기립 박수를 받았다.

"아…… 오늘 안에 최대한 많이 하려고요. 저 월요일에는 연차 써야 할 것 같아서……."

"이서단 씨 이번 주말에 어디 여행 가죠? 애인이랑?"

사수는 이런 일에 감이 좋은 편이었다. 내가 곧바로 대답을 못 하자 그녀는 자리에 앉으며 관대한 표정을 지었다.

"좋겠네. 재밌게 놀다 와요."

"……네."

"월요일까지 딱 팀장님 없으니까, 놀러가기 좋은 시기네. 나도 여행이나 갈 걸. 날씨도 좋고 요즘 휴가철 끝나서 사람도 없는데."

사수는 팔 위로 턱을 파묻고 있다가 생각난 듯이 덧붙였다.

"사진 찍어 와서 보여 줘요. 대리만족이라도 하게."

"……네, 그럴게요."

나는 주말 사이 사수가 그 말을 잊기를 바라며 다시 일에 집중했다. 시간은 눈 깜짝할 사이에 흘러갔다. 중간중간 현실감이 없어져서 다시 핸드폰으로 비행기 티켓을 확인해야 했다. 오후 4시가 가까워질수록 가슴이 불규칙적으로 뛰었다. 내가 손을 놓고 멍하니 자리에 앉아 있는 걸 눈치 챈 건 사수였다.

"가 보게?"

"……네?"

"일찍 퇴근한다며. 오늘 출발하는 거 아니었어요?"

"아…… 네."

무턱대고 컴퓨터를 종료하기 위해 마우스 커서를 움직였다. 사수가 내 어깨를 다급하게 탁탁 쳤다.

"저거 파일 저장은 했어요?"

"네?"

"파일, 저장 안 됐다고 팝업 뜨잖아요."

"……아."

"열심히 일해 놓고 다 날리려고?"

정말이었다. 자동저장이 있으니 다 날아가진 않았겠지만, 그래도 저장하는 것을 잊다니 제정신이 아니었다. 파일을 정상적으로 저장하고 끈 후에 컴퓨터 종료 화면을 쳐다보는데 시선이 느껴졌다. 눈을 들자 사수가 나를 응시하고 있었다.

"무슨 일 있는 건 아니죠?"

파티션 너머로 들리지 않도록 낮춘 목소리였다.

"여행 가는 거 맞지? 다른 일 있는 거 아니고?"

"……네?"

"요즘 컨디션 계속 안 좋았잖아요. 그러다가 갑자기 여행이라니 그것도 이상하고, 오늘도 계속 불안해 보이고. 뭐 안 좋은 일에라도 엮인 거 아니지?"

사수의 갈색 눈이 진지했다. 늦은 오후의 부서는 환했고, 한 팀장의 자리는 비어 있었다. 그 너머의 하늘이 깨끗한 파란색이었다. 퇴근을 두어 시간 앞둔 평일 일상의 풍경이었다.

그제야 패닉과 두려움이 배 속에서 덜컥 몸집을 불렸다. 선명했던 것들이 순식간에 흐려졌다. 이게 정말로 좋은 생각이었을까. 그의 입장도 있는데, 내 생각만 했던 것은 아닐까. 오히려 그는 내 돌발 행동이 당황스럽고 부담스러울 수도 있었다. 오겠다는 내 말이 그리 달갑지 않은데, 나를 배려하겠다고 말만 안 한 건 아닐까.

그는 일을 하기 위해 간 것인데, 출장 막바지라 피곤할 텐데. 내 이기심으로 그에게 귀찮은 일을 시키는 걸 수도 있었다. 이건 나답지 않은 행동이라고 생각하니 갑자기 걷잡을 수 없이 무서워졌다.

"제가 어쩌다 보니……."

사수의 얼굴을 보면서 간신히 입을 열었다.

"사고를, 친 것 같은데. 잘 모르겠어요."

"무슨 사고? 회사 일?"

"아니요, 그건 아닌데. 그냥…… 제 맘대로, 뭘 결정해 버렸는데, 그게 지금 생각해 보니 좀 이기적이었던 것 같아서……."

사수에게는 횡설수설로 들렸을 것이다. 나는 하면 안 되는 말을 하게 될까 봐 일단 입을 다물었다. 사수가 뜸을 들이다가 물었다.

"뭐 크게 문제가 되거나 그럴 일이에요? 다른 사람을 실제로 다치게 한다든가, 합법적이지 않다든가."

"……아니요, 그런 건 아니에요."

"그럼 됐지, 뭐. 병원이나 경찰서 안 가는 일이면 사고 아니에요."

사수의 명쾌한 사고방식에 말문이 막히는 사이 마음이 조금 진정되었다. 살갗 위로 소름처럼 돋아 있던 두려움과 흥분은 조금 가라앉아 배 속의 무거운 덩어리가 되었다. 이제 와서는 취소하는 게 더 큰 사고였다. 나중에 그에게 사과하더라도 일단 저지른 대로 밀고 나가는 수밖에 없었다.

"저 그럼…… 가 볼게요. 죄송해요."

"다녀오면 더 얘기해요. 좋은 주말 보내고!"

"네, 대리님도 좋은 주말 보내세요."

손을 흔들어 주는 사수에게 인사하고 나머지 팀원들에게도 짧게 인사를 남겼다. 비품실에 보관해 두었던 캐리어를 끌고 배낭을 메고 여전히 멍한 기분으로 회사 정문을 나섰다. 뜨거웠던 햇빛이 조금씩 잦아드는 한산한 시간대였다. 나는 핸드폰으로 시간을 확인하고 걸음을 재촉했다. 회사에서 멀지 않은 버스 정류장에는 눈여겨본 적 없는 공항버스 시간표가 붙어 있었고, 버스 도착 시간을 보여주는 작은 전광판도 달려 있었다.

내가 멍하니 벽 옆에 서 있는 동안 버스 정류장에 커다란 캐리어를 든 사람들이 세 명 더 나타났다. 한쪽은 옷까지 비슷하게 맞춰 입은 남녀였고, 다른 한쪽은 선글라스를 쓴 남자였다. 내 옆으로 두런두런 얘기하는 남녀가 앉았다. 여행 계획을 이야기하는 중인지 드문드문 '교통 패스'나 '환전' 같은 단어가 들렸다.

나는 한 팀장과 추석 때 갈 예정이었던 여행을 떠올렸다. 그는 추석 연휴가 기니까 가볍게 유럽이나 다녀오자고 했다. 그때 미리 만들어 둔 내 여권도 개시하고, 캐리어도 함께 산 걸 처음 써 볼 계획이었다. 가 본 적 없는 공항이고 외국이지만 어차피 그의 옆에 붙어 있을 테니 괜찮을 것 같았다. 이렇게 혼자서 공항의 어떤 터미널에 내려야 하는지, 가방이 올바른 규격인지 걱정하게 될 줄 누가 알았을까. 낯선 경험이 폭우 수준으로 한꺼번에 퍼부으니 다시 아이가 된 기분이었다.

버스는 예정 시간을 넘기지 않고 도착했다. 한산한 안에서는 고급 가죽 냄새 같은 것이 났고, 팔걸이가 달린 좌석도 큼직큼직했다. 아코디언처럼 지그재그로 접혀 있는 커튼을 조금 걷으니, 방금 전까지 내가 있던 정류장이 점점 멀어져 갔다.

나는 버스가 움직이는 동안 찾아둔 인터넷 페이지를 다시 꼼꼼하게 읽었다. 세상에는 공항 내부 사진까지 올려 주는 친절한 사람이 많았다. 체크인, 그리고 환전. 동선을 다시 한번 확인하는 동안 핸드폰이 진동했다. 배 속이 익숙하게 울렁거렸다.

[어디쯤 와 갑니까?]

지금 그가 있는 곳은 자정을 조금 넘긴 시각이었다. 나는 화면을 내려다보며 잠시 고민했다.

[버스 타고 공항 가고 있어요]

딱딱한 문장에서 긴장 또는 걱정이 번진 내 기분이 그대로 드러나는 것 같아 웃는 얼굴을 붙였다. 화면에 떠서 방긋방긋 웃는 얼굴에 기분이 싱숭생숭했다.

[팀장님은 이제 주무시려고요?]

[아직 밖입니다.]

곧바로 답장이 돌아왔다.

[회식 있으셨어요?]

[회사에 있었습니다. 이서단 씨 오기 전에 일 좀 끝내 놓으려고.]

그 말에 나는 또 다시 죄책감으로 속이 엉키는 기분이었다. 온도가 적당하게 유지되는 쾌적한 버스 안에서도 배 안이 온통 뒤틀렸다.

[비행기 타기 전에 연락하세요. 공항에서 도움 필요해도 연락하고.]

[네, 걱정하지 마세요.]

없는 자신감까지 끌어모아서 그를 안심시켰다. 비행기가 출발하는 시간이면 그에게는 새벽이었다. 내가 무사히 비행기를 탔다는 이야기를 들으려고 그가 깨어 있게 되면 큰일이었다.

안녕히 주무시라는 말까지 하고 핸드폰 화면을 끄니 버스는 커다란 다리를 건너고 있었다. 다른 사람들은 잠들었는지 뒤에서 들려오던 이야기 소리는 그쳐 있었다. 나는 버스가 그대로 공항에 도착할 때까지 창문을 내다봤다. 낯선 도로는 벌써부터 한국이 아닌 것처럼 넓고 서늘했다. 하늘이 높아진 것 같았다.

⁂

공항은 내 생각보다도 훨씬 컸지만, 체크인하는 곳을 찾는 것은 쉬웠다. 항공사별로 나뉘어 있는 카운터를 찾아 줄을 서면 그만이었다. 놀이공원처럼 띠로 만들어진 좁은 길에는 이미 많은 사람들이 줄을 서 있었다. 커다란 캐리어를 끌고 여권을 든 사람들이 쭉 있는 걸 보니 적어도 공항은 찾아왔다는 안도감이 들었다. 다 나와 같은 비행기를 타는 사람들일까. 외국인도 몇 명 보였고, 영어로 이야기하는 사람들도 있었다.

항공사 유니폼을 입은 카운터 뒤 직원에게 여권과 출력해 온 티켓을 건네고 기다리는 순간이 제일 불안했다. 당장이라도 여권을 펼쳐 확인하는 직원이 여권에 문제가 있다거나 티켓이 잘못되었다고 말할 것 같았다. 비행기 날짜가 틀렸다거나, 안타깝지만 그 비행기는 취소되었다고 말할 것 같기도 했다. 그렇게 된다면 실망해야 할지 안도해야 할지도 마음을 정하지 못했다. 하지만 생긋 웃은 직원은 출력된 티켓을 카운터 위로 내밀었다.

"창가석 하나 남아서 드렸는데 괜찮으시죠? 7시 10분이 탑승 시간이고요, 게이트 번호 확인해 주세요. 짐은 따로 부칠 게 없으신가요?"

"네, 이건 가지고 타려고 하는데……."

"기내 금지 물품은 없는지 한번 확인해 주시고요, 휴대 수화물은 하나로 제한되어 있는데 괜찮으신가요?"

친절한 시선이 내 등에 멘 배낭에 닿아 있었다.

"이건 가방에 넣으면 될 것 같아요."

"그럼 즐거운 비행 되시고요."

티켓이 끼워진 여권이 내 손에 돌아왔다. 나는 얼떨떨한 기분으로 고개를 숙여 인사하고 캐리어를 끌고 탑승 수속 카운터를 빠져나갔다. 티켓을 받았으니 이제 비행기를 안 탈 수도 없었다. 내가 생각해도 지금 공항에 와 있는 게 어이가 없었지만, 이미 저지른 일이었다.

까마득하게 높은 천장을 올려다보고 있는 동안 가라앉았던 기분이 천천히, 조심스럽게 들떴다. 수많은 사람들이 저마다의 여행을 떠나는 공간에 와 있으니 그 활기가 전염되는 것 같았다.

그때 주머니 속 핸드폰이 진동했다. 이번에는 전화였다.

-체크인은. 했습니까?

"네, 방금 하고 티켓 받았어요. ……팀장님, 왜 안 주무세요?"

-……걱정돼서.

그가 솔직하게 대답했다. 지금의 고양된 기분으로는 그 대답도 웃음이 났다.

"저 알아서 잘할 수 있으니까, 주무세요."

-……언제부터 그렇게 알아서 잘했습니까?

"팀장님 만나기 전부터요."

그가 어이없다는 듯이 웃는 소리가 들렸다.

-밥은. 먹었습니까?

"그건…… 비행기 타면 주지 않아요?"

-바로는 안 줍니다. 기내식이 안 맞을 수도 있으니까 시간 되면

간단하게라도 먹고 들어가요. 속 가라앉혀야 멀미 안 하니까.

밤이라 그런지 살짝 잠긴 목소리가 듣기 좋았다. 핸드폰을 귀에 바짝 붙여 경청하면서 나는 두리번거렸다. 도넛 프랜차이즈도 보이고 카페도 보였다.

"네, 그럴 테니까 팀장님은 주무세요."

-빵 같은 걸로 대충 때우지 말고.

"……도착하면 전화 드릴까요?"

-그래도 되고. 어차피 회사에서 공항이 멀지 않습니다. 시간 계산해서 미리 가 있을 테니까 나와서 못 찾겠으면 연락하세요.

나는 넓은 공항에서 그를 어떻게 찾느냐고 물으려다가 입을 다물었다. 일단 그를 안심시켜서 재우는 게 급선무였다.

"네, 그럴게요. 이제 진짜 주무세요."

-……게이트는 잘 찾아갈 자신 있습니까?

"네."

-알겠습니다. 그럼…… 무사히 잘 오고. 여기서 봅시다.

"내일 뵈어요."

전화를 끊자 치솟던 기분이 조금 가라앉고 아까의 불안감이 삐죽 고개를 들이밀었다. 아무래도 그를 만날 때까지는 계속 오르락내리락할 모양이었다. 나는 캐리어를 끌고 가서 돈을 환전했다. 사흘 여행치고는 조금 많다 싶게 바꾼 미국 지폐는 빳빳했고, 다 비슷하게 생겨서 숫자를 확인하지 않으면 단위를 알기 어려웠다. 로밍을 신청하는 것도 순조로웠다. 통신사 로고가 크게 박힌 카운터가 멀리서도 잘 보였다.

나는 식당가를 구경하다가 우동 한 그릇과 도넛 하나를 사 먹었다. 이상하게 비싼 커피도 한 잔 사서 마시고 조금 헤매다가 출국장을 찾았다. 공항의 모든 인파가 여기로 고이는 것 같았다. 줄도 길었고, 고개를 돌리면 출국장 앞에서 손을 흔들거나 혼자 오랫동안 우두커니 서 있는 사람들이 보였다. 이제 보니 공항의 공기는 여러 사람의 감정의 흔적이 눌어붙은 것처럼 진하고 무거웠다. 천장이 높아야 하는 게 당연했다.

출국장 문을 지나면 바로 게이트가 있는 줄 알았던 나는 조금 당황했다. 출국 심사는 생각보다도 줄이 길었고 시간이 오래 걸렸다. 들어오는 사람도 아니고 나가는 사람을 뭘 이렇게 엄격하게 심사하는지 모를 일이었다. 나는 다른 사람들이 하는 대로 배낭을 안에 넣은 가방을 기계의 컨베이어 벨트에 올리고 플라스틱 문틀 같은 것을 통과했다. 무덤덤한 눈을 한 검사관이 금속 탐지기로 내 몸을 훑었다. 얼핏 본 화면에는 내 가방인지 다른 사람의 가방인지 모를 것의 내용물이 적나라하게 여러 색깔로 표시되어 있었다.

줄을 서 있을 때는 티켓에 적힌 시간을 확인하며 마음이 급해졌는데, 막상 출국 심사를 다 통과하고 풀려나자 아직 시간이 30분은 남아 있었다. 나는 캐리어를 끌고 면세점을 구경했다. 관심도 없는 콜롱을 얇은 종이에 칙 뿌려 시향하거나 마시지도 않는 묵직한 양주병의 가격을 확인하면서 돌아다녔다. 대량으로 포장된 담배가 싸 보였지만, 그가 요즘은 담배를 점점 줄이고 있으니 구경만 했다. 결국 산 것은 비행기에서 읽을 만한 책 한 권과 초콜릿 한 봉지였다.

생각보다 공항은 넓었고 탑승 게이트는 멀었다. 기껏해야 기차역 정도를 상상하고 여유를 부리던 나는 안내판에 적힌 번호를 보고 따라갔는데도 길을 잃어버렸다. 결국 한참을 뛰어 도착했을 때는 벌써 긴 줄이 형성되어 있었고, 작은 카운터에 제복을 입은 승무원이 여러 명 서 있었다.

"승객 여러분……."

내가 게이트 번호를 두 번 확인하고 정신없이 줄 끝에 서자, 기다렸다는 듯이 안내방송이 시작되었다.

"승객 여러분, 곧 탑승을 시작하겠습니다. 어린아이를 동반한 승객이나 특별한 도움을 필요로 하시는 승객은 먼저 탑승해 주시기를 바라며……."

탑승구의 작은 통로로 사람들이 한 명씩 빨려 들어갔다. 나는 가쁜 숨을 가라앉히면서 핸드폰을 만지작거렸다. 자고 있을 그를 깨우고 싶지 않은 마음과, 그래도 끄기 전에 한마디라도 보내고 싶은 마음이 교차했다.

승무원에게서 여권과 티켓 반쪽을 돌려받고 아코디언의 내부 같은 터널을 걸어가면서도, 가방을 머리 위의 수납함에 밀어 넣는 사람들을 기다리면서도, 창가 쪽의 내 자리에 앉으면서도 고민은 계속되었다. 내가 모서리가 둥근 창문으로 비행기의 한쪽 날개와 드넓은 활주로를 내다보는 사이 옆의 두 자리가 채워졌다. 바로 옆자리는 졸린 눈을 하고 여행용 목베개를 목에 두른 여자였고, 복도 쪽

자리는 머리를 반쯤 민 외국인 남자였다.

옆자리의 여자는 나를 흘긋거리다가 안전벨트를 매고 곧바로 자기 시작했다. 나는 앞의 등받이에 달린 작은 화면과 트레이형 테이블을 구경했다. 포켓에 꽂힌 안전 수칙과 처음 들어 보는 잡지를 들춰 보기도 했다. 곧 머리 위의 안전벨트 표시가 주황색으로 들어오고, 승무원들이 짐 수납칸이 닫혔는지 확인하며 복도를 지나다녔다.

어느덧 수평선이 보랏빛으로 물들어 있었다. 비행기가 금방이라도 출발할 것처럼 크게 한 번 떨렸다. 놀이기구도 아니고, 이제 와서는 내릴 수도 없었다. 나는 왈칵 치솟는 두려움에 감각이 더뎌진 손으로 그와 둘만 있는 대화방을 눌렀다. 하얗게 질린 손끝으로 키보드를 더듬거렸다.

[팀장님]

[사랑해요.]

그리고 핸드폰을 끄고 창문 쪽으로 몸을 웅크린 채로 눈을 질끈 감았다. 비행기의 육중한 몸체가 천천히 활주로에 오르고 점점 속도를 올려 마침내 떠오르는 순간까지도 나는 꼼짝하지 않았다. 순조로운 이륙이었다. 겨우 눈을 떴을 때는 비행기가 이미 허공을 날고 있었고, 살면서 본 어떤 풍경보다 아름답고 비현실적인 해질녘의 야경이 발아래 펼쳐져 있었다.

⁂

그날 밤 바다를 건너가는 비행기 안에서 나는 이상한 꿈을 꾸었다. 그가 최근에 꿈 이야기를 한 것에 영향을 받았는지도 모른다. 꿈속에서 나는 모든 일이 있기 전의 고등학교 1학년이었다. 실제로는 이런 일이 없었지만, 꿈에서는 학교가 특별 프로그램이라면서 대학교 투어를 기획했다. 기묘한 현실감과 나름의 타당한 논리가 있는 꿈이었다. 학교가 성적이 상위권인 아이들로만 채운 버스는 가이드까지 붙어 서울의 이름 있는 대학교들을 돌아다녔다.

방학도 아닌데 겨울이었다. 우리는 털 달린 후드를 뒤집어쓰고 꽁꽁 언 발로 고분고분 드넓은 캠퍼스를 줄지어 돌아다녔다. 가이드는 어차피 다 이름이 적혀 있는 건물을 굳이 소개해 주었다. 이건 행정관, 이쪽은 중앙도서관, 이쪽으로 가면 학생회관이에요. 그러다가 눈을 들었는데, 그가 있었다. 올려다본 건물의 창문에 그의 옆얼굴이 있었다. 그러고 보면 이 시기에 그는 여기 다니는 대학생이었던 것이다.

나는 무리를 이탈해 뛰기 시작했다. 뒤에서 나를 부르는 목소리도 무시하고 계단을 뛰어 올라갔다. 학생증을 찍어야 들어갈 수 있는 개찰구를 뛰어넘었다. 알람소리가 시끄럽게 울리기 시작했다.

계단, 또 계단. 숨이 차고 머리가 어지럽도록, 한 번 넘어져서 부딪친 무릎이 욱신거리도록 뛰었다. 머릿속으로 그가 있던 층수를 가늠했다. 힐끗 밖을 내다보던 그의 표정, 나를 알아보지 못하던 그의 얼굴. 기적 같은 기회였다. 10년 더 일찍 그를 만날 수 있는 것이다.

미친 사람 취급을 당하더라도 초면인 그를 무턱대고 끌어안고 싶었다. 당신을 만나기 위해 내가 시간을 거슬러 왔다고, 그래서 아무것도 어그러지지도 망가지지도 않았을 때의 모습으로 당신 앞에 설 수 있게 되었다고 말하고 싶었다.

뒤를 쫓아오는 추적자들의 발걸음이 요란했다. 발에 감각이 없었지만 나는 층계 몇 개를 단숨에 뛰어넘어 열린 문으로 달려 들어갔다. 책상에 앉아 있던 수많은 사람들이 흠칫 놀라 자리에서 일어섰다. 높은 서가에 가려서 그가 있을 책상이 보이지 않았다. 나는 몇 걸음을 더 뛰기 위해 책장을 짚었다.

발밑이 뚝 떨어지듯 흔들렸다. 꿈이 빼앗기듯 멀어져 갔다. 눈을 뜨기 전 마지막 순간에 서가 너머가 보였다. 파란 하늘이 내다보이는 창문이 있었고, 아래에 여전히 무리지어 서 있는 고등학생들이 있었다. 그가 있던 책상은 흔적 없이 깨끗하게 비어 있었다.

"……흡."

나는 입을 다물어 간신히 소리를 참았다. 식은땀으로 등이 축축했다. 기내가 어두웠다. 옆자리 여자는 안정적인 자세로 평온하게 잠들어 있었다.

나는 몸에서 힘을 풀고 소리 없이 숨을 길게 들이마시고 내쉬었다. 가슴이 갈비뼈를 짓누르듯이 거칠게 뛰었다. 눈꺼풀 안쪽이 쓰라리고 건조했다. 몸은 정말로 전속력으로 계단을 오른 것처럼 무거웠고, 이를 닦았는데도 입안에서 쓰고 텁텁한 맛이 났다.

작은 화면을 켜서 시간을 확인해 보니 도착까지 두 시간밖에 남아 있지 않았다. 창문 덮개 아랫부분의 작은 틈으로는 하얀 구름이 보였다. 저녁에 출발해 지금은 한밤중이어야 하는데, 시간을 거슬러 올라가 이제는 다시 낮이었다. 그럼에도 여기저기 둘러보면 다 잠들어 있는 사람밖에 없었다. 항공사 로고가 새겨진 담요 밑으로 튀어나온 슬리퍼, 등받이에 불편한 각도로 기댄 머리통들이 눈에 들어왔다. 수많은 사람의 규칙적인 숨소리에서 나오는 기묘한 갑갑함이 기내를 메우고 있었다.

화장실이 있는 쪽의 복도에서 커튼을 젖히고 승무원이 나타났다. 복도로 튀어나온 다리를 조심스럽게 피하며 옆을 지나가고 뒤의 복도로 사라졌다. 커튼 뒤에서 인기척이 이어졌다. 반짝, 기내의 불이 한꺼번에 켜졌다.

"……뭐야."

옆자리의 여자가 뒤척였다. 눈부신지 손을 올려 얼굴을 가리고 내 쪽을 향해 중얼거렸다.

"저는 안 먹는다고 전해 주세요."

"아……."

둘러보니 잠들어 있던 사람들이 졸린 눈으로 부스스 깨어나고 있었다. 같은 열에 있는 아이가 바닥에 떨어진 헤드폰을 줍는 것이 보였다. 여기저기 화면에서 보다 만 영화가 다시 재생되기 시작했다. 곧 이전 칸 서빙이 끝났는지 승무원 두 명과 기내식 트롤리가 뒤쪽에서 등장했다. 내가 있는 열로 오기도 전에 승무원이 반복해서 말하는 메뉴 선택지가 들렸다. 나는 정신을 차리고 앞에 있는 테이블을 내렸다.

"아침 식사로는 오믈렛과 죽이 있는데 어느 쪽을 드릴까요?"

"오믈렛이요. 아, 이분은 안 드신다고 하셨어요."

"네, 알겠습니다."

승무원은 트롤리의 아래 칸에서 트레이를 꺼내, 자고 있는 여자를 피해서 내 쪽으로 전달했다. 나는 조금 망설이다가 물었다.

"핸드폰을 꺼 놨는데, 지금은 써도 되나요?"

"네, 비행기 모드로 사용하시면 괜찮습니다."

"끄기 전에 바꾸는 걸 깜박해서……. 괜찮아요, 죄송합니다."

"음…… 켜서 바로 바꾸시면 상관없습니다. 착륙이 얼마 안 남았는데, 착륙할 때 안내방송 나갈 테니까 그때는 꺼 주시길 부탁드릴게요."

승무원이 웃으며 트롤리를 끌고 지나갔다. 나는 앞 포켓에 넣어 둔 핸드폰을 발굴해 전원을 켰다. 화면이 들어오자 설정을 재빨리 눌러 작은 비행기 아이콘을 터치했다. '[비행기 탑승 모드]를 실행하면 전화, 메시지, 모바일 네트워크 기능을 사용할 수 없습니다.'라는 팝업창이 떴다. 비행기 모드를 실제로 비행기에서 쓰는 건 처음이었다.

나는 기내식 사진을 찍고 그와의 대화창을 확인했다. 그가 메시지를 확인한 것은 보였지만 답장은 도착해 있지 않았다.

"창문."

내가 오믈렛을 먹는 사이 어느새 일어나서 깔끔하게 담요까지 접어 정리한 옆자리 승객이 잠긴 목소리로 말했다.

"창문 덮개 다 여셔도 돼요. 착륙할 땐 어차피 열어야 하고."

"……네."

"저 이걸로 하늘 좀 찍어 주시면 안 돼요? 트레이 제가 들어 드릴게요."

"아……."

여자가 동영상 기능을 켠 핸드폰을 내게 내밀었다. 나는 속이 거북해서 건드리다 만 트레이를 그녀의 테이블에 두고 창문 밖을 찍었다.

"감사해요."

소리가 녹음되는 것은 아랑곳하지 않는지 그녀가 말했다.

"밑에 땅 보여요?"

"……안 보이는 것 같아요. 구름 때문에……."

"아, 보일 때 찍고 싶었는데."

"나중에 한 번 더 찍어 드릴게요."

이쯤 되면 자리를 바꾸자고 말해야 하는 게 아닌가 싶었다. 핸드폰을 돌려받은 승객이 웃었다.

"이때 핸드폰 꺼야 해서 아마 안 될 거예요. 근데 감사해요."

"……네."

"트레이 다시 드릴까요? 아님 반납해 드려요?"

마침 앞쪽 칸에서 넘어오는 트롤리가 보였다. 나는 반도 못 먹은 오믈렛을 보고 죄책감을 느끼면서도 고개를 끄덕였다.

"반납해 주세요. 감사합니다."

그때 앞좌석 등받이가 앞으로 당겨져서 갑자기 공간이 늘어났다. 창문 덮개를 밀어 올리는 사람들도 있었다. 착륙을 준비하는 분위기에 휩쓸려 나는 얼른 내 핸드폰으로도 동영상을 찍었다. 장난감처럼 생긴 비행기 날개가 구름을 가르는 것을 찍다 보니 어느덧 안전벨트 표시등이 켜지고 착륙을 위한 하강을 시작한다는 안내방송이 나왔다.

이렇게 빨리? 아직 거리도 시간도 한참 남은 것 같은데 사람들은 모두 익숙하게 담요를 돌돌 말거나 슬리퍼에서 신발로 갈아 신고 있었다. 창문이 모두 열린 기내가 환해졌다. 지나다니는 승무원들이 우체국에서 가서 쓰는 것 같은 작은 종이를 하나씩 나눠 주었다. 당황한 내 표정을 봤는지 옆자리 승객이 말했다.

"펜 빌려 드릴까요?"

"네?"

"저 다 쓰고 금방 드릴게요."

나는 빳빳한 종이를 받아서 들여다봤다. 다행히 한글로 되어 있었다. 주변을 둘러보니 아무래도 필수로 작성해야 하는 것 같았다.

"여기요."

펜이 내 자리로 넘어왔다. 크게 어려운 질문은 없었다. 나는 여권을 꺼내 번호를 베껴 적고 미국 내 숙소에는 그의 호텔 이름을 적었다. 캐리어에 든 물건의 금전적인 가치를 어렵게 머릿속으로 계산하는 사이 비행기가 방향을 바꾸는 것처럼 기울었다. 귀에 희미하게 이명이 울렸다.

“지금, 벌써 착륙하는 거예요?”

“슬슬 내려가는 거죠. 옆에 보면 이제 땅 보일걸요?”

정말이었다. 먹먹해진 귀를 만지작거리며 내다보자 저 멀리 까마득하게 땅이 내다보였다. 나는 갑자기 긴장으로 몸을 제대로 움직일 수 없었다. 착륙도 착륙이었지만, 저 밑 어딘가에 그가 있었다. 이제 얼굴을 볼 수 있을 때까지 한 시간도 안 남아 있었다.

나는 비행기가 양옆으로 기울며 내려가는 동안 창문에 시선을 고정하고 앉아 있었다. 수많은 정사각형과 직사각형 안에 규칙적으로 배열된 작은 건물들이 보였고, 상하좌우로 곧게 뻗은 길들이 보였다. 어쩐지 컴퓨터 메인보드를 연상하게 하는 풍경이었다.

내려갈수록 작은 건물들은 점점 커졌고, 커다란 주차장이나 초록색 운동장도 보이기 시작했다. 한국어와 영어로 기장의 안내방송이 흘러나왔다. 나는 이번에는 비행기가 점점 땅과 가까워지는 동안 눈을 크게 뜨고 있었다. 기내에서 어딘가 희미하게 아이 울음소리가 들렸다. 고속도로 위 개미처럼 움직이는 차가 보일 정도로 고도가 낮아지고, 작은 브로콜리를 닮은 나무들도 새록새록 나타났다. 실처럼 얇은 가로등도 보였다. 귀가 막혀서 점점 커지는 비행기의 소음도 잘 들리지 않았다.

길 한복판에 착륙할 건가 싶을 정도로 땅이 가까워질 때쯤 활주로 끄트머리가 보였다. 비행기 날개의 그림자가 먼저 땅에 선명하게 닿았다. 무서운 속도로 나무와 건물이 스쳐 지나갔다. 땅과 평행으로 날고 있는 것 같았다.

곧 덜컹, 바퀴가 땅에 닿고, 비행기가 흔들렸다. 날개의 일부가 갑자기 열렸다. 연약한 덮개가 부러질 것처럼 거센 바람에 저항했다. 비행기가 온 힘을 다해 속도를 줄이는 것을 느낄 수 있었다. 회색 아스팔트가 휙휙 지나갔다. 남아 있는 활주로를 다 집어삼킬 것처럼 빠른 속도였다.

나는 비행기가 겨우 원만한 속도로 움직이기 전까지 숨을 쉬지 않았다. 안전벨트 표시등이 꺼지는 부드러운 신호음이 울렸다. 스피커에서 기장의 낮은 목소리가 들리기 시작했다.

"승객 여러분, 우리 비행기는 로스엔젤레스 국제공항에 도착했습니다. 지금 이곳은 9월 22일 오후 3시 24분이며, 기온은 섭씨 23도입니다……."

나는 창문 옆의 벽에 이마를 기대고 탈력감에 눈을 감았다. 이런 거였구나. 열한 시간 만에 밟는 땅에 저릿한 발끝이 오므라들었다. 한번 해 보니 다시 하는 건 어렵지 않을 것 같았다. 비행기가 존재해서 다행이었다. 그의 거실 진열장 속의 여행 사진, 그의 서재 책장 위의 지구본을 보며 내가 상상했던 넓고도 막연한 세상이 이제는 팔 뻗으면 닿을 수 있을 정도의 거리로 좁아져 있었다.

이제는 그가 세상 어디에 있든 따라갈 수 있을 것 같았다. 그가 내게 오지 않으면 한없이 기다리는 대신, 내가 그에게 찾아갈 수 있을 것 같았다.

※

"한국 여권이죠? 이쪽 줄로 와요."

손짓하는 건 옆자리에 앉았던 승객이었다. 비행기가 멈추고 안전벨트 표시등이 꺼지자마자 복도에 생긴 무시무시한 줄 탓에 차례를 기다려서 비행기를 빠져나가기까지 제법 시간이 걸렸다. 뻐근한 다리로 캐리어를 끌고 다른 사람들이 가는 방향대로 따라가니 또 긴 줄이 여러 개 있었다. 이번에는 입국 심사였다.

"LA 공항이 원래 입국 심사 시간이 길어요."

내 감사 인사를 받으며 그녀가 부은 얼굴로 말했다.

"미국 여권이면 낫지만. 짐까지 찾고 하면 한 시간 반 걸릴 때도 있어요."

"……한 시간 반이요?"

그와 만나기로 했던 시간은 4시였다. 마음이 급해져서 핸드폰을 꺼내려 하는데 마침 저쪽에서 제복을 입은 공항 직원이 다른 사람의 핸드폰 사용을 저지하는 것이 보였다. 같은 것을 본 여자가 손목시계를 들여다보고 말했다.

"지금 세 시 반 좀 넘었어요."

"……언제부터 핸드폰 써도 돼요?"

"여기만 통과하면 괜찮을걸요. 영어 공부는 해 오셨어요?"

"영어 공부요?"

"입국 심사 때 질문받잖아요. 제대로 대답 못하면 안 들여보내기도 하는데."

농담 같았는데 얼굴을 보니 아닌 모양이었다. 검색 중에 입국 심사 관련 내용이 있긴 했지만, 시간이 없어서 그냥 넘겼었다.

"보통 뭘 물어보는데요?"

물었더니, 한쪽 볼에 사탕 같은 걸 물고 있는 여자가 잠시 생각에 잠겼다.

"왜 왔는지, 얼마나 있다 갈 건지, 그런 거? 그리고 내키면 다른 질문도. 그냥 그 사람들 맘이에요."

"……네."

최근에 영어 공부를 하긴 했지만, 대부분은 업무와 직접적으로 관련이 있는 내용이었다. 나는 캐리어의 밝은 하늘색을 뚫어져라 보며 머릿속으로 대답을 연습했다. 줄은 무슨 일이 생겼나 싶을 정도로 느리게 움직였다. 결국 입국 심사대 앞, 줄이 여러 개로 갈라지는 지점에 도달한 시간은 4시 10분이었다.

"잘해요, 떨지 말고."

여자가 손을 흔들고 먼저 좁은 통로로 들어갔다. 옆줄에 서 있던 나도 곧 심사관의 손짓에 다가가 여권과 남은 서류를 전부 창구를 통해 밀어 넣었다. 여권을 확인하는 심사관으로부터 여러 개의 질문이 날아왔지만, 나는 이제 긴장할 겨를도 없이 빠르게 벗어나는 것밖에 생각나지 않았다.

여권에 도장을 받고 심사대를 지나자마자 핸드폰을 꺼냈다. 전원이 들어오고 보니 어제 아침 이후로 충전하지 않은 배터리가 간당간당했다. 액정에 뜨는 한국 시간은 내일 오전이었다.

"저기."

비행기 모드를 끄기 위해 화면에 집중하다가, 누군가 어깨를 두드리는 것에 놀라서 고개를 들었다. 아까 옆자리에 앉았던 승객이 막 심사대를 빠져나왔는지 바로 옆에 서서 나를 올려다보고 있었다. 내가 의아하게 쳐다보자 그녀가 슬쩍 콧등을 찌푸렸다.

"이건 그냥, 혹시나 해서 물어보는 건데……."

"네?"

"여기 잠깐 다니러 오신 거죠? 그러니까 계속 살거나 그런 게 아니라."

질문의 의도를 모르겠어서 멍하니 내려다보니, 그녀가 방금 빠져나온 심사대를 향해 대충 손짓하며 부연했다.

"아까 보니 여기 처음 오시는 것 같긴 했는데 그래도 혹시 모르니까 여쭤봤어요. 저는 여기 영주권이라……."

"아…… 네, 저는 이틀 정도 여행 왔어요."

"그럴 것 같았어요. 그럼…… 여행 잘하시고요."

"네, 오늘 계속 도움 주셔서 감사해요."

여자가 손을 흔들며 멀어지고 나자, 그제야 광활한 공간이 눈에 들어왔다. 각종 크기의 여행 가방들이 커다란 컨베이어 벨트를 타고 움직이고, 그 앞에 쇼핑 카트 같은 트롤리를 대동한 수많은 사람들이 기다리고 있었다. 도착한 비행기가 여러 대인지 가방이 쉴 새

없이 벨트 위로 쏟아져 나왔다. 그나마 짐을 부치지 않은 게 다행이라고 생각하면서 시선을 내렸는데, 핸드폰 화면이 까맣게 꺼져 있었다.

"……아……."

안 되는데. 전원 버튼을 눌러 봤지만, 시작 화면에서 다시 맥없이 화면이 꺼졌다. 보조배터리는 비행기에 가지고 탈 수 없다고 해서 두고 왔고, 충전기는 있었지만 당장 꽂을 데가 없어서 소용이 없었다. 나는 불안한 기분으로 일단 가방을 끌고 검사대 앞의 줄을 향해 다가갔다. 일단 최대한 빨리 빠져나가서 충전할 방법을 찾아야 할 것 같았다.

검사대 줄은 길었지만, 줄어드는 건 빨랐다. 내 세관신고서를 받은 검사관이 고개를 끄덕이고 가방을 열지도 않고 그대로 통과시켜 주었다.

나는 얼떨떨한 기분으로 빠져나와 앞서 걷는 사람들을 따라갔다. 한쪽 벽이 푸른 유리로 된 긴 통로가 나타났다. 그 통로의 막다른 끝에서 같은 벽을 끼고 반대편 방향으로 긴 통로가 이어졌다. 그 끝의 드넓은 공항과, 저 멀리 허리 높이의 펜스 뒤로 기다리고 있는 수많은 사람들이 스치듯이 보였다.

나는 그 자리에 뚝 멈춰 섰다. 금발의 외국인 여자가 무거운 가방 세 개를 얹은 트롤리를 밀고 나를 앞질렀다. 그녀가 통로 끝에 도달하기도 전에 어디선가 기쁜 비명이 들려왔다. 여자는 환하게 웃고, 손을 반갑게 흔들며 내 시야각을 벗어났다.

"……."

시간을 확인할 수 없었지만 약속 시간보다 훨씬 늦은 게 분명했다. 그는 지금 저 인파 어딘가에 있을까. 없다면 어디서 찾아야 할까. 나는 마른 입술을 축이며 벽 옆에, 보이지 않는 위치에 붙어 섰다. 캐리어 손잡이를 만지작거리며 제자리에 서 있었다. 가슴이 귀에 소리가 울릴 정도로 빠르게 뛰고 있었다.

내가 망설이는 동안 두어 명의 사람들이 더 트롤리를 밀고 나를 지나쳤다. 나는 저만치 들려오는 기쁨의 소음을 들으며 눈을 감았다가 떴다. 지난 하루 동안 나를 괴롭혔던 불안감이 다시 수면 위로 차올랐다. 그가 나를 보고 반가워하지 않으면 어떻게 할까. 어쩌면 이 모든 게 꿈이 아닌가 싶기도 했다. 이렇게 타지에 도착해 보니 낯익었던 것들도 낯설어졌다. 자신이 없어졌다.

나는 숨을 한 번 들이쉬고 가방을 끌고 통로를 따라 걷기 시작했다. 점점 보이기 시작하는 사람들을 쳐다보지 않고 바닥만 보며 걸음을 재촉했다. 가능한 눈에 띄지 않게 빠져나가고 싶었는데, 통로 끝에서 시야가 갑자기 탁 트이며 사람들이 기다리는 구역이 정면으로 드러났다. 나는 일제히 쏠리는 수많은 사람들의 시선을 받으며 얼어붙었다.

수많은 낯선 얼굴, 낯선 국적의 낯선 사람들. 푸른 조명과 금빛의 햇살이 채운 높고 넓은 공간. 난간 위로 팔을 기대고 통로를 유심히 바라보는 수십 명의 사람들, 목마를 탄 아이들, 누군가의 이름이 쓰인 수많은 하얀 플래카드가 보였다. 금세 나를 지나쳐 통로에 집중하는 수많은 낯선 시선 속에서 나는 더듬거리듯 한 걸음을 내디뎠다.

그리고 저 멀리, 그가 있었다. 나를 기다리고 있는, 나를 알아보고 인파에서 떨어져 나와 통로 안쪽으로 한 걸음 내디딘 그의 큰 키와 단정한 얼굴이 있었다.

정신을 차렸을 때, 나는 이미 달리고 있었다. 꿈에서처럼, 이게 꿈인 것처럼. 가방의 바퀴가 제대로 따라오지 못할 만큼 빠른 속도로 그를 향해 달려갔다. 온몸을 그에게 던지는 동시에 그의 두 팔이 강하게 나를 받아 안았다. 2주 만에 맞닿는 단단한 품에, 낯익고 따스한 체향에, 나는 아무것도 생각나지 않았다. 더 이상 아무것도 불안하지 않았다.

"……팀장님."

그가 내 넘어진 가방 손잡이를 잡고 품에 매달리는 나를 일단 통로 밖으로 이끌었다. 몇 걸음 가지 않아 다시 몸이 그의 품 안으로 깊게 당겨졌다. 으스러뜨릴 것처럼 세게 나를 안고 그가 긴 숨을 내뱉었다. 커다란 손이 내 등을 느리게 쓰다듬었다.

"……팀장님……."

"……."

"제가 너무 늦어서…… 아직 계실 줄 몰랐어요."

나는 그의 얼굴을 눈으로 잡아먹으며 멍하니 말했다. 2주 만에 보는 그는 조금 야위어 있었다. 턱선은 더 날카로워져 있었고, 모양 좋은 입술 표면이 거칠어 보였다. 내 말을 듣고 피곤한 눈매가 느릿하게 휘었다.

"메시지는 왜 확인 안 하고."

"아…… 도착하면서, 배터리가 나가서요."

조금씩 이성이 돌아오면서 나는 우리 쪽을 힐끔거리는 몇 명의 사람들의 시선을 보았다. 경멸이라기보다 호기심이 담긴 시선이었다. 나는 여전히 그의 목을 끌어안은 채로 작게 말했다.

"사람들이 쳐다보는 것 같아요."

"이서단 씨가 나를 보고 그렇게 반가운 티를 냈으니 쳐다보지."

그의 목소리에 웃음기가 묻어 있었다. 나는 어차피 여기는 외국이고 다시 볼 사람들도 아니라는 생각에 그를 안은 팔을 풀지 않았다. 한 팀장은 내 얼굴을 들게 해서 한참 뚫어져라 나를 내려다봤다. 시선이 내 이목구비를 구석구석 살폈다. 내 눈가를 느릿하게 문지른 손가락이 앞머리를 쓸어 넘겼다. 드러난 이마에 그의 입술이 가볍게 닿고, 머물렀다. 뜨거운 시선이 집요하게 내 입술을 훑었다.

"키스하고 싶어 미치겠네."

잠긴 목소리에서 사납게 끓어오르는 욕구가 진득하게 묻어났다. 나는 빠르게 뛰는 심장을 간신히 가라앉혔다. 주변에 서 있는 백여 명을 기억하고 몸을 억지로 그에게서 조금 물렸다.

"몇 시에, 오셨어요?"

"얼마 안 됐습니다."

그가 한 뼘 정도의 거리로 물러난 나를 내려다보며 등에 두른 내 손목을 잡았다. 뜨거운 손이 내 손가락 사이로 빈틈없이 깍지를

겼다.

"일단 나갑시다. 공항 구경하고 싶은 게 아니면."

"……네."

그러고 보니 그는 회사에 돌아가야 하는 시간이었다. 나는 아쉬운 마음으로 그의 품에서 완전히 벗어났다. 손은 여전히 그에게 잡힌 채로 그가 걷는 대로 멍하니 타박타박 따라 걸었다. 나와 내 캐리어를 공항 입구까지 이끈 한 팀장이 내 머리통을 내려다보며 바람 빠지듯이 웃었다.

"용케 길 안 잃어버리고 여기까지 왔네."

"……막상 해 보니 별로 안 어려웠어요."

비행기를 타기부터 지금까지의 반나절 가량이 일주일이라고 해도 믿을 정도로 길었지만, 결과적으로는 무사히 도착했으니 성공한 셈이었다.

"검색하니까 다 나오더라고요. 공항에도 어디로 가야 하는지 다 붙어 있고, 오면서 만난 분들도 친절하게 도와주시고."

"그래요, 다행이네요."

공항 밖으로 나서자 선선한 바람이 불었다. 해가 독기를 잃은 나른한 오후 시간대였다. 택시와 차로 혼잡한 공항 밖 풍경과 그 너머의 거대한 주차장은 한국과 그리 다를 바 없었지만, 공기의 냄새가 낯설었다. 멀리까지 탁 트인 시야 끝에 키 큰 야자나무들이 잡혔다.

"아."

나는 생각이 나서 갑자기 걸음을 멈추었다. 따라서 멈춘 그가 내 얼굴을 들여다봤다.

"생일 축하드려요."

진지하게 말하고 싶었는데 웃음이 입꼬리를 간지럽혔다. 한 팀장은 슬쩍 미간을 찌푸린 표정으로 나를 내려다봤다.

"선물도 사 왔어요."

말로만 때우는 걸로 그가 오해할까 봐 덧붙였다. 한 팀장은 그 말에 결국 희미하게 웃었다. 날카로운 눈꼬리가 누그러졌다.

"이서단 씨가 와 준 걸로 충분합니다."

"미역국도 끓여 드리고 싶었는데."

"……그건 돌아가서 하면 되고. 기내식은 입에 맞았습니까?"

"아…… 신기하긴 했는데 속이 좀 안 좋아서……. 오믈렛이 있었는데 팀장님이 해 주신 거랑은 맛이 달랐어요."

그는 주차장에 주차되어 있는 차 사이로 망설임 없이 나를 이끌었다. 낯선 남색 세단이 소리 없이 헤드라이트를 번쩍였다.

"타세요."

그는 내 손을 놓고 조수석 문을 열어 주고 나서 차 뒤로 돌아가 트렁크에 캐리어를 실었다. 나는 그가 운전석 문 쪽으로 돌아올 때까지 타지 않고 서 있었다.

"왜."

"……아니요."

밝은 햇빛 아래 그와 함께 있는 것이 이상했다. 차 안에 타자 마음이 조금 안정되었지만, 그래도 자꾸만 눈을 들어 그를 확인하지 않으면 불안했다. 한 팀장은 운전석에 앉아 차 문을 닫았지만 시동을 걸지는 않았다. 차 앞유리를 바라보며 아무런 움직임이 없었다. 나는 안전벨트를 매다 말고 그를 올려다봤다.

그의 옆얼굴만 보고도 알 수 있었다. 차 안의 공기가 점점 묵직해지고 팽팽해졌다. 무슨 일이 일어날지 먼저 알아챈 배 속이 울렁거리고 가슴이 빠르게 뛰었다. 떨리는 호흡을 한 번 들이쉬고 입술 안쪽을 물었다. 한 팀장은 여전히 나를 보지 않고 말했다.

"사람들이 지나다닐 수도 있습니다."

"……."

"신경 쓰이면 지금 말하세요."

나는 짧게 망설이다 말없이 고개를 저었고, 그가 나를 볼 수 없다는 걸 깨닫고 먼저 팔을 뻗었다. 그의 어깨에 손이 닿는 동시에 몸이 강하게 끌어당겨졌다. 안전벨트에 하반신이 붙들린 채로 나는 그의 위로 넘어졌다. 눈을 질끈 감은 순간, 두 손으로 내 양 뺨을 감싸 쥔 한 팀장은 그대로 입을 맞췄다.

"흣!"

입술이 닿는 순간 배 속에서 열기가 확 일어났다. 나는 그의 목을 끌어안으며 몸을 바짝 붙이려고 바르작거렸다. 한 팀장은 내 아랫입술을 아프게 깨물며 연약한 살점을 물어뜯을 것처럼 빨아들였다. 그의 입안은 너무 뜨거워서 닿는 것만으로 입술 안쪽이 델 것 같았다. 녹아 버릴 것 같았다.

"하으, 응……."

몸의 가장 내밀한 부위를 맞대듯이 입안의 붉은 속살이 그의 입술과 거칠게 맞비벼졌다. 열기가 진동처럼 퍼져나갔다. 뺨과 귀가 붉게 달아올랐다. 아직 입안에 혀를 넣지도 않고 입술만을 핥고 물던 한 팀장이 내 코끝에 가볍게 입술을 대며 속삭였다.

"숨은 쉬어야지."

"하읍, 아……."

나는 키스가 처음인 것처럼 겨우 코로 숨을 들이쉬었다. 붉어진 눈가에 차례로 입을 맞춘 그가 다시 부어오른 입술을 거칠게 삼켰다. 그 안쪽의 살을 빨아들여 핥고 잇자국을 냈다. 심장이 너무 뛰어서 나는 눈을 다시 떴다가 감았다. 그의 검은 눈동자가 선명하게 시야에 잡혔다.

"읏, 팀장님도, 흐읏."

발음이 뭉개져서 나왔다. 그의 혀끝이 입술과 입안의 경계선을 뭉근하게 덧그리고 있었다.

"눈, 흣, 감으……."

"나중에."

숨소리가 섞인 그의 낮은 목소리는 억누른 듯이 들끓고 있었다. 긴장감을 못 참고 먼저 그의 입술 안쪽으로 숨어들어 가려는 내 혀를 그가 단단한 이로 잡아챘다. 인내심이 부족했던 죄목으로 내 혀끝은 아프게 자근자근 깨물리는 응징을 당했다. 내가 그에게로 달라붙으며 몸을 떨자 그제야 그는 빨갛게 달아오른 혀를 달래듯 부드럽게 핥아 주었다. 맞닿은 혀의 감촉에 꼬리뼈까지 전부 저릿했다.

"응, 으응……. 흐읏……."

"혀 넣어 달라고, 말해 봐요."

그가 입술을 붙인 채로 속삭였다. 나만큼이나 그도 숨이 거칠어져 있었다. 꽉 맞닿은 몸이 함께 들썩였다.

"넣어서, 안쪽까지 핥아 달라고, 해 봐."

"흣, 응, 팀…… 으읏, 팀장님."

달아오른 혀가 말을 듣지 않았다. 이 상황에서도 뜸 들일 여유가 있는 그가 원망스러웠다. 나는 입술을 벌린 채로 헐떡이며 말했다.

"그냥 제가, 넣을게요. 읏, 제가 할 테니까……."

열 오른 머릿속이 녹을 것 같았다.

"흣, 팀장님이, 입 벌리세요."

맞닿은 그의 입술이 호선을 그렸다. 그리고 그는 어디 해 보라는 듯이 다물려 있던 입술을 살짝 벌려 내가 간절하게 바라던 틈새를 내주었다. 나는 갖고 싶은 것을 집어삼키듯이 그의 입안으로 내 혀를 찔러 넣었다. 반듯한 이 사이를 통과해 그의 혀가 있는 뒤쪽으로 파고들었다.

"아, 흐읍……."

젖은 소리가 났다. 그의 입안은 닿아 있는 피부의 체온보다도 뜨거웠고, 믿을 수 없을 정도로 달콤했다. 나는 눈을 질끈 감은 채로 혀뿌리가 아플 때까지 혀를 내어 그의 입천장과 뺨 안쪽의 점막을 필사적으로 핥았다. 그가 언젠가 했던 것을 따라하듯이 그의 입안의 윤곽을 탐색했다. 뒤쪽까지 닿지 않아 각도를 바꾸는 사이에 코가 아프게 부딪쳤다. 열 오른 머리에는 찡한 통증마저도 쾌감이었다.

"……."

입술이 가깝게 맞물린 채로 그가 뭔가 중얼거렸다. 언어가 되기 이전의 사나운 울림이 내 몸속을 떨림처럼 파고들었다. 그가 목을 두른 내 손목을 잡아 내렸다.

"흣!"

그리고 압도적인 힘의 차이로 순식간에 자세가 뒤바뀌었다. 조수석으로 밀린 내 몸이 등받이에 눌리고, 그가 내 위로 올라탔다. 언제 레버를 눌렀는지 등받이가 확 뒤로 젖혀졌다. 몸이 눕혀지며 내가 반사적으로 내지른 소리를 그의 입술이 먹어 치웠다.

"흐읍, 아, 아읏……."

두 손목이 잡혀 몸 앞으로 결박당했다. 온몸이 그의 무게에 꼼짝없이 짓눌려 있었다. 나를 움직일 수 없게 포박한 채로 그는 내게서 입술을 떼었다. 젖은 소리가 울렸다.

나는 눈을 떴고, 그의 검은 눈에 적나라하게 드러난 욕망을 보고 얼른 다시 눈꺼풀을 닫았다. 심장이 어지러울 정도로 가파르게 뛰고 있었다.

"여기서 내가 끝까지 못 할 것 같지."

거친 울림이 남아 있는 목소리로 그가 느리게 물었다.

"그러게 왜 감당하지 못할 짓을 저질러."

"흐읏!"

내 발기한 성기 위를 짓누른 딱딱한 허벅지가 고의적으로 움직였다. 나는 몸을 떨면서 발끝을 오므렸다. 팔이 붙들려 그를 안을 수는 없었지만 떨어진 입술을 붙이고 싶어 고개를 들었다.

"흐, 으읏!"

하얗게 드러난 목을 그가 깨물었다. 번쩍 찾아든 통증은 잇자국에 그의 입술이 닿자 뭉근한 쾌감으로 변질되었다. 그는 쇄골 사이의 움푹 들어간 부분을 혀를 내어 핥고 입술로 빨아들였다. 뜨거운 입안으로 연한 살이 빨려 들어갔다. 온몸이 그의 모든 움직임에 반응하는 것처럼 예민하게 떨렸다.

"흐으응, 아, 아, 아으……."

자국이 남을 게 분명했고, 보일 게 분명했다. 그도 나도 그 사실을 전혀 신경 쓰지 않았다. 느릿하게 목을 타고 오른 입술이 턱 끝에 쪼듯이 가볍게 입을 맞췄다. 방금 전까지의 격렬한 기세와는 딴판인 부드러운 접촉에 내가 긴장의 끈을 잠시 푼 사이, 마침내 입술이 맞물렸다. 그는 이번에는 예고도 준비도 없이 내 입안으로 혀를 밀어 넣었다.

"흐으읍!"

아까의 내 키스가 얼마나 서툰지를 보여 주려는 것처럼 뜨거운 혀가 순식간에 내 혀를 휘감았다. 그토록 기다리던 접촉이었다. 맞비벼지는 마찰이 너무 좋아서 나는 이대로 죽어도 괜찮을 것 같았다. 숨을 쉬는 걸 자꾸 잊어서 그가 내 코를 톡톡 두드려야 했다. 숨이 가빠서 몸이 들썩이면 그는 잠시 몸을 뒤로 물렸고, 내가 정신을 차리면 다시 손끝으로 입술을 헤집어 벌리게 하고, 거칠고 깊게 키스했다. 그의 혀가 입안의 모든 표면을 핥고 문질러 달아오르게 했다. 나는 그가 이쯤이면 됐다고 물러날까 봐 입술을 오므렸다.

"하읏……."

스읏, 방해에 굴하지 않고 느리게 빠져나간 혀가 다시 안쪽을 범하듯 미끄러져 들어왔다. 그가 내 뒷머리를 꽉 잡고 목을 젖히게 해서 목구멍으로 이어지는 연약한 살까지 혀끝으로 짓눌렀다. 거칠게 빠져나가고 짓쳐들어오는 움직임이 적나라한 삽입 행위를 연상시켰다. 그가 범할 수 있도록 얌전히 입을 벌린 채로 나는 결박된 손가락을 열심히 뻗어 그의 셔츠를 그러쥐었다. 진한 쾌감이 머릿속을 할퀴고 눈꺼풀 뒤를 붉게 물들였다.

"하읍, 흣, 응……. 아으……."

젖은 소리가 나며 입술이 천천히 떨어졌다. 부어올라 욱신거리는 내 입술 위로 쪽, 쪽, 몇 번의 가볍고 달큼한 입맞춤이 내려앉았다. 가까스로 눈을 떠 보니 그의 얼굴이 여전히 코가 맞닿을 정도의 거리에 있었다.

쪽, 멍하니 올려다보다가 턱을 살짝 들어 입을 맞췄더니 그가 웃었다. 날카로운 눈매가 부드러워졌다.

"더 하자고 눈으로 졸라도 소용없습니다."

그러면서 쪽, 그도 입을 맞춰 주었다. 나는 하루 종일 여기서 키스만 해도 좋을 것 같았다. 그가 몸을 일으켜 깔끔하게 자리로 돌아가는 것이 불만스러웠다. 그가 회사로 돌아가야 한다는 것을 기억해 내지 못했다면 레버를 당겨 등받이를 조절하는 대신 그의 소매를 잡아끌었을지도 모른다.

한 팀장은 핸들을 잡고 길게 숨을 한 번 내뱉고 시동을 걸었다. 나는 차가 매끄럽게 주차장에서 빠져나가는 사이에 흐트러진 옷차림과 머릿속을 겨우 정돈했다. 거대한 야자수가 늘어선 커다란 교차로에 차가 멈춰 섰을 때에서야 어느 정도 침착하게 물을 수 있었다.

"이제 회사 가시는 거예요?"

그가 내 쪽을 힐끗 돌아봤다.

"이서단 씨를 호텔에 먼저 내려 줄 겁니다. 나는 회사 돌아가서 오늘 안에 마무리하기 위해 좀 늦게까지 일해야 할 것 같고."

"……몇 시까지요?"

"정확한 시간은 모르겠지만, 저녁 시간은 넘길 것 같습니다. 이서단 씨는 일단 좀 쉬고, 배고프면 룸서비스 시켜 먹고 있어요."

그가 부드럽게 차를 출발시켰다. 차 기종이 달라서 그런지 몸에 전해지는 진동도 달랐다. 나는 그의 운전에 몸을 온전히 맡기고 햇빛이 점점 나른하게 가라앉는 거리를 내다봤다. 구름이 투명할 정도로 엷게 커튼처럼 하늘에 서려 있었다. 공기가 빛을 머금어 희미하게 반짝이고 있는 것 같았다.

"여행 온 것 같아요."

나만 여행이고 그는 출장이었지만, 내가 바라보는 하늘로 힐끗 시선을 던진 그가 선선하게 동의했다.

"그렇네요."

"추석 때 길게 가기로 했는데……."

"그거랑 이게 무슨 상관입니까. 추석 때는 그때대로 가야지."

차가 매끄럽게 웅장한 호텔 드라이브웨이로 접어들었다. 도착하는데 시간이 좀 걸릴 줄 알았던 나는 당황했다.

"여기예요?"

"1607호. 열쇠는 여기 있으니까 길 잃어버리지 말고 올라가요. 연락할 테니까 핸드폰 충전해 놓고."

그가 카드키를 내게 내밀며 말했다. 내가 제대로 대답할 새도 없이 차 문이 열렸다. 제복 입은 직원이 뒤로 돌아가 트렁크에서 내 캐리어를 꺼냈다.

"그럼…… 오늘 밤에 뵈어요."

나는 어쩔 줄 모르고 열린 문을 통해 그에게 말했다. 한 팀장은 가볍게 고개를 끄덕이고 내가 문을 닫자마자 차를 출발시켰다. 다시 만난 지 얼마 됐다고 시야에서 사라지는 차체의 모습에 가슴이 시큰거렸다.

멍하니 서 있다가 손을 뻗어 내 캐리어를 끌고 커다란 문을 통과했다. 화려한 로비였다. 거대한 공간 곳곳에는 하얀 대리석 기둥이 높은 천장까지 뻗어 있었고, 기하학적인 모양의 샹들리에가 매달려 있었다. 한쪽 벽면을 차지한 유리로는 덱 체어와 야자수, 땅콩 모양의 파란 수영장이 있는 안뜰이 내다보였다. 나는 로비의 안락한 소파와 테이블, 한가하게 커피를 마시는 사람들을 구경하기 위해 잠시 걸음을 멈췄다. 어딘가의 스피커에서 라이브라고 해도 믿을 음질의 재즈 음악이 들려오고 있었다.

그와 여기서 앉아서 쉴 시간이 나면 좋을 텐데. 나중에 사진이라도 찍어야겠다고 생각하며 나는 엘리베이터에 올랐다. 16층. 버튼을 눌러 놓고 기다리며 그를 만나던 또 다른 호텔을 떠올렸다. 그때 매주 보던 호텔 로비는 샹들리에가 있었다는 것을 빼고는 기억도 잘 나지 않았다. 주변을 둘러볼 여유 없이 오로지 그가 기다리던 호텔방에 온 신경이 집중되어 있었기 때문이다. 그때 결국 그를 호텔에서 만난 건 몇 번이었을까. 언젠가부터 그의 집에서 만나기 시작했고, 결국 열세 번을 다 채우지도 못하고 관계가 다른 국면으로 접어들었다. 세계 반대편의 호텔 16층 복도에서 나는 그때를 새삼스럽게 떠올렸다. 올해 초라기보다는 몇 년 전처럼 느껴지는 까마득한 일들이었다.

문을 열고 들어간 호텔방은 깔끔하고 널찍했다. 입구 근처에 킹사이즈보다도 조금 커 보이는 침대가 있었고, 그 양옆에 갓 모양의 침실등이 놓여 있는 협탁이 두 개 있었다. 방 맞은편의 발코니로 나가는 통유리 옆에는 작고 동그란 소파 테이블과 일인용 소파 두 개, 업무용 책상과 바퀴 달린 가죽 오피스 체어가 있었다. 나는 방 안의 차분한 갈색 때문에 유난히 튀어 보이는 하늘색 캐리어를 문 옆에 주차하고 주름 하나 없는 하얀 침대 시트 위로 어색하게 걸터앉았다.

피곤하지 않다고 생각했는데 막상 푹신한 매트리스의 탄력을 느끼니 좁은 비행기 좌석에서 내내 긴장해 있던 몸이 무거워졌다. 머리도 조금 지끈거리는 것 같았다. 나는 침대 맞은편의 검은 TV 화면에 반사된 내 얼굴을 보며 한동안 멍하니 앉아 있다가 일어서서 가방을 뒤졌다. 열린 캐리어 안에 배낭을 넣고, 핸드폰과 충전기를 꺼내 그의 충전기가 꽂혀 있던 협탁 옆의 어댑터에 연결시켰다.

핸드폰을 켜자 잠금 화면에 뜨는 시간이 그새 이곳의 시간으로 바뀌어 있었다. 알아서 위치를 간파한 모양이었다. 내가 화면을 내려다보며 시차를 계산하는 동안 드르륵드르륵 소리와 함께 메시지가 하나둘씩 들어오기 시작했다. 사수의 이름이 보여서 눌렀더니 내가 마지막으로 보낸 메시지가 안 보일 정도로 뭐가 많이 와 있었다.

주로 사수가 키우는 강아지 사진이었다. 그 아래로 [여행 잘 다녀와요!] [다녀와서 후기!]라는 메시지가 있는 걸 보니, 내가 회사에서 보인 모습 때문에 걱정이 된 모양이었다.

나는 [답장이 늦어서 죄송해요]로 시작하는 장문의 메시지를 적다가 결국 다시 지우고 간단하게 적었다. [주말 잘 보내세요. 돌아가면 연락 드릴게요!]

그리고 앱의 메인 화면으로 돌아가니 한 팀장과의 대화방에도 불이 들어와 있었다. 그 사이 그에게서 연락이 왔나 싶어 빠르게 그의 이름을 누르자, 주르륵 메시지가 나타났다. 맨 밑에는 [밖에서 기다리고 있으니까 수속 밟고 나와요.] [어딥니까? 못 찾겠으면 전화하세요.]와 같은 메시지가 있었고, 스크롤을 올리니 내가 마지막으로 보냈던 메시지에 대한 그의 답장이 있었다. 반나절 전, 내가 아직 비행기 안에서 이륙을 기다릴 때 도착한 메시지였다.

[항공기 사고의 확률은 통계적으로 매우 낮습니다.]

[걱정하지 말고 마음 편안히 먹고 와요. 잠이 안 오면 승무원에게 와인이라도 부탁하고.]

스크롤을 더 내리니 그가 공항에서 보냈을 메시지 위로 다섯 글자와 마침표로 이루어진 짧은 문장이 있었다. 나는 담백하고 네모난 글자를 한참 내려다보다가 스크린샷을 찍어 저장했다. 확대해서 글자를 눈으로 먹기라도 할 듯이 화면을 들여다보며 가만히 숨을 쉬었다. 창밖 늦오후의 나른한 햇빛이 뼈와 살을 투과해 내 심장을 직접적으로 어루만지는 것 같았다.

눈꺼풀이 무거워질 때쯤 애써 자리에서 일어났다. 편한 옷을 가지고 욕실에 들어가 샤워를 하고, 이를 닦았다. 뜨거운 물줄기를 맞은 몸은 점점 더 노곤해졌다. 머리를 조금 덜 말리고 욕실에서 나왔을 때는 침대밖에 눈에 들어오지 않았다. 나는 신발을 벗고 바스락거리는 이불 밑으로 기어들어 갔다. 그의 체향이 조금 남아 있는 것 같은 베개에 뺨을 묻고 거의 곧바로 잠이 들었다.

⁂

눈을 떴을 때는 방 안이 어두웠다. 나는 어둠 속에서 눈을 깜박이며 이곳이 어딘지 기억해 내려고 애썼다. 낯선 침구의 감촉이 빳빳하고 어색했다. 천천히 뻗은 손이 침대 머리에 닿았을 때에서야 기억이 났다.

"……으."

몸도 머리도 두들겨 맞은 것처럼 무거웠다. 건조해진 손가락으로 옆을 더듬어 침실등의 스위치를 찾았다. 노랗고 고즈넉한 조명이 들어왔다. 그새 충전을 마친 핸드폰에는 저녁 7시 20분이라는 시간이 떠올라 있었고, 그에게서 메시지가 도착해 있었다.

[일어나면 전화하세요.]

나는 침대 머리에 상체를 기대고 몇 번 뻑뻑한 눈을 깜박인 후 핸드폰을 충전기에서 빼내 통화 버튼을 눌렀다. 신호음이 여러 번 가는 동안 희미한 노란빛으로 물든 호텔방 안을 응시했다. 창문으로 보이던 이국적인 경치는 이제 고층 건물이 화려하게 빛나는 야경이 되어 있었다.

-좀 쉬었습니까?

전화를 받은 그의 목소리는 조용했다. 자는 동안 마음의 껍데기가 벗겨진 것처럼 연약해진 나는 그가 다른 나라도 아니고 가까운 곳에 있다는 것을 알면서도 습관처럼 목이 메었다. 평소와 같은 목소리를 내기 위해 핸드폰을 조금 귀에서 떼고 숨을 삼켜야 했다.

"이제 일어났어요. 지금 통화 괜찮으세요?"

-잠깐이면 괜찮습니다. 저녁은 어떻게 할 생각입니까?

"……모르겠어요. 팀장님은요?"

-나는 여기 팀원들과 먹어야 할 것 같습니다. 이서단 씨도 뭘 좀

먹고 더 쉬고 있어요. 침대 옆 전화기 밑에 룸서비스 시키는 방법이 나와 있습니다. 아니면 호텔 식당에 가 봐도 되고.

낯설고 어두운 호텔방에서 듣는 목소리는 평소보다도 더 낮고 매력적이었다. 나는 부스스 몸을 일으켜서 차가운 발끝으로 신발을 찾아 끌어왔다. 모가 짧은 카펫이 발가락을 간질였다.

"걱정하지 마시고 일 다 끝내고 오세요. 저는 쉬다가 심심해지면 나갔다 오든지 할게요."

-……나갈 거면 옷 든든히 입어요. 밤에는 기온이 떨어집니다.

"네."

-길 잃어버리면 전화하고.

"……네, 밤에 뵈어요."

-그래요.

전화를 끊고 나는 반대편 협탁에 있는 침실등도 켰다. 그 옆에는 전화기가 있었고, 그의 말대로 한국어를 포함한 여러 언어로 룸서비스 사용법이 자세하게 나와 있는 코팅된 카드와 메뉴가 있었다. 나는 메뉴를 대충 보다가 내려놓았다. 방금까지 잠을 자서인지 그렇게 배가 고프지는 않았다.

세수를 하고 커튼을 친 후 옷을 갈아입었다. 짐을 급하게 싸다 보니 캐리어 안에 뒤섞인 옷은 다양했다. 그가 사다 놓은 옷도 있었고 내가 그의 집에 머무는 동안 입으려고 갖다 놓은 출근용 셔츠도 있었다. 나는 처음 입어 보는 낙낙한 검은 반팔 티셔츠에 연한 빛깔의 청바지를 걸치고 얇은 겉옷을 챙긴 후 침대 위에 걸터앉았다. 핸드폰으로 간단한 검색을 마친 후에 배낭에 지갑과 여권, 카드키만 챙기고 방을 나섰다.

호텔 로비에는 들어왔을 때보다 사람들이 많아져 있었다. 두런두런한 소음에 맞춰 조명도 조금 밝아지고 배경에 깔린 음악의 볼륨도 조금 높아진 느낌이었다. 야외에도 따로 조명이 설치되어 있는지 수영장과 그 옆의 야자수들이 어둠 속에서 밝게 빛나고 있었다. 밖의 덱 체어에도 아직 사람들이 보였다.

호텔을 벗어나자 밖의 거리는 완전히 딴판이었다. 하얀 가로등 불빛 아래 도로에는 차들이 많았지만, 인도로 걸어 다니는 사람은 거의 없어 보였다. 그의 말대로 공기가 쌀쌀해서 나는 겉옷을 걸치고 걸음을 재촉했다. 환하게 불을 밝힌 다른 호텔들과 레스토랑, 상점을 지났다. 멀리서 봤을 때는 가늘게만 보였던 야자수의 둥치는 가까이에서 보자 실제로 가로등보다도 훨씬 굵고 안정적이었다.

나는 지도도 확인하지 않고 계속 걸었다. 도로가 복잡하지 않고 격자무늬처럼 규칙적으로 짜여 있어서 길을 찾는 게 어렵지 않았다. 정확하게 15분을 걸어서, 검색했던 가게가 닫기 직전에 도착할 수 있었다. 반쯤 내려온 셔터를 보자 나는 마음이 급해져서 환한 진열장을 뚫어져라 들여다봤다. 작은 종이에 인쇄된 이름 중에는 모르는 것도 많았다.

결국 나는 카운터 뒤의 점원을 붙잡고 서툰 영어로 물었다.

"어떤 게, 제일 안 달아요?"

수염이 있는 점원은 알아듣는 눈치였다. 그의 손가락이 유리 위를 오가다가 탁, 자신 있게 한 케이크 위를 가리켰다. 당근 모양의 아이싱이 올라가 있는 케이크였다.

내가 고개를 젓자 점원은 또 고민하다가 이번에는 진열장 반대편을 가리켰다. 하얀 크림 아이싱으로 덮인 귀여운 케이크였다. 앞의 작은 팻말을 봐도 뭔지는 알 수 없었지만 가게 안은 파장 분위기였고, 계산대 뒤의 점원이 나를 기다리고 있었다. 나는 결국 고개를 끄덕였다. 점원은 케이크를 아기 다루듯 조심스럽게 꺼내서 종이 박스에 넣어 주었다. 나는 지갑을 꺼내 빳빳한 지폐를 건네고 여러 장을 거슬러 받았다. 카운터 옆에는 각종 모양의 초가 걸려 있었다.

나는 고민하다가 가느다란 초 두 개를 샀다. 점원은 초를 따로 포장해서 케이크가 든 박스와 비닐봉지를 내 손에 들려 주었다. 나는 그렇게 그가 좋아할지 모르는 케이크와 그가 별로 좋아하지 않을 것이 확실한 초를 들고 다시 거리로 나섰다.

몸이 어느 정도 적응을 마쳤는지 이번에는 배가 갑자기 아플 정도로 고팠다. 나는 룸서비스 메뉴를 떠올리며 호텔로 돌아가려다가 길거리에 가만히 멈췄다. 오히려 한국에서는 혼자 식당에 들어가는 것이 달갑지 않았는데, 혼자 외국의 거리를 헤매고 있자 그동안 신경 썼던 것들이 부질없게 느껴졌다. 나는 방향을 틀어 근처의 식당 문을 충동적으로 열고 들어갔다. 사람으로 가득 찬 시끄럽고 좁은 실내와 낡고 허름한 인테리어에 순간적으로 당황했지만, 마음을 다잡고 하나 남은 빈 테이블에 앉았다. 부엌이 다 들여다보이는 카운터에서 무사히 주문을 마치고, 소시지가 두 개나 들어간 칠리 핫도 그와 굵게 썰린 감자튀김 한 접시, 거대한 텀블러에 든 콜라까지 깔끔하게 먹어 치웠다.

그러고 나자 소문난 맛집을 찾아가서 밥을 먹은 것도 아니고 대단한 모험을 한 것도 아닌데 호텔로 돌아가는 발걸음이 가벼웠다. 눈이 닿는 거리의 모든 풍경이 반짝일 정도로 마음이 들뜨는 걸 보니 아무래도 나는 여행을 좋아하는 모양이었다.

나는 호텔방 안의 작은 미니바에 케이크를 넣어 놓고 TV를 틀었다가 다시 끈 후 책과 핸드폰을 들고 호텔 로비로 내려왔다. 아까보다 한산해진 로비에서 마음에 드는 자리를 골라 앉고 로비 안의 카페에서 커피를 시켜 마셨다. 9시 반이 조금 못 된 시간이었다.

10시가 막 넘었을 때 그에게 거의 다 끝났다는 메시지가 왔다.

[열한 시 정도면 도착할 겁니다. 저녁은 먹었습니까?]

[핫도그 사 먹었어요. 팀장님은요?]

나는 그에게 아까 찍은 사진을 보냈다. 조명이 어두운 식당이라 접시 위에 있는 것은 핫도그라기보다 어두운 덩어리로 보였다.

[나갔다 왔습니까?]

[네, 밥 먹으러요]

[지금은 다시 호텔이고?]

[네, 오실 때까지 쉬고 있을게요. 천천히 오세요!]

재촉처럼 느껴질까 봐 로비에 있다는 말은 하지 않았다. 나는 책을 반 정도 끝내고 실로 된 책갈피를 꽂아 내려놓았다. 늦은 밤 환하게 밝혀진 입구로 캐리어를 끌고 들어오는 사람들을 지켜보기 시작했다. 대부분은 정장 차림이었고, 피곤해 보이는 얼굴이었다. 그들은 프런트에 들렀다가 카드키를 쥐고 내가 있는 로비를 지나 엘리베이터를 타고 올라갔다. 오늘 체크인하는 게 아닌지 프런트를 거치지 않고 곧장 내 옆을 스쳐가는 사람들도 있었다. 지난 2주간의 그를 보고 있는 기분이 들었다.

문 옆의 긴 유리 창문에 시선을 집중하고 있으면 밝은 금빛 조명이 들어온 호텔 드라이브웨이와 그곳에 멈춰 서는 차와 택시가 내다보였다. 그래서 나는 한 팀장이 문을 열고 들어오기 전에 미리 그가 도착한 것을 알고 있었다. 드문드문 차의 남색과 운전석 쪽으로 돌아가는 직원의 실루엣이 잡히고, 자동문이 크게 열렸다. 정장 재킷을 한 팔에 걸친 그는 처음에는 나를 보지 못했다. 검고 반질반질한 고급 구두가 소리 없이 로비의 카펫 위를 밟았다. 빠르고 정확한 걸음걸이였다.

나는 가까워지는 남자의 놀라울 정도로 잘생긴 얼굴, 하루 종일 입었어도 여전히 주름이 맵시 있게 잡혀 있는 셔츠와 바지를 멀리서부터 관음했다. 처음 만나는 타인인 것처럼, 우연히 여행 온 호텔의 로비에서 그를 마주친 것처럼. 굳게 다물린 입술도, 깔끔하게 넘긴 앞머리 밑의 반듯한 이마도, 날카로운 눈매와 높은 콧대도 그가 웃는 얼굴을 상상할 수 없을 정도로 차갑고 이지적이었다. 감히 한마디 붙이기도 어려울 것처럼, 그 누구에게도 마음을 내주지 않을 것처럼.

나는 시린 건지 설레는 건지 알 수 없는 울렁거리는 가슴으로 그의 가까워지는 걸음을, 나를 보지 못하고 내 옆을 스쳐 지나려는 모습을 응시했다. 마지막 순간, 그가 완전히 나를 지나치려는 순간 일어서며 팔을 뻗었다. 그의 팔을 스친 손끝이 그의 팔꿈치 쪽의 소매를 잡아챘다. 뒤로 당겨진 남자는 눈살을 찌푸린 채로 나를 향해 돌아섰다. 짜증스럽게 일자로 다물렸던 입술이 나를 보자 조금 벌어지며 혈색으로 붉어졌다. 무심하던 눈에 순식간에 놀라움과 온기가 스몄다.

"여기서 뭐 합니까."

"……팀장님."

왠지 그가 나를 몰라볼지도 모른다고 생각했던 나는 여전히 그의 옷소매를 잡은 채로 중얼거렸다. 다가온 그가 빈 커피잔과 책이 있는 내 작은 테이블을 내려다본 후 한 손으로 내 머리를 가볍게 헝클었다.

"로비에서 할 게 뭐가 있다고."

"……그냥 여기가 좋아서요."

나는 왠지 모르게 그의 서류 가방을 대신 들어 주고 싶었지만, 그가 허락하지 않았다. 오히려 내 책을 빼앗아 간 그와 나란히 서서 엘리베이터를 기다리고, 16층까지 타고 올라갔다. 복도의 카펫 위를 함께 밟았다.

방문 앞에 도착하자, 카드키를 꺼내는 내게 그가 뜬금없이 말했다.

"같이 들어가는 건 처음인 것 같은데."

"……그때, 설 때 같이 들어갔잖아요. 팀장님 늦으셨을 때."

"……아."

내가 문 밖에서 그를 기다려 같이 들어갔던 것은 그날이 처음이었다. 내 말을 듣고 눈썹 사이를 슬쩍 찌푸린 한 팀장이 내게서 카드키를 가져가 문을 열었다. 찰칵, 소리와 함께 방 안의 어둠이 드러났다.

그때 나는 충동적으로 말했다.

"팀장님 먼저 들어가세요."

"……왜?"

"제가 노크할게요. 그때 문 열어 주세요."

그는 이해되지 않는다는 표정으로 나를 내려다봤지만, 순순히 먼저 방 안으로 들어갔다. 무거운 방문이 깔끔하게 닫혔다.

나는 고요하고 어슴푸레한 복도에서 땀이 차는 손바닥을 허벅지에 문질러 닦았다. 문 너머에 있을 그를 생각했다. 그가 세상 그 어떤 것보다 무섭고 원망스러웠던 시절처럼. 심장이 너무 두근거려서 입술이 바짝 말랐다. 그리고 나는 천천히 손을 들어 단단한 나무의 표면을 두드렸다.

문이 열리고, 알 수 없는 표정의 그의 얼굴이 보였다. 나는 안으로 들어서서 등 뒤로 문을 닫고 그의 앞에 무릎을 꿇었다.

"이서단 씨."

"……하게 해 주세요."

나를 제지하려는 그의 손을 피해서 그의 바지 앞섶으로 손을 가져갔다. 조금 떨리는 손으로 그의 버클을 빠르게 풀고, 지퍼를 내려 속옷를 드러냈다. 얇은 천 너머의 불룩한 성기 위로 가볍게 입을 맞췄다.

그는 짧게 숨을 토해 낼 뿐 더는 나를 뿌리치려 하지 않았다. 무릎으로 서 있자니 다리가 아파서 나는 그의 단단한 허벅지를 잡아 몸을 지탱했다. 입술을 다시 붙이기 전에 점점 팽팽해지는 속옷의 천 위로 뺨을 비볐다. 뭉근한 열기가 전해져 왔다.

"왜 이래, 오늘."

그의 말끝이 거칠었다. 눈앞에 있는 흥분의 증거가 아니었으면 화가 났다고 여겼을지도 모른다. 나는 대답하지 않고 입술로 묵직한 기둥의 형체를 더듬고, 혀끝으로 두어 번 핥았다. 서툰 움직임이라 간지럽게만 느껴졌을 테지만, 그의 자세가 잠시 흔들렸다.

"할 거면 침대 가서 해요."

"……네."

아무래도 그가 서 있기 불편한 것 같아 나는 무릎으로 고분고분 물러났다. 한 팀장은 짧은 숨을 내쉬며 나를 등지고 소매의 단추와 타이를 끌렀다. 흐트러진 복장으로 침대 끝에 걸터앉은 그가 나직하게 말했다.

"이리 와요."

"……다리, 벌려 주셔야……."

그의 앞까지 무릎걸음으로 다가갔지만 다리 사이에 앉을 틈이 없었다. 그의 무릎을 잡고 올려다보자 그의 입술이 핏기를 잃을 정도로 굳게 다물렸다. 뻗어 나온 팔이 내 어깨를 잡고 몸을 일으켰다.

"흣!"

그의 품에 꽉 안긴 채로 침대 위를 뒹굴었다. 퍼즐처럼 몸의 허전한 곳이 메워지고, 낯익은 체향에 몸이 잠기는 느낌이었다. 반드시 그의 성기를 입에 담고 말겠다는 다짐도 잊고, 나는 그의 등을 끌어안았다. 그의 다리에 내 다리를 얽고 단단한 가슴에 코를 비볐다.

"위험한 줄도 모르고 발정이 나서는."

몇 바퀴 구른 끝에 결국 그의 몸 밑에 꼼짝없이 깔렸다. 끝이 갈라진 낮은 목소리가 귀에 닿았다. 가슴이 웅웅 기분 좋게 울렸다.

"목 다치고 싶은 게 아니면 나중에 하세요. 두 주 만이라 나도 통제할 자신이 없습니다."

"……그래도."

"씻고 올 테니 선물이나 꺼내 봐요. 사 왔다면서."

그가 스륵 내 위에서 몸을 물렸다. 내가 아쉬움에 잠시 멍하니 누워 있다가 일어나 앉았을 때는 이미 욕실 문이 닫혀 있었다. 곧 샤워기 물소리가 들리기 시작했다.

그가 목욕 가운을 걸치고 나왔을 때는 창문 옆의 작은 소파 테이블에 초가 두 개 꽂힌 하얀 케이크가 차려져 있었다. 그 옆에 앉아 있던 나는 그를 보고 몸을 일으켰다. 머리를 수건으로 털던 그가 내 쪽을 보고 눈썹을 들어 올렸다. 별로 놀라는 표정도 아니었다.

"별로 안 달대요."

직원의 말을 전적으로 신뢰하며 나는 말했다.

"팀장님 라이터 있으시죠?"

"……."

대답 없이 내게서 등을 돌리고 미니바를 연 그가 안에 든 병을 꺼냈다. 얇은 플루트 잔 두 개도 어디선가 나타났다. 손가락 사이로 잔을 대충 끼운 그가 내 쪽으로 걸어왔다. 로브로 감싸인 그의 몸에서 물 냄새와 낯선 비누 향기가 났다. 머리에는 여전히 물기가 남아 있었다.

"이서단 씨가 축하를 해 주고 싶어하니."

"……."

"샴페인이나 한잔할까 했는데."

잔을 케이크 옆으로 내려놓은 그가 한숨을 뱉었다.

"초까지는 괜찮으니까 노래만 부르지 맙시다. 제발."

"……한 소절만……."

"안 됩니다."

"……네."

나는 빠르게 포기하고 그를 맞은편 소파에 앉혔다. 그가 가느다란 잔에 금빛의 샴페인을 따르는 동안 나는 그가 내준 라이터로 초에 불을 붙였다. 초 하나는 핑크색, 하나는 초록색이었다. 날렵하고 아름다운 불꽃 두 개가 하얀 케이크 위로 타올랐다.

"왜 두 갭니까."

내가 핸드폰 카메라를 켜기 위해 갈팡질팡하고 있는데 그가 삐딱하게 물었다.

"나이와도 아무런 연관이 없고."

"……그래도 한 개보다는 두 개가 나을 것 같아서……."

카메라가 드디어 켜졌다. 나는 초 두 개가 타오르는 케이크를 앞에 둔 그의 사진을 연달아 찍었다. 촛농이 케이크 위로 느리게 흘러내리고 있었다.

"이제 불어 꺼 주세요."

동영상 기능을 켜며 말했다. 내 얼굴을 힐끗 본 그가 결국 포기한 듯 웃었다. 눈을 접고 웃는 얼굴로 몸을 조금 굽혀 깔끔하게 촛불 두 개를 불어 껐다. 나는 그의 부드럽게 올라간 입꼬리와 초에서 피어오르는 하얀 연기까지 전부 화면에 담았다. 할 수만 있다면, 샴페인의 은은한 향과 꺼진 촛불 특유의 냄새도 모아서 간직할 수 있으면 좋겠다고 생각했다.

"이제 됐습니까?"

심지가 까맣게 된 초 두 개를 무자비하게 뽑아내며 그가 물었다. 하얀 아이싱에 구멍이 뿡, 뿡 두 개 뚫려 있었다.

"앉아요. 언제까지 찍을 겁니까."

"……한 장만 더요."

"아무리 파파라치의 본고장이라지만. 앉아서 마셔요."

그가 내 쪽으로 샴페인 잔 하나를 밀어 주었다. 나는 어쩔 수 없이 촬영을 중단하고 자리에 앉았다. 그와 마주 앉아 잔을 가볍게 부딪치고 입술에 차가운 유리를 댔다. 한 모금 머금은 샴페인은 햇살 같았다. 입안에서 터지는 기포가 달고 경쾌했다.

"……생일 축하드려요."

그 말을 잊었다는 사실을 깨닫고 말했다. 한 팀장은 이제 익숙해졌는지 고개를 끄덕였다. 나를 파티에 초대하기라도 한 것처럼 여유롭게 샴페인을 마시며 말하기까지 했다.

"이서단 씨와 함께 생일을 보낼 수 있어서 좋네요."

"……네."

"이건 뭡니까."

그가 케이크 옆에 놓여 있던 작은 꾸러미를 향해 턱짓했다. 그 말에 나는 정신을 차리고 선물을 두 손에 받쳐 그에게 내밀었다.

"팀장님 드리려고요."

"생일이 이렇게 좋은 건데 내가 그동안 모르고 넘어갔네요."

그가 농담인지 진담인지 모를 표정으로 말하며 내게서 꾸러미를 받아 들었다. 슥, 긴 손가락이 빨간 리본을 당겨 푸는 동안 나는 시선을 케이크에 두었다가 아예 무릎 위로 떨어뜨렸다. 종이를 뜯는 바스락거리는 소리, 상자를 여는 달그락거리는 소리가 났다. 그리고 한참 침묵이 이어졌다.

"……마음에 드세요?"

겨우 눈을 들자 그는 대답 없이 열린 상자 안을 뚫어져라 보고 있었다. 나는 목소리를 가다듬었다.

"더 비싼 것도 많이 갖고 계신 건 알지만, 그래도……."

"……."

"기분 내키실 때 가끔 해 주세요."

그는 말없이 상자 안에서 손목시계를 빼내 고리를 풀고 안쪽을 고정한 푹신한 가죽을 제거했다. 그의 왼쪽 손목에 내가 오래 고민해서 고른 시계가 채워졌다. 수없이 상상한 대로, 선이 곧고 굵은 그의 손목에 다이얼이 큰 메탈 시계는 잘 어울렸다.

"나도 줄 게 있는데."

그가 자리에서 일어났다. 내 시선이 그의 손을 자석처럼 붙어 따라갔다. 한 팀장은 책상 아래에서 검은 캐리어를 꺼내 지퍼를 열었다. 안쪽 포켓에서 가죽으로 된 상자가 나왔다.

"열어 봐요."

영문을 모르고 보던 나는 상자를 받아 들었다. 한 팀장은 옆으로 밀려난 오피스 체어에 깊숙이 등을 기대고 앉아 내 쪽을 지켜보고 있었다.

"저는 생일도 아닌데……."

"내 생일이라 산 겁니다. 여행 선물이라고 해도 되고."

상자에서부터 비싼 물건의 느낌이 났다. 나는 몇 번 매끈한 가죽을 손 안에 돌려보다가 고급스러운 문양이 새겨진 고리를 풀고 뚜껑을 천천히 들어 올렸다. 온통 하얀 상자 안에는 연갈색 가죽과 은색 베젤, 하얀 다이얼의 손목시계가 있었다. 물 흐르듯 자연스럽고 담백한 디자인이었다.

"이서단 씨에게 어울릴 것 같아서."

상자 안을 쳐다보기만 하는 나를 대신해서 그가 내 팔을 끌어왔다. 등 뒤에서 내 손목을 잡고 시계의 고리를 풀어 채웠다. 차가운 가죽과 쇠의 감촉이 손목을 무겁게 휘감았다. 묶이는 것과 비슷한 단단한 감촉이었다.

"괜찮네요."

내 팔을 놓고 관찰한 그가 결론 내렸다. 목소리가 만족스러웠다.

"앞으로 하고 다니세요."

"……감사합니다."

사슬 같은 선물이었다. 손목을 감은 무게는 마치 내가 그에게 속해 있다는 약속처럼 느껴졌다. 그가 소파로 돌아가서 다시 샴페인 잔을 집어 드는 동안 손목을 이리저리 돌려보던 나는 맹렬한 소유욕이 끓어오르는 것을 느꼈다. 처음 보는 물건에 이렇게까지 마음이 가는 것은 처음이었다. 닳을까 당장 다시 상자에 넣어 놓고 싶었고, 동시에 몸에서 한순간이라도 떼어 놓고 싶지 않았다. 누군가 이 시계를 훔쳐 간다면 지구 끝까지 쫓아가서 받아 낼 수 있을 것 같았다.

"감사합니다."

그를 올려다보며 나는 한 번 더 말했다. 병을 기울여 샴페인을 따르던 그가 미묘한 표정으로 웃었다.

"나야말로 고맙습니다. 상자에 보증서 있으니까 나중에 확인하세요. 케이크는 안 먹습니까?"

"네? 아……."

그의 턱짓에 케이크를 내려다본 나는 그제야 칼과 포크가 없다는 사실을 깨달았다. 미리 생각했더라면 호텔 어딘가에서 빌려 올 수 있었을 텐데. 누군가의 생일을 축하해 본 게 처음인 게 문제였다. 사소한 디테일에서 서투름이 드러나는 것 같았다.

"제가 내려가서 빌려 올게요."

로비에 있는 카페나 바에는 분명히 있을 것 같았다. 서둘러 일어나려는 내 팔을 그가 붙잡았다.

"됐습니다. 많이 먹을 것도 아니고."

"그래도……."

다른 방법이 없을까 고민하는 내 앞에서 그가 태연히 손을 뻗어 아이싱의 표면을 눌렀다. 슥 하고 크림을 묻혀 내게로 내밀었다.

"먹어요."

그의 평소 식사 예절을 생각하면 말도 안 되는 일이었다. 나는 그의 얼굴을 한 번 쳐다보고 내게로 내밀어진 길고 맵시 있는 손가락을 향해 고개를 숙였다. 혀를 내밀어 그의 손끝에 묻은 아이싱을 핥았다. 머리가 울릴 정도로 달콤한 맛이 혀를 때렸다.

"아직 남았습니다."

머리를 뒤로 물리려는데 그가 말했다. 웃는 얼굴이었다. 나는 아무 말도 못 하고 다시 아이싱이 조금 묻은 그의 손가락을 입안에 넣었다. 단단한 손톱의 표면이 입천장을 눌렀다.

"맛있습니까?"

그가 물었다. 나는 불분명한 발음으로 대답했다.

"덜 달다고 했는데…… 그래도 좀 달아서, 팀장님은 드실 수 있을지…… 모르겠어요."

"원래 여기는 덜 단 것의 기준이 한국과 다릅니다."

일상적인 어투였다. 나는 크림이 남아 있을 거라고는 생각할 수 없을 때까지 샅샅이 그의 손가락을 핥았다. 매끈한 손톱의 표면도 불거진 손마디도 혀로 더듬었다. 그제야 그는 됐다는 듯이 손가락을 입에서 빼내 주었다. 입안이 허전하게 욱신거렸다.

"이리 와요."

그가 말했다. 희미한 웃음기가 섞인 목소리였지만, 그 안의 심이 낮고 단단했다. 나는 배 속이 후들거리는 것을 느끼며 일어났다. 테이블을 지나쳐서 그가 턱짓하는 대로 그의 무릎 위로 엉덩이를 붙였다.

한쪽 허벅지에 어설프게 앉은 내 허리를 그가 당겨 왔다. 내 등이 그의 가슴에 바짝 맞닿았다. 내 허리에 시계가 채워진 단단한 팔을 감은 채로 그가 손을 뻗어 다시 케이크 아이싱을 떠냈다. 손가락이 내 입가로 다가왔다.

"안쪽이 붉은색인데."

그가 말했다. 그의 손가락을 핥던 나는 깨물 뻔했다. 뒤늦게 그가 케이크를 이야기하는 것을 깨달았다. 아이싱이 없어진 부분의 빵은 정말로 빨간색이었다.

"빵도 먹을 겁니까?"

"……네."

그는 엄지와 검지를 집게처럼 만들어 간단하게 케이크를 푹 찌르듯이 파고들었다. 아이싱과 보들보들한 빵, 사이사이의 크림치즈가 그의 손가락에 딸려 나왔다. 나는 그의 손이 끈적거릴까 걱정이 되면서도 입을 벌려 받아먹었다. 빵 부분은 별로 달지 않았다.

"팀장님도 드셔 보실래요? 아이싱만 단데……."

그래도 그를 위해 산 케이크인데, 이러다가 손장난으로 형태는 뭉그러지고 결국 버려지게 될 것 같았다. 고개를 돌리며 묻자 그가 예고 없이 입을 맞췄다. 뜨거운 혀가 내 입가에 묻은 아이싱을 핥아 가져갔다.

"흐읏……!"

입술이 맞닿은 순간 차 안에서 느꼈던 허기와도 같은 아쉬움이 되살아났다. 나는 불편하게 목을 비튼 채로도 그와 혀를 섞었다. 그는 결국 입술을 맞댄 채로 내 몸을 돌려 앉혔다. 나는 그가 이끄는 대로 허리에 다리를 감으며 그의 목을 안았다.

"흐읍……. 아, 아으, 읏."

얇은 셔츠 밑으로 그의 손이 파고들었다. 그는 더 이상의 말이 없었다. 깊어진 키스는 내가 숨을 쉬는 족족 공기를 앗아 갔다. 케이크의 단맛이 집요한 열기에 먹혔다. 나도 눈앞이 흐려질 정도로 흥분해 있었고, 엉덩이 부근에는 가운을 뚫고도 묵직하고 딱딱한 감촉이 닿아 있었다.

언젠가부터 내 셔츠는 벗겨져 바닥을 뒹굴고 있었다. 그는 나를 안은 채로 일어섰다. 내 엉덩이와 등을 받친 채로 성큼성큼 걸음을 옮겨 나를 침대 위로 내려놓았다. 등이 푹신한 이불에 닿는 순간에도 입술은 붙어 있었고, 내 옷이 전부 벗겨져 나가는 순간에도 키스는 쉼 없이 계속되었다. 열기가 옮아간 듯이 머리도 배 속도 뜨거워졌다. 아무런 생각도 나지 않는 동물적인 경지였다.

"하읏, 흣! 아, 으응……."

목덜미, 턱, 뺨에 뜨거운 입술이 닿았다. 그를 향해 모든 신경이 곤두선 듯이 스친 곳마다 피부가 예민해졌다. 내 귓불에 입을 맞춘 그가 귀의 곡선을 따라 아프지 않게 깨물며 타고 올랐다.

"하읏!"

귀 전체가 그의 입안으로 빨려 들어갔다. 귓바퀴를 핥는 감촉과 귓가에 습하게 흘러드는 젖은 소리에 온몸이 달아올랐다. 귀가, 몸 전체가 녹을 것 같았다. 그를 밀어내려는 건지 붙들려는 건지 알 수 없이 손이 그의 등 위를 헤맸다.

"팀장님……."

"왜 벌써 울어."

그가 낮게 물었다. 입술이 내 눈가에 뜨겁게 닿았다.

"모르, 흣…… 그냥 빨리, 해 주세요……."

"조급하게 굴지 말아요."

"흣!"

그의 손이 내 다리 사이로 내려가 발갛게 일어서 있는 성기를 쥐었다. 바르르 떨리는 내 목에 입을 맞추며 그가 낮게 속삭였다.

"이서단 씨가, 여기까지 오길 잘했다고 느끼게 해 줄 테니까."

"하으, 아, 팀, 팀장님, 읏……!"

벌써 그렇다고 말하고 싶었다. 그의 얼굴을 한순간 보는 것으로도 충분히 그랬다고, 더 먼 거리를 더 어렵게 왔다고 해도 그랬을 것이라고. 하지만 가슴을 타고 내려가 내 성기 끝에 닿은 그의 입술의 감촉에 머릿속이 녹았다. 그는 정말로 나에게 쾌감을 주는 것이 이 섹스의 유일한 목적이라는 듯이 내 성기를 부드럽게 머금었다. 따뜻한 손바닥은 스치기만 해도 떨릴 정도로 예민해진 온몸의 피부를 다정하게 쓰다듬었다. 나는 그를 말리려고 뻗은 손을 시트 위에 힘없이 떨군 채로 달뜬 소리를 참았다. 흘러내린 눈물로 눈꼬리가 뜨거웠다.

"아픈 건 아닐 테고."

뿌리까지 빨아들였던 성기를 느리게 입에서 빼내며 그가 말했다. 눈꼬리에 희미한 웃음이 매달려 있었다.

"좋아서 우는 건 알겠는데, 그러다 오래 못 버팁니다."

"으응, 흡……."

"내 인내심에도, 한계가 있고."

등을 매만지던 뜨거운 손이 동그란 엉덩이의 살집을 콱 움켜쥐었다. 땀으로 축축해진 골 사이로 손가락이 파고들어 문질렀다. 단단한 마디에 다물린 주름이 덜컥, 덜컥 자꾸만 걸렸다.

"흐읏, 응, 아……."

그는 허벅지 안쪽을 빨아들여 붉게 자국을 남기고 손과 혀로 성기를 애무해 주면서도 좀처럼 그 이상을 하지 않았다. 절정에 막 오르려고 하면 말랑한 입술의 감촉이 아쉽게 떨어지고, 입구 위를 금방이라도 파고들 듯이 문지르던 손가락도 엉덩이를 벌리고 주무르는 것으로 돌아갔다. 나는 결국 눈물로 무거운 눈꺼풀을 깜박이며 그를 더듬더듬 끌어안았다.

"팀장님……."

다른 때라면 싸게 해 달라고 말하라든지, 넣어 달라고 말하라든지, 심술궂은 요구가 이어졌을 것이다. 하지만 오늘의 그는 끝까지 다정하게 굴기로 작정한 것인지, 달뜬 내 얼굴만 보고도 슬쩍 웃었다. 나를 내려다보는 눈이 서슴없이 부드러웠다.

"왜 이렇게, 한 군데도 빠짐없이."

"흐읏!"

"사랑스러운 건지."

발개진 코끝에 그의 입술이 잠시 닿았다. 그리고 애만 태우던 손가락이 마침내 주름을 헤치고 안쪽으로 천천히 파고들었다. 나는 몸을 긴장시키고 숨을 내쉬었다. 딱딱한 내벽이 그의 손가락을 느끼고 무섭게 조여들었다. 따로 젤을 바른 것도 아니라 안쪽이 빡빡했다.

그도 그것을 느꼈는지 움직임을 멈췄다. 그가 내쉰 숨이 내 목을 간질였다.

"오랜만이라 더 좁아졌네."

"……하읏."

"이래서야…… 오늘 고생 좀 하겠는데."

반쯤 들어온 손가락이 다시 느리게 빠져나갔다. 몸 안에 들끓는 열기와 별개로 현실적인 사이즈의 문제가 있었기에 나는 조금 무서워졌다. 내 턱 끝에 입을 맞춘 한 팀장이 몸을 일으켰다. 내가 머리만 들어 그의 등을 쫓는 동안 방 반대편까지 다녀온 그의 손에는 아까의 케이크 접시가 들려 있었다.

"많이 못 먹었잖아요."

협탁에 접시를 내려놓은 그가 태연하게 말했다. 손가락이 아직 온전한 아이싱의 표면을 파고들어 하얀 크림을 가득 훑어 냈다.

"다리 제대로 벌리세요."

"……그래도, 그……."

"안 바르는 것보단 낫습니다."

맞는 말이었다. 그래도 하다못해 내 캐리어에 있는 로션이나 욕실에 있을 것이 분명한 바디로션을 들고 오고 싶었지만, 이미 허벅지를 잡아 벌리는 그의 손길에 나는 체념했다. 달콤한 수치심이 열기처럼 배 속에 일렁거렸다. 엉덩이 골을 한쪽 손으로 벌리던 그가 나를 놓아주었다.

"엎드립시다."

허리를 툭툭 두드리는 손길에 나는 지시대로 엎드렸다. 그는 침대 머리에서 베개를 하나 끌어와 내 배 밑으로 넣고, 다리가 넓게 벌어지고 엉덩이가 높이 들리게 자세를 조정했다. 오랜만이라 그런지 별것 아닌 손길에도 얼굴이 붉게 달아올랐다. 나는 시트가 구겨지도록 양손으로 붙들고 그 사이로 이마를 묻었다.

"힘 빼야지. 이러면 내 좆은커녕 손가락도 받기 어렵습니다."

그가 보조개가 진 엉덩이를 손등으로 쓰다듬었다. 차라리 명령이면 따르겠는데, 달래는 듯한 목소리가 오히려 견디기 어려웠다. 나는 숨을 크게 들이쉰 후 천천히 내쉬었다. 말랑하게 풀린 엉덩이의 살을 그가 단단하게 잡아 벌리고, 녹은 크림으로 범벅이 된 손끝을 입구에 맞췄다.

"흐읏!"

이번에는 삽입이 수월했다. 쑥 파고든 손가락이 뿌리까지 들어왔다. 나머지 손마디가 엉덩이를 압박할 때까지 힘을 줘 밀어 넣은 그가 천천히 다시 손가락을 빼냈다. 나는 소리를 참느라 입술을 깨물었다. 움찔거리던 발끝이 곱아들었다.

"……읏……. 아, 하읍……."

느리게 시작되는 행위도 보통 거칠어지는 시점이 있는데, 그는 다져 온 인내심을 오늘 증명할 작정인지 끄떡도 없었다. 안을 쑤시는 손가락이 하나씩 늘어나고 입구가 풀리다 못해 저항 없이 벌어질 때까지도 그는 느리고 여유로운 페이스를 유지했다. 내가 쾌감을 견디다 못해 흐느껴 울어도 키스해 줄 뿐 몸 안을 달래는 손가락을 빼내 주지 않았고, 도망치려 해도 간단히 제압한 후 안을 길들이는 작업을 계속했다.

결국 내가 기진맥진해서 늘어지고 뒤가 흐물흐물 풀어진 뒤에야 그는 두툼한 귀두를 입구에 대고 눌렀다.

"흐읏……!"

그가 아무 말도 하지 않았는데 수치심으로 눈시울이 뜨거워졌다. 귀두 끝만 살짝 파묻혔는데도 속살은 그를 빨아들이려는 듯이 게 걸스럽게 달라붙고 있었다. 그 탐욕스러운 움직임을 즐기듯이 그는 몇 번 더 얕게 삽입한 채로 허리를 돌렸다.

"아, 아읏……."

입구와 가까운 내벽이 아예 끌려 다니는 것처럼 느껴질 정도로 묵직한 압박감이었다. 평소보다도 훨씬 크게 팽창한 것 같은 물건이 겁이 났지만 돌아볼 용기가 생기지 않았다. 나는 엎드린 채로 천천히 심호흡했다. 딱딱하고 굵은 몽둥이가 천천히 안을 짓누르며 들어왔다.

끝나지 않을 것 같은 삽입을 견디며 나는 그가 옳았다는 것을 깨달았다. 앞선 모든 과정이 없었다면 한계까지 얇게 벌어진 입구가 틀림없이 찢어졌을 것이다. 지금도 몸을 반으로 가를 듯이 들어온 기둥의 부피에 시야가 하얗게 번지고 숨이 막혔다. 이만큼 봐주었으니 이제 할 만큼 하겠다는 듯이 그는 삽입 각도를 조절해 가며 길쭉한 성기를 거의 뿌리까지 밀어 넣었다. 손가락이 닿지 않은 몸 안이 그의 귀두를 받아들이기 위해 벌어지고 확장되었다. 나는 숨을 헐떡이며 나도 모르게 손을 내려 배를 감쌌다.

"아픕니까?"

거친 숨소리를 억누르며 그가 낮게 물었다. 귀 안을 건드리는 듯한 소리의 파동만으로도 나는 소스라치며 몸을 떨었다.

"그, 흑……."

"좀 더 참아 봐요."

기어이 전부 넣겠다는 듯이 그는 내 엉덩이를 잡아 벌린 채로 허리를 살살 돌렸다. 귀두 끝이 다물려 있던 몸 안의 통로를 찾아내 비집어 열었다. 쑥, 성기가 더 안쪽으로 파고들었다.

"흐으악! 아, 너무 커서, 아아……."

들은 체도 않고 그가 허리를 힘주어 밀어붙였다. 내 엉덩이의 살이 묵직한 고환과 단단한 치골에 짓눌렸다. 더 들어갈 수 없을 때까지 내 배를 성기로 채운 그가 만족스러운 숨을 내쉬었다.

"흐, 흐으윽……."

"그렇게 넓혔는데도, 아직 좁은데."

그가 뒷목에 입술을 묻으며 속삭였다. 안이 좁은 것은 그가 연약한 속살이 부을 때까지 손가락으로 문지르고 들쑤셨기 때문이었다. 발갛게 달아오른 점막으로는 그의 미세한 움직임까지 수십 배로 확대돼서 느껴졌다. 그가 슬슬 몸을 뒤로 물리기 시작했을 때 나는 겁이 나서 본능적으로 엉덩이로 그의 성기를 쫓아 올라갔다.

"안, 안 빼고, 그냥, 흣……."

"안 빼고 섹스를 어떻게 합니까."

그가 나직하게 웃었다. 덜덜 떨리는 내 엉덩이를 부드럽게 쓰다듬으며 베개 위로 내리눌렀다. 그의 성기를 문 입구가 다 보이도록 엉덩이 살을 벌린 채로 쭉, 성기를 한 번에 빼냈다.

"흐으윽!"

귀두가 주름을 빠져나오기도 전에 나는 그가 만져 주지도 않은 성기로 사정했다. 몸이 고장 난 것처럼 절정감이 끝없이 이어졌다. 배에 닿도록 발기한 성기에서 말간 물이 툭 터지듯 흘러나왔다. 한 팀장은 부푼 귀두만을 내 구멍에 박은 채로 안의 경련을 즐기다가, 절정의 여운에 오므라드는 내 안으로 다시 굵은 살 기둥을 푹 밀어 넣었다.

"아…… 아, 흑……."

"끊어 먹을, 셈입니까."

그가 으르렁거리듯이 내뱉고, 뒷목을 아프게 깨물었다. 내가 힘을 주고 싶어서 힘을 주는 게 아니었다. 마비된 몸이 더 이상 말을 듣지 않았다. 극에 달한 쾌감이 사지를 전율시켰다. 빠르게 뛰는 심장 박동 위로 왈칵 무서움이 자라났다.

"팀장님, 저, 몸이 이상—"

"쉿…… 괜찮으니까 숨 쉬어요."

"으, 흐으……."

"그래, 나 보고."

그의 뜨거운 손이 땀으로 축축한 등허리를 쓰다듬고 아랫배를 만져 주었다. 내가 헐떡이는 숨을 내쉴 때마다 가쁘게 들썩이는 가슴 위로, 아까 그가 씹어 놓아 붉게 부은 유두 위로 손바닥이 달래듯 닿았다. 눈을 마주친 채로 그가 부드럽게 입을 맞춰 주었다.

"흐읏……."

"너무 느껴서 그런 겁니다. 잡아 줄 테니까 몸에 힘 빼요."

"팀, 장님…… 아, 으……."

땀에 젖은 앞머리를 쓸어 넘기고 그가 이마에 입을 맞췄다. 끊어질 듯 거세게 조이는 내벽이 괴로웠을 텐데도 아무 말도 하지 않고,

내가 그를 붙들고 끝없는 절정감을 견뎌 낼 때까지 기다려 주었다. 내가 겨우 몸의 긴장을 풀었을 때도 안에서 압박을 받으며 더 흉악하게 부풀었던 성기는 느리고 부드럽게 빠져나갔다.

"으응, 아……."

"빼는 게 그렇게, 좋습니까?"

그가 발갛게 벌름거리는 입구로 엄지손가락을 넣어 장난처럼 안을 휘저었다. 입구 안쪽의 빨간 속살을 다그치듯 손톱의 표면으로 긁어내렸다.

"흐윽! 아, 아아!"

"언제는, 깊게 쑤셔 주는 게, 좋다면서."

"읏, 제가, 아, 언제……."

그가 길쭉한 기둥을 울긋불긋해진 엉덩이골 사이에 끼우고 슬슬 움직였다. 혈관이 사납게 도드라진 기둥이 벌어진 주름을 스칠 때마다 엉덩이가 벌벌 떨렸다.

"안에, 해, 주세요…… 그거, 그만, 아읏! 흐윽!"

푹, 묵직한 흉기가 안을 갈랐다. 때려 박는 것처럼 거친 삽입이었다. 손가락으로는 절대 닿지 않는 안을 두툼한 성기 끝이 후벼 팠다. 나는 홍수처럼 밀려드는 감각에 소리도 내지 못하고 눈물만 뚝뚝 흘렸다.

"좋아하면서, 여기."

"아, 아아, 아니, 싫……."

본능적으로 앞으로 기어가는 몸을 그가 잡아챘다. 허리를 찍어

누른 채로 벌주듯 몸을 숙였다. 딱딱한 귀두가 더 파고들어 깊숙한 곳을 꽉 짓눌렀다.

"흐으악! 흡, 흐윽……."

"여길 쑤셔 주면, 무섭다고 울면서도, 바로 싸잖아. 내가 모를 것 같았어요?"

정말로 내 성기 끝에서는 더 나올 것이 없는데도 질금질금 말간 액이 흐르고 있었다. 벌벌 떨리는 내 다리 사이로 손을 넣어 성기를 몇 번 주무른 그가 손바닥에서 흥건하게 묻은 액을 닦듯이 엉덩이 사이의 결합부에 처발랐다. 벌어진 주름을 톡톡 건드리는 손끝이 장난스러웠다.

"흐으……."

이제 찢어질 위험도 없을 정도로 뒤가 완전히 이완되어 있었다. 그가 손톱을 세워 긁어도 오므라들 뿐 금세 다시 풀어졌다. 그는 즐기듯이 그의 성기의 모양대로 확장된 내 뒤를 두어 번 깊숙이 왕복하고, 툭툭 찌르듯이 허리를 돌렸다.

내가 삼키지 못한 울음을 흘리자 그의 성기가 빠져나갔다. 그는 무릎을 시트에 대고 앉으며 내 몸을 허벅지 위로 끌어 올렸다. 그의 배에 젖은 엉덩이가 닿았다.

"아읏!"

"앞에 손 짚어요."

"어디……."

헤매고 있는 내 손목을 그가 잡아 엎드리듯 침대를 짚게 했다. 커다랗게 발기한 살 기둥이 엉덩이에 눌렸다. 반사적으로 들리는 내 엉덩이를 그가 잡아 내렸다.

"흣, 이런 자세는."

"왜. 너무 깊게 들어갈 것 같아?"

"하으으!"

그가 등 뒤로 손을 짚은 채로 슬슬 허리를 쳐올렸다. 아슬아슬하게 입구를 스쳐간 뜨거운 성기가 내 다리 사이로 난잡하게 문질러졌다. 물기 어린 소리가 났다. 나는 다리를 오므리고 싶었지만 허벅지 양쪽이 그의 허벅지를 사이에 두고 크게 벌어져 있었다.

"으으, 아……."

그가 뒤를 짚은 손으로 내 한쪽 발목을 잡아 끌어당겼다. 다리가 더 벌어지고 몸이 앞으로 흘러내리며 자연히 허벅지 안쪽에 그의 성기가 걸렸다. 내 엉덩이를 느리게 주무르던 손이 떨어지고, 그가 손가락 두 개로 구멍을 벌렸다. 두툼한 귀두가 그 사이로 걸쳐졌다.

"소리 내요."

푹, 굵은 기둥이 단번에 파고들었다.

"흐악! 아, 아아……."

그가 엉덩이를 꽉 아래로 누르며 허리를 들었다. 내 몸의 무게까지 실려 삽입은 낯선 각도에서 두려울 정도로 깊어졌다. 뱃가죽 앞쪽이 팽팽해지는 것 같았다.

"흐으아……."

"이쯤, 들어간 것 같은데."

"으윽, 흐읍, 그, 거기—"

그가 깊게 삽입한 채로 손바닥을 펴서 내 아랫배를 꾹 눌렀다. 얇은 피부 위로 딱딱한 귀두의 윤곽이 드러날 것 같은 섬뜩한 느낌에 나는 입술을 떨었다. 그럼에도 가라앉을 줄 모르고 발기한 내 성기가 허공에 흔들거렸다. 단단해진 성기를 쥐어 쓰다듬으며 그가 허리를 본격적으로 움직이기 시작했다.

"흐, 응, 으읏!"

빠르다고 생각한 건 착각이 아니었다. 더 이상의 말 없이 그는 시트를 짚은 채로 허리를 아래에서 위로 퍽퍽 쳐올렸다. 굵은 기둥이 푹 들어오고 쑥 빠져나갔다. 안이 헤질 것처럼 거친 마찰이었다. 질척이는 소리가 점점 커졌다. 나는 자꾸만 새까맣게 변하는 시야를 깜박여 없애며 덜덜 떨리는 팔을 시트 위로 지탱했다.

"팀장, 님, 하읏, 으……."

그의 손이 등 위쪽에 닿았다. 커다란 손으로 땀에 젖은 뒷목과 등허리를 쓰다듬으며 그는 짓씹듯 말했다.

"그만하자고는, 하지 말아요. 사람 죽이고 싶지 않으면."

"그게, 흣, 아니라……."

나도 그만하고 싶은 건 아니었다. 할 수만 있다면 그와 계속 이렇게 연결되어 있고 싶었다. 닿아 있어도 지난 2주간의 갈증이 쉴 새 없이 턱 끝까지 치밀었다.

"그냥, 아읏, 싸실 때, 안에…… 싸 주세요, 아, 흐읏!"

그가 한 번으로 끝내 줄 리는 없으니 크림이 하던 윤활제 역할을 대신할 게 필요하다고 말하고 싶었는데, 그 말을 덧붙이기도 전에 그의 움직임이 갑자기 빨라졌다. 자세가 또 바뀌었다. 성기를 빼내고 나를 바로 눕힌 그가 허벅지를 넓게 벌리게 하고, 엉덩이를 잡아 올린 채로 최대로 부푼 성기를 박아 넣었다. 깊게 맞물린 입술이 내가 내지른 소리를 삼켰다. 그리고 내 몸을 조금도 움직일 수 없게 짓누른 채로 그가 몸 안에 사출했다. 깊숙한 곳에 뜨거운 정액이 터지듯이 퍼져 나갔다. 배가 부푸는 듯한 느낌에 나는 몸을 조금 물리려 했지만, 불가능했다. 단단하고 무거운 몸이 나를 완전히 짓누르고 있었다. 어쩌면 2주 만의 사정이었을 것이다. 끝날 듯 끝나지 않고 여러 번에 걸쳐 진하고 뜨거운 액체가 몸 안에 쏟아져 들어왔다. 나는 참다가 결국 울음이 터졌다.

"배가, 터질 것 같, 흐, 흐윽!"

"참으세요. 안에 싸 달라고 했으면, 다 먹어야지."

그는 오히려 허리를 더 밀어붙였다. 몸 안에서 질척이는 소리가 나는 것 같았다. 그를 밀어내려는 힘없는 손목이 간단히 제압당했다.

"그, 읏, 그래도 너무 많, 으! 아윽, 흐읏!"

엉덩이를 움켜쥔 채로 그가 느리게 성기를 물리다가, 다시 안으로 쑥 밀어 넣었다. 그새 입구까지 흘러내린 정액으로 인해 어이없을 정도로 손쉬운 삽입이었다. 여전히 딱딱하게 부푼 그의 성기가 안이 진탕이 될 때까지 휘젓고, 덜덜 떨리는 내 엉덩이를 허공에 들게 한 채로 마침내 파정을 끝마쳤다.

후회를 즐기듯 안을 느리게 건드리던 성기가 빠져나갔을 때, 미처 다물리지 못한 주름에서 뜨겁게 흐르는 감촉이 느껴졌다. 나는 할 말이 있어 그를 원망할 수도 없으니 소리 없는 울음으로 몸을 들썩였다. 눈물로 무거워진 속눈썹 위로 따뜻한 감촉이 닿고, 흐릿한 시야가 닦였다. 눈을 천천히 뜨자 가까이에 그의 얼굴이 있었다.

"……내 목에 팔 감아요."

쪽, 가볍게 입술을 맞대었다가 뗀 그가 말했다. 나는 힘이 풀린 팔을 들어 그의 목에 둘렀다. 손가락이 후들후들 떨려서 그의 등 뒤로 힘없이 늘어뜨리는 게 고작이었다. 내 엉덩이를 받쳐 들며 그는 나를 안고 일어섰다. 나는 눈물로 축축한 뺨을 그의 어깨에 묻고 배에 힘을 주지 않으려고 노력했다.

몸이 욕조 안의 차가운 표면에 내려졌다. 그는 물 온도를 맞춰서 욕조를 채우기 시작했다. 내가 반쯤 탈진한 상태로 그의 한쪽 팔을 붙들고 조는 동안, 다리가 온통 잠기고 허리까지 넘실댈 정도로 물이 점점 차올랐다.

어느 정도로 물이 차자 그는 수도꼭지를 잠그고 내 몸을 무릎으로 서게 해서 품 안으로 당겨 안았다. 그 상태로 능숙하게 그의 손가락이 내 엉덩이를 잡아 벌리고 안쪽으로 파고들었다.

"흐읏……."

신음이 형편없이 갈라져 나왔다. 한 팀장은 내 이마 위로 가볍게 키스하며 퉁퉁 부은 안에서 손가락을 벌렸다. 투욱, 툭, 흘러나온 정액이 입구에 맺히고 방울져서 떨어졌다.

"힘줘요. 깊어서 잘 안 나오네."

"……으으……."

몸이 힘들었다. 어리광 부리듯 그에게 안겼더니, 뒤처리를 잠시 중단하고 그가 내 턱을 들게 해서 가까이에서 들여다봤다. 나는 깜박 깜박 그를 올려다봤다. 눈을 마주한 채로 그가 얼굴을 점점 가까이 붙여서 입술을 맞댔다. 맞닿기만 하는 간질간질한 키스였다.

"빼면 이번으로 끝내고 자게 해 주겠습니다."

"……읏."

졸려서 정신이 없는 머리에는 설득력 있는 제안으로 들렸다. 나는 그의 말대로 힘을 주었고, 곧 안쪽을 엄격하게 헤집는 손가락에 의해 나머지 정액도 물을 희뿌옇게 흐리며 주르륵 쏟아져 나왔다. 나를 받쳐 안은 채로 욕조의 물을 한 번 비운 그가 다시 물을 채우고 내 몸을 돌려 그의 가슴에 등을 기대게 했다. 나는 그의 손이 몸을 비누칠하고 어루만지고 씻기는 동안 마음을 놓고 졸았다.

정신이 조금 들었을 때는 커다랗고 푹신한 수건으로 그가 내 몸을 말리고 있었다. 발가락 사이사이, 무릎 뒤, 허벅지 안쪽까지 꼼꼼하게 물기를 닦아 낸 그가 수건으로 나를 둘둘 감고 다른 수건으로 머리를 말려 주기 시작했다. 살살 문지르는 손길이 신중했다.

나는 기분이 좋아서 힘을 풀고 그에게 기댔다가 화들짝 정신이 들었다. 수건을 뚫고 엉덩이에 뜨겁고 딱딱한 것이 느껴졌다. 내가 돌아보자 한 팀장이 미묘한 표정으로 눈가를 찌푸렸다.

"음."

"……읏."

그러고 보면 나는 셀 수도 없이, 귀두의 연한 살갗이 발갛게 까질 정도로 절정에 올랐지만, 그는 한 번밖에 사정하지 못했다. 누구의 취향을 맞추느냐를 떠나 단순히 숫자만 놓고 봐도 불공평했다.

"내일 놀러 갈 겁니다."

내 눈가를 가볍게 건드리며 그가 담백하게 말했다.

"이서단 씨가 걸어 다닐 수는 있어야 여행을 하지."

"그러면……."

나는 그가 들고 있는 수건에서 머리를 빼내고 그를 마주 봤다. 잔뜩 성이 난 성기가 배를 칠 듯이 까딱이고 있는데도 그의 표정은 평온했다.

"넣지는, 않고, 다른……."

나는 내려다볼 자신이 없어서 그의 매끈한 뺨에 시선을 고정하고 말했다. 한 팀장은 나를 가만히 보더니 짧게 한숨을 쉬었다.

"서 있을 수 있겠습니까?"

"네?"

"세면대 잡아요. 다리 붙이고."

그가 내 어깨를 잡고 회색 대리석으로 된 커다란 세면대 쪽으로 가볍게 밀었다. 나는 수도꼭지가 있는 새하얀 부분의 턱을 더듬더듬 잡고 섰다. 바로 앞은 욕실 전체를 비출 정도로 크고 선명한 거울이었다.

환한 욕실의 조명을 받은 내 얼굴이 가깝게 비쳤다. 발갛게 물든 눈가와 코끝이 누가 봐도 운 티가 났다. 수없이 키스를 받은 입술은 붉게 부어 있었다. 나는 거울로 내 등 뒤로 자리를 잡는 그를 보다가 배 속이 떨려서 눈을 감았다. 커다란 손이 허리를 잡고, 다물린 허벅지 사이로 뜨겁고 뭉툭한 게 툭 부딪쳤다.

"으……."

뜨거운 물속에 있다 나와서 그런지 그의 몸은 평소보다 뜨거웠다. 내 허리를 잡은 손도, 등에 닿는 가슴도 소스라칠 정도의 열기를 띠고 있었다. 내가 후들거리는 다리를 지탱하기 위해 세면대를 붙잡고 있는 사이 아직 물기가 남은 굵은 기둥이 내 허벅지 사이로 천천히 진입했다. 나는 엉겁결에 내 허벅지 앞쪽으로 드러난 검붉은 귀두를 내려다봤다.

"흐, 으, 아……."

내가 버티고 서 있는 동안 그는 점점 빠르게 허리를 치댔다. 허벅지 안쪽의 연한 살이 붉게 달아오르고, 그의 치골이 엉덩이에 부딪칠 때마다 매 맞는 것처럼 커다란 소리가 났다. 그가 미끄러뜨리듯 성기를 박을 때마다 혹사당해 부은 회음이 짓눌리고 비벼졌다. 귓가에 그의 거친 숨소리가 터졌다.

"아, 그, 흐읏……."

"다리 제대로 붙여."

"흐, 으……."

힘이 풀리는 내 허리를 그가 잡아 세웠다. 무릎에 힘이 들어가지 않아서 나는 세면대에 상체를 엎다시피 몸을 기울였다. 파르르 떨리는 허벅지가 제대로 성기를 압박하지 못하자 그는 허리를 뒤로 물렸다.

"한 말에는, 책임을 져야지. 응?"

"읏, 저도, 잠시만……."

나는 덜덜 떨리는 손을 내려서 내 다리를 붙이려 했지만, 한계까지 내몰린 몸은 이미 힘이 들어가지 않았다. 울고 싶은 기분으로 그를 올려다봤다. 말없이 내려다보던 그가 내 허리를 들어 세면대에 앉히고, 그대로 안아 올렸다.

"……아."

안정적으로 안긴 몸이 그가 걸음을 옮길 때마다 조금씩 흔들렸다. 흘러내린 수건은 아예 바닥에 버려졌다. 욕실을 나와 방을 가로지른 그가 넓은 침대 위로 나를 내려놓았다.

나를 반듯하게 눕히고 머리 뒤로 베개까지 두 개 받쳐준 그가 내 위로 올라탔다. 어깨 양쪽으로 내 팔을 고정시키듯 그의 무릎이 닿고, 내 시야 중앙에 커다랗게 발기한 검붉은 성기가 잡혔다.

"왜."

내가 고개를 돌리자, 그가 장난처럼 물었다. 툭, 길쭉한 기둥이 뺨에 닿고 비벼졌다.

"무서워요?"

"……조금, 은……. 그래도, 해 주세요."

"……못 참겠으면 손 신호 쓰세요."

그가 내 손을 쥐어 그의 시야에서도 잡힐 곳에 가져다 놓았다. 나는 숨을 들이쉬며 고개를 끄덕였다. 입가를 가볍게 만지는 그의 손길에 말 잘 듣는 아이처럼 입을 벌렸다.

"더 크게."

목소리는 부드러운데, 그의 눈은 이미 새까맣고 단단하게 물들어 있었다. 큰일 났구나, 생각하면서도 나는 열기가 옮겨간 배 속이 슬금슬금 간질거리는 것을 느꼈다. 빼근하게 늘어난 입술 끝에 그의 손끝이 닿고, 그의 성기가 입안으로 밀고 들어왔다.

"으읍, 흐, 읍……."

입천장이 긁히고, 혀가 눌렸다. 목구멍에 아슬아슬하게 닿을 때까지 허리를 밀어붙인 그가 내 얼굴을 물끄러미 내려다봤다. 이 각도로 그의 성기를 입에 담는 것은 처음이었다. 그가 머리를 잡지 않아도 고정된 몸이 무방비했다. 위에서 아래로 박는 듯한 각도에 본능적인 공포감이 밀려왔다.

"아까부터 빨고 싶다며."

그가 찢어질 것처럼 얇아진 내 입꼬리에 손톱을 세워 살살 긁었다.

"반도 못 넣어서, 그걸로 되겠습니까."

"으, 흐읍!"

"어디까지 들어가나 볼까."

나는 시트를 잡은 손에 힘을 주고 목에 힘을 빼려고 필사적으로 노력했다. 쿡, 목구멍 뒤를 가볍게 찌른 귀두가 곧 인정사정없이 밀려들어 왔다.

"흐으읍!"

숨구멍이 간단히 틀어 막혔다. 허리에 힘을 주며 그는 주의 깊게 내 얼굴을 살폈다. 1초, 2초, 3초. 목구멍 안쪽의 연한 살을 짓누르던 딱딱한 살덩이가 느리게 물러났다. 나는 흐릿한 시야를 깜박이며 급하게 숨을 들이쉬었다.

"잘 참네."

그가 상처럼 내 젖은 눈가를 매만졌다. 나는 숨을 헐떡이며 혀를 내어 그의 기둥 아래쪽을 힘겹게 핥았다. 목이 얼얼하고 입술은 찢어질 것 같고 정신이 없었지만, 입안에 그의 맛과 체온이 있는 것이 좋았다. 혀로 더듬은 묵직한 살 기둥은 뜨겁게 맥박 치고 있었고, 내 몸에서도 나는 호텔 샤워 젤의 향이 희미하게 풍겼다.

내가 성기를 핥는 것을 한동안 내버려 두며 내 머리를 쓰다듬던 그의 복근에 단단하게 힘이 들어갔다. 나는 신호를 알아듣고 혀를 물리며 숨을 들이쉬었다. 곧 그가 자세를 잡은 후 안쪽으로 한 번에 쑤셔 박았다.

"흐, 으욱, 흐읍……."

내 입과 목구멍이 그의 만족을 위해 존재하는 도구인 것처럼, 나는 입을 벌린 채로 거센 침입을 감내했다. 목 안까지 들어오고 뽑혀 나가는 거친 움직임은 끝나지 않을 것처럼 이어졌다. 몸의 무게로 내 얼굴을 짓누르고 그는 성기를 콱, 콱 박아 넣었다. 뺨에 딱딱한 치골이 부딪치고 입술에 거친 음모가 비벼졌다. 나는 숨을 쉬는 타이밍을 찾는 일에 집중하다가, 나중에는 머리가 새하얗게 비어서 그냥 버텼다. 목구멍이 괴롭게 메워지고 입천장이 강하게 긁힐 때마다 몸이 떨리고, 소름이 등줄기를 타고 내렸다.

마침내 진탕이 된 입안에다 그는 길게 사정했다. 뜨겁고 끈적이는 액체가 목구멍을 틀어막으며 쏟아져 나왔다. 기침이 나와서 고개를 물리려는 나를 그가 베개에 눌러 고정시켰다.

"삼켜."

존댓말을 집어치운 완연한 주인의 얼굴이었다.

"그, 흐윽!"

"전부 삼켜, 흘리지 말고."

나는 힘겹게 아픈 목을 울렸다. 비리고 끈적거리는 액이 뭉쳐져서 여러 번 식도를 타고 내려갔다. 그는 사정을 마칠 때까지 내 입안을 헤집으며, 내가 남은 것을 전부 삼킬 때까지 성기를 빼내 주지 않았다.

내가 콜록거리는 동안 그는 휴지를 뽑아 성기를 닦고, 내 상체를 일으켜 주었다. 나는 얼얼한 턱을 몇 번 움직여 보고 그에게서 휴지를 받아, 젖은 입술을 닦았다. 피가 찔끔 묻어난 것을 보니 결국 입꼬리 한쪽은 찢어진 모양이었다.

"약 발라야 할 텐데."

지켜보던 그가 미묘한 표정으로 말했다. 나는 혀끝으로 상처를 만져 보고 고개를 저었다.

"괜찮을 것 같아요. 별로 안 찢어져서……."

목이 여전히 형편없이 쉬어 있었다. 한 팀장은 온몸이 헝겊으로 만든 것처럼 비척거리는 나를 다시 안아서 욕실까지 데려갔다. 손에 물을 모아 입안을 씻어 내 주고 양치까지 해 준 후 부드러운 수건으로 꼼꼼히 얼굴을 닦아 주었다. 나는 플레이를 한 것도 아니면서 플레이를 마치고 그가 나를 돌봐줄 때 느끼는 멍하고 몽실몽실한 기분에 사로잡혔다.

"내일은, 저희…… 뭐 하는데요?"

"말은 그만해요. 목 상하겠습니다."

나는 분부대로 입을 다물었다. 미간을 좁힌 채로 내 입꼬리를 들여다보던 그가 내 턱을 놓아주었다.

"숙소를 다른 데로 예약해 뒀으니, 저녁은 거기서 먹고. 오전에는 뭘 하고 싶습니까? 할리우드 사인이라도 보러 갈까."

할리우드 사인? 뒤늦게 무슨 말인지 알아들은 나는 고개를 흔들었다.

"싫다고?"

또 고개를 흔들었더니 그가 설핏 웃었다.

"좋지도 않고 싫지도 않고? 그럼 뭐가 좋은데."

"……."

별로 상관없다고, 뭐든 괜찮다고 말하고 싶었다. 입을 열려다가 그냥 손을 뻗어 그의 가슴을 가리켰더니 그가 태연하게 대답했다.

"압니다."

"……."

"근처에 볼 게 꽤 있는데 뭐가 나을지 모르겠네요. 일단 내일 다시 한번 얘기해 봅시다."

나는 손발이 없는 것처럼 또 그에게 달랑 안겨 침대까지 운반되었다. 이불을 내게 덮어 준 후 그가 천장 조명을 끄기 위해 일어났다.

"불 끄겠습니다."

곧 방이 완전한 어둠에 잠겼다. 나는 아무것도 보이지 않는데, 침대 위로 올라온 그가 단번에 나를 찾아내 품 안으로 끌어당겼다. 머리가 그의 팔 안쪽의 베개로 삼기 좋은 부분에 기대어졌다. 몸이 바짝 밀착되었다.

나는 눈을 감고 그의 숨소리와 심장 소리에 귀를 기울였다. 그의 체향을 마음껏 들이마셨다. 누워 있자 뒤늦게 멀미를 하는 것처럼 머릿속에서 비행기의 움직임이 느릿느릿 재생되었다. 길고 긴 하루의 끝이었다.

그때 잠든 줄 알았던 그의 몸이 조금 움직였다. 나를 안은 채로 몸을 반쯤 일으킨 그가 팔을 뻗었다. 달칵 소리와 함께 눈꺼풀 너머가 조금 환해졌다. 그가 수면등을 하나 켠 모양이었다.

나는 얼굴로 떨어지는 그의 시선을 느끼며 가만히 숨을 쉬었다. 귀를 기울였지만 아무런 소리도 들려오지 않았다. 결국 졸음을 이기지 못해 내가 천천히 잠들 때까지도, 그리고 어쩌면 그 이후에도, 그는 품속의 나를 가만히 들여다보고 있었다.

⁂

체크아웃 시간이 아슬아슬하지 않을까 싶을 정도로 몸이 피곤했는데, 나는 결국 이른 아침에 눈이 떠졌다. 시차 적응을 처음 해 보는 몸은 갈피를 못 잡고 헤매고 있었다. 초저녁에 낮잠을 자고 일어난 것처럼 머리가 아프고 몸이 무거웠다. 호텔방이 유난히 건조한 것인지, 어젯밤에 너무 울어서인지, 뻑뻑한 눈꺼풀이 상처가 날 것처럼 눈동자에 달라붙어 있었다.

잠든 그의 얼굴을 올려다보다가 천천히 몸을 일으켜 침대를 빠져나갔다. 몸 여러 군데가 쑤시기는 해도 운신이 어려울 정도는 아니었다. 그의 평소답지 않은 배려와 인내의 증거일 것이다. 나는 화장실을 다녀와서 미니바에 있는 물병을 찾아 물을 마셨다. 창밖의 도시는 아직 깨어나지 않은 주말 아침의 창백한 회색을 띠고 있었다.

나는 핸드폰과 책을 찾아 소파에 올라앉았다. 등받이에 걸쳐져 있던 그의 목욕 가운을 담요처럼 무릎에 덮고 앉아 카메라 앱을 켜서 방 안의 사진을 찍었다. 그의 고요한 숨소리가 들리는 아침 풍경과 낯선 창밖의 도시, 아마도 평생 다시 올 일이 없을 호텔방 안을 핸드폰 카메라에 담았다. 사진을 찍은 후에는 영상 기능을 켜서 핸드폰을 천천히 빙 돌렸다. 작은 화면에는 커다란 침대와 흐트러진 이불 밑에 불룩 솟아 있는 그의 몸, 반쯤 마신 샴페인 병과 잔이 남아 있는 테이블, 원목 책상 위의 뭉그러진 빨간 케이크와 그 옆의 시계 상자 두 개가 담겼다.

늘 하루하루가 같은 일상만을 살아서 알지 못했다. 그를 만나기 전까지는, 이렇게까지 끝나지 않기를 바라게 되는 하루가 생길 거라고는, 숨을 크게 들이쉬듯 몸 안에 빠짐없이 간직하고 싶은 순간이 올 거라고는 생각하지 못했다. 공항을 가득 메우던 기념품 가게들을, 사수의 가방에 매달린 열쇠고리들을, 박 대리의 핸드폰 앨범 속 수많은 사진들을 이제야 이해할 수 있을 것 같았다. 사라지는 것들을 잊지 않고 살아가고 싶어하는 수많은 사람들을 향한 서글픈 연민이 솟아났다.

이상한 일이었다. 그는 그리 평범한 사람이 아니었고, 우리의 관계도 평범한 관계는 아니었지만, 그래도 그를 사랑하면서 나는 이전에는 이해할 수 없는 수많은 것들을 이해할 수 있게 되었다. 늘 유리 너머에 있던 세상에 들어가 남들처럼 온몸으로 울고 웃을 수 있게 되었다.

그가 나에게 해 준 일들이었다. 그가 태어나고, 이 세상에 존재하고, 내 곁에 와줌으로써 내가 알게 된 또 다른 세상이었다.

나는 자리에서 일어나 책상으로 가 그가 내게 선물한 상자를 집어 들었다. 은은한 윤기가 나는 가죽을 보듬고, 뚜껑을 천천히 열었다. 햇살 한 가닥이 반질반질한 다이얼의 유리 위로 닿았다. 나는 시계를 조심스럽게 꺼내 손바닥에 올려 놓고 들여다보다가 가죽이 상하지 않게 신경을 써서 손목에 시계를 감았다. 안정적인 무게가 마음을 차분하게 가라앉혔다.

멍하니 빛이 어린 다이얼을 내려다보며 서 있다가 나는 어제 그가 했던 말을 기억해 냈다. 보증서를 굳이 확인하라는 것은 그만큼 비싸고 희귀한 시계라는 뜻이었을까. 지금 와서는 아무리 비싸다고 해도 사양할 생각은 없었지만, 그래도 시계가 감겨 있던 동그란 가죽을 빼내고 그 밑을 살펴봤다. 보증서로 보이는 일련번호가 찍힌 종이와 얇은 책자 형태로 인쇄된 설명서가 있었고, 작은 종이봉투가 보였다.

"……."

풀이 붙어 있지 않은 봉투는 쉽게 열렸다. 안에 든 것은 작은 생일카드처럼 생긴 무늬 없는 접힌 카드였다. 나는 침대를 한 번 돌아보고 빳빳한 카드를 열었다. 그의 네모나고 정확한 필체로, 그의 만년필의 검은 잉크로 단 세 줄이 쓰여 있었다.

지금까지 내가 살아온 모든 시간은
이서단 씨가 도착하기를 기다리는 시간이었던 것 같습니다.
오랜 질문에 대한 이유가 되어 줘서 고맙습니다.

나는 턱에 매달려 떨어지는 눈물이 카드에 묻지 않도록 카드를 멀찍이 물렸다. 훌쩍이는 소리가 나지 않도록 휴지를 뽑아 눈과 코를 닦았다. 그러고도 눈물이 멈추지 않았다. 나는 카드를 다시 봉투에 넣어 상자를 닫고, 그가 있는 침대로 기어 올라갔다. 이불 밑을 파고들어 팔로 그의 등을 꽉 끌어안았다.

"……아침부터 왜."

따뜻한 손끝으로 내 젖은 눈가를 훔치며 그가 잠긴 목소리로 물었다. 머리가 부스스 헝클어져 있었고 말끔하던 턱이 거뭇거뭇 했다.

"꿈이라도 꿨습니까?"

나는 말없이 고개를 저었다. 다정한 손이 내 뺨을 감쌌다. 느린 숨을 내쉰 그가 나를 가까이 당겨 안았다. 몸의 윤곽이 완벽하게 맞아 들었다. 그의 체온이 내 밀착된 몸으로 전해지고, 손끝, 발끝까지 따뜻한 온기가 번졌다. 낯선 타지의 처음 보는 호텔방이어도 상관없었다. 여기가 헤맨 끝에 마침내 찾아낸 내 자리 같았다. 처음부터 나를 위해 마련된, 내가 있어야 할 장소 같았다.

⁂

우리는 점점 햇빛으로 밝아지는 방의 이불 속에서 체크아웃 시간 직전까지 졸다가 깨는 것을 반복했다. 그러고는 일어나서 급하게 씻고 옷을 갈아입었다. 내가 양치하는 동안 옆에서 면도를 하던 그는 매끈한 내 턱을 만져 보고 어이없어했다. 옷이 아무렇게나 뒤섞인 내 가방에서 오늘 입으라면서 반바지와 반팔 티셔츠를 골라 주기도 했다. 나는 그의 말을 빌리자면 '애새끼 같은' 차림으로 캐리어를 끌고 그를 따라 엘리베이터를 탔고, 그의 차 옆자리에 올랐다.

"회사에 잠깐 들러야 합니다."

앞유리를 가리는 그늘막을 내리고 선글라스를 쓴 그가 차를 출발시키며 말했다.

"챙겨야 하는 짐이 좀 있어서. 그러고 나서 밥을 먹으러 갈 건데……. 가까운 데가 좋습니까, 먼 데가 좋습니까?"

"가까운 데요."

나는 배가 고팠기 때문에 대답했다. 식욕이 2주의 잃어버린 시간을 보상받으려는지, 어제부터 허기가 급격하게 몰려오는 것 같았다.

그가 2주 동안 컨설팅을 담당한 회사의 본사는 공항과도 호텔과도 멀지 않았다. IT 기업 본사나 지사가 밀집된 지역을 통과하며 그는 몇 군데를 가리켜 보여 주었다. 나는 실제로 사용하는 서비스나 공부하던 중에 나온 이름들이 존재하는 게 신기해 창밖을 기웃거렸다. 날씨가 맑은 날이었다. 파란 하늘에는 구름 한 점 없었다.

그가 짐을 챙겨 나오는 동안 나는 주차된 차 안에서 기다렸다. 볼일을 마무리한 그가 차를 몰아 데려간 곳은 멀리서부터 사람이 북적거리는 것이 보이는 바닷가 옆의 카페였다.

"사람 많은 데 안 좋아하시잖아요."

빈 야외 테이블에 앉으며 나는 그에게 말했다. 밖은 그래도 지나온 실내보다는 덜 붐비는 것 같았다. 빛바랜 나무로 된 야외 테이블에는 커다란 파라솔이 매달려 있었는데, 그래도 테이블의 절반 정도는 햇빛으로 물들어 있었다.

"이럴 때는 어쩔 수 없지."

내 쪽으로 그늘이 오도록 파라솔을 조정한 그가 내게 메뉴를 건넸다.

"먹고 싶은 걸로 골라 봐요."

"팀장님은요?"

어중간한 시간이라 그런지 테이블 위에 꽂힌 것은 브런치 메뉴였다. 사진이 없고 메뉴 설명만 빼곡하게 나와 있어서 뭐가 뭔지 알 수 없었다. 그는 내가 잡고 있는 메뉴를 힐끗 보더니 별 망설임도 없이 하나를 짚었다.

"새몬이면, 연어랑…… 아스파라거스……?"

나는 그 밑에 있는 메뉴를 발견하고 바로 손끝으로 짚었다.

"저는 이거요."

"그래요."

보통 점심으로 단것을 먹는다고 하면 그의 못마땅한 시선을 받기 마련이었는데, 여행지라 괜찮은 건지, 브런치라 괜찮은 건지 알 수 없었다. 진한 커피가 먼저 나오고 음식이 나왔다. 그는 내게 빵 한 조각에 연어와 아스파라거스 머리 부분을 썰어서 얹어 주고, 시럽이 묻지 않은 쪽의 팬케이크를 조금 가져갔다. 나는 각종 과일이 곁들여진 팬케이크를 작게 썰어 먹었다. 입술이 아직 찢어져 있어서 크게 벌릴 수가 없었다.

비현실적일 정도의 여유였다. 아무리 토요일 오전이라고는 하지만 바다가 바로 앞에 보이고, 한가한 파도 소리와 대화 소리가 섞여서 들리는 야외에서 밥을 먹고 있으니 내가 언제 회사를 다니기는 했나 싶었다. 한국은 지금이 한밤중이니 새벽의 멍한 기분도 한몫했을 것이다. 느긋하게 식사를 하며 한 팀장은 출장 중에 겪었던 여러 일을 이야기해 주었다. 대부분은 통화를 할 때 스치듯이 들은 이야기였지만 막상 그의 호텔과 회사를 보고 나서 듣자 전혀 다른 느낌이 들었다.

밥을 먹고 나서는 그가 사 준 챙이 넓은 모자를 쓰고 그와 함께 사람이 북적거리는 부두와 바닷가를 구경했다. 연말처럼 나른한 축제 분위기가 풍기는 부둣가였다. 알록달록한 놀이기구와 관람차도 있었고 길거리에서 버스킹을 하거나 곡예를 하는 사람들도 있었다. 우리는 관람차를 타고 내려와 길거리에서 핫도그와 아이스크림을 사 먹었다. 도중부터는 사진을 그만 찍으라고 그에게 핸드폰을 압수당했다. 그 대신 그가 바다를 배경으로 찍어 준 몇 장의 사진은 사수가 봤다면 잘 나왔다고 칭찬해 줬을 만한 작품이었다. 나는 내내 기분이 들떠 있었고, 그도 마찬가지인 것 같았다. 그는 평소라면 치지 않을 짓궂은 장난을 치거나 아이스크림을 먹는 나를 손가락으로 쿡 찔러서 내가 의아하게 올려다보면 슬쩍 웃고는 했다.

나는 숙소로 이동하는 차 안에서 잠시 잠이 들었다. 햇빛이 금빛으로 고이는 오후였다. 눈을 감았을 땐 바다가 보이는 해안가 도로를 달리고 있었는데, 눈이 떠졌을 땐 커다란 야외 주차장에 차가 멈춰 있었다. 운전석은 비어 있었다. 나는 눈앞의 커다란 건물과 주차장에 세워진 차들을 멍하니 둘러보다가 손목시계를 확인하고 핸드폰을 꺼내 전화를 걸었다.

-일어났습니까?

그는 한 번 정도 신호가 간 후 바로 전화를 받았다. 낮은 목소리에 시끄러운 실내의 소음이 섞였다.

"네, 팀장님은 어디세요?"

아마 눈앞의 건물이겠지만, 여기가 어딘지도 알 수 없었다. 막 옆에 주차된 차에 도착한 금발의 여자아이와 눈이 마주쳤다. 차 트렁크 옆에 커다란 철제 쇼핑 카트를 주차시킨 젊은 남자도 보였다.

-장 보고 있습니다.

그가 대답했다.

-기다리기 싫으면 들어와요. 거의 다 됐지만.

"……네, 어디쯤 계시는데요?"

나는 지갑을 챙겨서 차에서 내렸다. 그는 "아이스크림을 고르고 있습니다."라고 답했다. 나는 선선한 바람이 부는 주차장을 가로질러 대형 마트 입구로 들어갔다. 길게 줄지어 있는 카트를 지나서 자동문을 통과했다. 거대한 창고처럼 생긴 마트는 축구장과 맞먹는 크기였고, 높은 진열대가 미로의 벽처럼 솟아 시야를 가리고 있었다.

"아이스크림이…… 어디 있는데요?"

-길을 쭉 따라와요. 출구 근처에 냉동식품 코너가 있습니다.

나는 당근이며 과일이 쌓인 야채 코너를 지나고 한기가 느껴지는 육류와 치즈 코너도 지났다. 카트를 옆에 두고 진열대 앞에 멈춰 서 있는 사람은 많았지만, 그는 보이지 않았다. 핸드폰에서는 달그락거리는 소리 같은 게 울렸다. 그의 목소리가 말했다.

-오다 먹고 싶은 게 있으면 집어 오고.

"……네."

과자가 차곡차곡 진열된 칸을 지났다. 거의 다 처음 보는 제품이었다. 나는 지나치다가 다시 돌아가서 감자칩이 그려진 봉지 하나를 집어 들었다. 세일 중인지 가격이 빨간색으로 적혀 있었다.

"……아."

모퉁이를 돌자 저만치에 그의 뒷모습이 있었다. 핸드폰을 귀에 댄 채로 카트에 몸을 기대고, 냉동식품이 든 유리 진열장 앞에 서 있었다. 심장이 뚝 떨어지듯이 멈췄다가 다시 뛰기 시작했다. 그를 담은 시야가 선명한 색깔로 피어났다.

-아이스크림은 뭘로 살까.

그가 냉동고 안의 통을 들었다 놓으며 물었다.

"저는 상관없는데……."

-바닐라는?

"그건…… 팀장님 취향 아니시잖아요."

-누가 아니래.

그가 어이없다는 듯이 웃었다. 나는 카트를 돌아 그의 등에 몰래 접근하려다가 기함했다. 카트에는 양파와 고기, 과일, 얼음을 포함해서 온갖 식료품이 빼곡히 자리하고 있었다. 그 산더미처럼 쌓인 음식 위로 나는 감자칩 봉지를 얹었다. 바스락거리는 소리에 그가 고개를 돌렸다. 나를 발견하자 차가워 보이던 얼굴이 부드럽게 누그러졌다.

"잘 잤어요?"

"……네."

가감 없이 다정한 눈이었다. 자고 일어나자 조금은 빛이 바래고 희미해진 낮의 일들이 모두 사실이었다는 듯이. 한 팀장은 전화를 끊고 핸드폰을 주머니에 넣으며 내게 손짓했다. 다가가자 허리에 그의 팔이 감겼다.

"이리 와 봐요. 이 사이즈면 괜찮겠습니까?"

"네, 오히려 많을 것 같은데……."

"모자란 것보다는 낫습니다. 더 사고 싶은 건 없었어요? 이게 답니까?"

그가 감자칩 봉지의 귀퉁이를 잡고 들어 올렸다.

"팀장님이 요리해 주시게요?"

"조리시설이 있는 숙소고, 외식은 두 주 동안 질리도록 해서. 시간이 없으니 간단하게 할 겁니다."

"네."

아무리 봐도 재료부터 간단해 보이지 않았지만, 그가 요리하는 방식을 몇 번 경험해 본 나는 얌전히 카트 옆으로 비켜섰다. 한 팀장은 바닐라 아이스크림 통을 카트에 담고 계산대로 향했다. 카트에서 감자, 양파, 버터 같은 식료품이 끊임없이 나와서 움직이는 컨베이어 벨트 위로 올라갔다.

"복숭아 좋아합니까?"

분홍빛이 탐스럽게 도는 복숭아 네 개를 벨트에 올려놓으며 그가 물었다.

"별로 먹어 본 적이 없어서 모르겠어요."

"오늘 먹어 봐요, 그럼."

삑, 삑, 바코드가 찍히고, 다시 카트 안에 봉지가 가득 쌓였다. 나는 기다리는 동안 계산대 옆의 알록달록한 껌이나 사탕 종류를 구경하다가 실수로 그와 눈이 마주쳤다.

"사 줄까."

아이를 데리고 장 보러 나온 어른처럼 그가 느긋하게 물었다. 웃음 띤 얼굴에 나는 얼굴이 뜨거워졌다.

"그냥 뭐 있는지 궁금해서……."

"안 먹어 보면 계속 궁금하지."

어깨가 닿았다. 그가 이제 거의 다 마무리된 계산대 위로 불량 식품을 종류별로 툭, 툭 하나씩 올렸다. 나는 당황해서 그의 팔을 붙들었다.

"저 다 못 먹어요."

"가져가서 천천히 먹어요. 몸에 좋은 것도 아니고."

막대사탕, 껌, 젤리 같은 게 벨트에 실려 갔다. 하나씩 집어 바코드를 찍는 직원은 표정 하나 변하지 않았다. 나는 한 팀장이 계산을 마치는 동안 먼저 카트 손잡이를 잡았다. 내내 그가 밀고 다녔으니 주차장까지는 내가 밀 생각이었는데, 몇 걸음 가지 못해 내 손 옆으로 그의 손이 나타났다. 뒤돌아보니, 내 몸을 팔 사이에 가두듯이 양쪽으로 카트 손잡이를 잡은 그가 있었다.

"갈까."

팔 밑으로 빠져나가려 했지만 소용이 없었다. 나는 어쩔 수 없이 그와 함께 카트를 밀고 출구를 통과했다. 걸음이 느려질 때마다 등에 그의 가슴이 스치듯 닿았다. 심장이 울리는 것처럼 쿵쿵 뛰었다. 노을 지는 하늘은 연하고 아름다운 보랏빛이었다. 주차장에 서 있는 자동차들조차 수채화의 일부처럼 보이게 하는 조명이었다.

⁂

숙소 문을 열고 보니 그 옆에 낯익은 캐리어 두 개가 나란히 세워져 있었다. 하나는 하늘색, 하나는 검은색이었다.

"아까 체크인하러 다녀갔잖아요."

내 손에서 마트 봉투를 받아 부엌에 옮겨 놓던 한 팀장이 어이없다는 듯이 말했다.

"같이 들어갈까 물었더니, 이서단 씨가 차에 있겠다고 하지 않았습니까."

"……자면서 대답한 것 같아요."

기억도 나지 않았다. 별장처럼 생긴 숙소를 둘러보며 나는 조금 아쉬워졌다. 벽을 따라 여러 개 난 커다란 아치형 창문으로는 모래사장과 바다가 내다보였다. 해가 지고 있는 풍경도 말문이 막힐 정도로 아름다웠지만, 환할 때 밖에 나가 그와 함께 거닐었으면 좋았을 것 같았다.

냉장고에 재료를 옮기던 한 팀장이 부엌 조명을 켰다. 깨끗한 하안색과 파란색으로 장식된 인테리어가 드러났다. 부엌과 이어진 거실에는 벽난로를 둘러싸고 널찍한 패브릭 소파가 반원을 그리고 있었고, 벽이 둥글게 들어간 창가에는 쿠션이 여러 개 놓인 윈도우 시트가 있었다. 누가 사는 곳처럼 일부러 꾸며 놓았는지, 벽난로 위의 선반에는 아기자기한 장식품도 많았고 창가의 책꽂이에는 책이 가득했다.

"구경하고 쉬고 있어요."

셔츠 소매를 팔꿈치까지 걷어 올리며 그가 말했다. 이미 부엌 찬장을 점검하는 그의 허리에는 까만 앞치마가 묶여 있었다.

"그래도 도와드려야……."

"별로 큰 도움은 안 됩니다. 앉아서 책이나 읽어요."

그가 마트 비닐봉지를 뒤지다가 몸을 일으켰다. 휙, 날아오는 것을 나는 얼떨결에 잡아챘다. 말랑말랑한 젤리가 들어 있는 봉지였다.

"너무 많이 먹지는 말고."

"……네."

나는 일단 가방에서 충전기를 꺼내 벽 콘센트를 찾아 돌아다녔다. 그러다가 구경하게 된 침실은 커다란 침대 외에도 소파와 쿠션, 장식품이 섬세하게 배치된 아늑한 공간이었다. 창문으로 보이는 바다는 굉장히 가까운 곳에 있는 것 같았다. 고리를 풀고 창문 한쪽을 조금 열었더니 찬 바닷바람이 느껴졌다. 모래 위에 부서지는 파도 소리가 들렸다.

내가 침실에서 나왔을 때 부엌에서는 벌써 나무 도마 위로 규칙적으로 떨어지는 칼질 소리가 들렸다. 나는 방해가 되지 않도록 두어 걸음 정도 떨어져서 그가 요리하는 것을 구경했다. 그러다가 침실로 가서 그새 조금 충전된 핸드폰을 들고 나왔다.

"……이건 또 왜 찍어."

고개를 돌렸다가 내 핸드폰 카메라의 렌즈를 마주한 그가 어이없다는 듯이 말했다.

"사진도 아니고 동영상입니까?"

"팀장님, 오늘은 뭐 만드는 중이세요?"

나는 도마 위의 해체된 복숭아와 부엌칼의 손잡이를 쥔 그의 단정한 손가락을 촬영했다. 그리고 다시 핸드폰을 들었더니 화면에 잡힌 그의 얼굴이 포기한 듯이 웃고 있었다.

"스테이크를 굽고, 양파와 복숭아를 구워 카라멜라이즈할 겁니다. 샐러드도 만들 거고."

"그렇군요. 샐러드에는 뭐가 들어가나요?"

"샐러드에도 복숭아가 들어갑니다. 어린 시금치와 구운 견과류도 들어가고."

"복숭아가 여기저기 많이 들어가네요. 지금은 어떤 단계가 진행 중인가요?"

"재료 준비 중입니다. 언제까지 찍을 겁니까?"

커다랗고 잘생긴 손이 다가와서 렌즈를 덮었다. 나는 한 걸음 물러나서 꿋꿋이 불이 들어와 있는 오븐과 한쪽의 접시에 담긴 빨간

소고기를 찍었다. 그러는 사이 그는 껍질이 붉은 양파를 칼로 정확하게 사등분하고 있었다. 팔이 움직일 때마다 얇은 셔츠 밑의 등근육이 섬세하게 꿈틀거렸다.

"팀장님, 오늘 저랑 여행 온 소감이 어떠세요?"

"……소감?"

그가 몸을 돌려 순식간에 핸드폰을 틀어쥐었다. 달그락, 빼앗긴 핸드폰이 부엌 카운터 위에 나뒹굴었다. 그리고 그는 나를 끌어당겨 싱크대에 밀어붙였다. 단단한 허벅지가 맞닿고 얼굴이 아슬아슬하게 가까워졌다.

"소감은 무슨."

양파향이 나는 젖은 손으로 그가 내 뺨을 감싸 쥐었다. 뜨거운 입술이 그대로 겹쳐졌다. 나는 눈을 감고 키스를 받는 동안 팔을 뻗어 그의 등을 손가락으로 더듬었다. 아찔한 감각이 발끝까지 내달렸다.

입술이 젖은 소리를 내며 떨어졌다. 내 질끈 감은 눈꺼풀 위로 가볍게 키스하며 그가 나를 밀어냈다.

"가서 혼자 놀아요, 이제."

나는 핸드폰을 회수하고 뒷걸음질 쳐서 부엌을 빠져나왔다. 계속 돌아가고 있던 영상을 저장하고, 책을 가져와 창가의 널찍한 좌석에 앉았다. 등 뒤로는 어두운 보랏빛으로 물든 노을이 펼쳐졌다. 나는 커다란 쿠션을 무릎에 두고 그 위로 책을 펼친 뒤, 부엌에 있는 그를 구경했다. 몇 시간을 지켜봐도 지루하지 않을 것 같았다. 기본적으로 그는 몸의 선이 곧고 모든 동작이 정갈하고 군더더기 없는 사람이었다. 뜨겁게 달구어진 프라이팬을 다루는 손목의 각도나 무거운 트레이를 들어 올릴 때 힘이 들어가는 팔과 어깨의 근육이 인체의 교본처럼 아름다웠다.

그는 음식이 다 되어 갈 때쯤 내가 식탁에 포크와 나이프를 세팅하게 해 주었다. 부엌에서는 손으로 잘 익은 과일을 으깬 것과도 같은 달짝지근하고 향긋한 냄새가 났다. 오븐에서 구워지는 복숭아와, 그가 따로 디캔팅을 한 와인의 향이었다.

"스테이크는 어떻게 할까."

프라이팬에 짧게 지진 동그란 스테이크 두 개를 오븐에 넣으며 그가 물었다.

"저는…… 미디움이요."

오븐이 열린 순간 열기와 과일향이 훅 밀려나왔다. 그가 언제 끝냈는지 카운터에는 유리 보울에 담긴 샐러드와 쇠 보울에 담긴 으깬 감자가 올라와 있었다. 나는 자꾸 옆에서 서성거리다가 그가 든 숟가락에서 크림처럼 부드러워진 감자를 얻어먹었다. 그 사이 완성된 스테이크가 적당한 두께로 썰려 하얀 접시에 올라갔다.

"갖다 놓을까요?"

"샐러드만 갖다 놓으세요. 이제 가서 앉고. 나머지는 내가 하겠습니다."

창밖에는 어느새 어둠이 드리워져 있었다. 나는 샐러드와 와인잔을 식탁에 가져다 놓고 의자에 엉덩이를 붙였다. 곧 그가 접시 두

개를 식탁으로 가져왔다. 비스듬히 썰린 스테이크는 핑크색 속살이 탐스럽게 드러나 있었고, 그 옆에는 갈색으로 물든 복숭아와 양파, 허브를 뿌린 매시드 포테이토가 장식되어 있었다. 구경하는데 정신이 팔린 내게 그가 말했다.

"지금은 사진 찍어야지."

눈이 보일 듯 말 듯 미세하게 접혀 있었다. 나는 바로 핸드폰을 꺼내 접시를 찍었다. 핸드폰을 조금 들자, 이제 익숙해진 그가 무덤덤한 표정으로 렌즈를 마주 봐 주었다.

완벽한 하루 끝에서 맞이한 완벽한 저녁 식사였다. 그래서인지 나는 그가 맛만 보라고 따라 준 와인을 두 잔이나 마셨고, 배가 부른데도 샐러드와 감자를 더 덜어 먹었다. 한 팀장은 디저트로 오븐에서 잘 익은 복숭아에 바닐라 아이스크림을 동그랗게 얹어 가져다주었다. 위에 뿌려진 진하고 달콤한 소스에서는 흑설탕 맛이 났고, 은은한 술 향이 났다.

"이서단 씨."

오븐을 정리하던 그가 내 얼굴 앞에 손뼉을 짝 쳤다. 나는 정신을 차리며 싱크대 안에 떨어뜨릴 뻔한 접시를 겨우 잡았다.

"지금 설거지하다간 뭐 하나 깨겠습니다. 가서 앉아 있어요."

"……아니에요."

"뭐가 아닙니까."

"아니에요."

나는 밀려나기를 거부하며 접시를 꽉 잡았다. 결국 요리하는 동안은 그를 하나도 돕지 못했는데, 설거지라도 내가 해야 할 것 같았다.

"세제를 안 묻히고 물로만 닦고 있잖아."

그가 지적했다.

"그건 또 뭡니까. 왜 와인 잔만 따로 빼놨어."

"……남았어요."

그는 결국 수세미를 내 손에서 빼앗았다. 내가 사수하려던 남은 와인도 싱크대에 부어 넣었다. 뒤로 밀려난 나는 한 걸음 비틀대고 그의 발치에 성공적으로 앉았다. 뜨거운 뺨에 닿은 그의 다리가 단단하고 안정적이었다.

"대체 얼마를 마셨다고."

웃고 있는 건지 짜증이 난 건지 알 수 없는 표정으로 내려다보며 그가 중얼거렸다. 나는 눈앞에 흔들리는 그의 앞치마 끈을 잡아당겼다. 설거지할 때는 없어도 될 것 같았다.

"이서단 씨."

"……."

"이서단."

얼굴이 가까워지고, 내 겨드랑이 밑으로 들어온 손이 나를 훌쩍 일으켜 세웠다. 나는 흐느적거리는 몸을 단단한 가슴에 기댄 채로 거실 소파까지 운반되었다. 나를 등받이에 기대어 앉힌 그가 물끄러미 얼굴을 들여다보다가 이마에 손가락을 대고 꾹 밀었다.

"산책은 못 가겠네요."

"갈 수 있어요."

"못 갑니다."

"갈 수 있……."

"일어서지 말고 앉아 있어요."

부엌으로 돌아간 그가 냉장고를 여닫았다. 곧 내 손에 차가운 유리잔이 들려졌다. 얼음이 달그락거리는 소리가 났다. 나는 얌전하게 얼음물을 두 모금 마시고 나머지는 안 마셔도 될 것 같아 일어서서 부엌으로 갔다.

"왜 또 왔어."

설거지를 거의 다 마친 그가 돌아보며 물었다.

"이것도……."

내가 내민 잔을 그가 받아 갔다. 차가운 손등이 내 뺨에 닿았다.

"왜 자꾸 웃어."

"……아."

"취한 것도 쓸데없이 예뻐서는."

물기 어린 손끝이 내 입가에 닿았다. 나를 내려다보는 눈이 다정했다. 그는 이번에는 발치에 쪼그려 앉는 나를 말리지 않았다. 나는 바닥에 떨어진 앞치마를 만지작거리며 머리 위에서 들려오는 물과 거품의 소리를 들었다. 가끔 손을 뻗어 그의 종아리와 발목을 만져봤다. 발목에서 뒤꿈치로 이어지는 아킬레스건의 팽팽한 곡선이 구두 위로 드러나 있었다. 그의 허벅지에 뺨을 비비며 "팀장님." 하고 부르면, 그는 조금 귀찮은 듯한 나른한 목소리로 매번 "왜."라고 대답해 주었다.

"팀장님……."

"……용건이 있어서 부르는 겁니까, 그냥 부르는 겁니까."

"……."

이런 집, 이런 풍경. 꼭 이렇게 좋은 곳이 아니어도 괜찮을 것 같았다. 바다와 벽난로, 아늑한 창가 자리가 없어도. 야경과 축음기가 있는 그의 집도 좋았다. 하다못해 소파 하나 없는 내 집도 괜찮을 것 같았다.

"팀장님이랑, 같이 살고 싶어요……."

머리 위의 물소리가 뚝 멎었다. 그의 바지에 닿았던 뺨이 떨어졌다. 나를 내려다본 그가 대놓고 어이없다는 표정을 하고 있었다.

"들어오라고 내가 말했잖아요. 몇 달도 전에."

"……."

"애초에 일주일에 반 정도는 내 집에서 자고 가잖아요. 지금 그걸 말이라고……. 내가 이서단 씨가 마음먹을 때까지 아무 말 안 하고 기다린 건 모르고 있었습니까?"

몸이 거칠게 일으켜졌다. 그는 휘청거리는 내 어깨를 붙들고 싱크대에 밀어붙였다. 어깨를 파고드는 손가락의 힘이 아플 정도로 단단했고, 가까이에서 마주한 눈은 짜증을 숨기지 않고 있었다.

"막차를 타겠다고 빠져나가고, 데려다주겠다고 해도 고집부리고, 내 앞에서 버젓이 살고 있는 집 재계약 이야기를 하지 않나……. 그래 놓고 뭐 하자는 겁니까, 지금?"

"……헤어질 수도, 있잖아요."

"뭐?"

"시간이 지나서, 제가 팀장님 눈에 안 찰 수도 있잖아요. 지금은 아니더라도 살다 보면 모르는, 일이니까……."

발음을 틀리지 않기 위해 혀에 힘을 줘야 했다. 시야가 어지러워서 화가 난 그의 얼굴이 제대로 보이지도 않았다. 나는 숨이 차서 몸을 비틀었다.

"그래서 팀장님이, 저한테 나가라고 하시면…… 그래서 팀장님이랑 같이 살다가, 다시 혼자 남게 되면……."

"……."

"저는 그거는, 안 될 것 같아요."

그때는 버틸 수 없을 것이다. 다시는 이 악물고 일어설 수 없을 것이다. 나는 어차피 그렇게 강한 사람이 아니었다. 내가 지금까지 배웠던 외로움은, 혼자 남는 것의 고통은, 그때 겪을 것에 비하면 아무것도 아니었다.

허물어지는 몸을 그가 치켜올렸다. 허리가 붙들리고, 뺨이 그의 어깨에 부딪혔다. 나는 산소 같은 체향을 들이쉬며 그를 끌어안고 눈을 감았다.

"한국으로 돌아가면 곧바로 짐 챙겨서 들어오세요."

나를 침실로 들고 들어가 침대에 내려 둔 그가 말했다. 벌써 정해진 것을 통보하듯 단단한 목소리였다.

"아니, 짐은 따로 사람을 보내 해결하겠습니다. 계약도 마찬가지고."

"……으으."

"집이 내 명의인 게 문제면 이서단 씨 명의로 옮겨 주겠습니다. 헤어질 일 없다는 내 말을 못 믿는 거면 호적에 올리든 계약서를 쓰든 상관없으니까, 이서단 씨가 불안하지 않게 뭐든 하세요."

내 뺨을 감싼 차가운 손에 얼굴을 비볐다. 귀에 꽂히는 단어와 단어 사이가 치즈처럼 길게 늘어났다. 그에게서 세제의 향과 구운 복숭아의 달콤한 향이 나는 것 같았다.

나는 마지막 남은 힘으로 팔을 뻗어 그를 끌어안았다. 막무가내로 무거운 몸을 내 위로 잡아 내렸다. 무게와 체온. 말로는 설명할 수 없는 절대적인 안정감이었다.

"어차피 제가, 팀장님을 더 좋아하잖아요……."

맞닿은 가슴으로 그가 소리 내어 웃는 게 느껴졌다. 헝클어진 머리 위로 입술이 닿았다.

"이서단 씨가 내 머릿속을 들여다볼 수 있으면."

"……흐읏."

"그런 말은 못 할 겁니다."

이마에, 눈꺼풀에, 코끝에 입술이 닿고 떨어지는 기분 좋은 소리가 귀에 느리게 스며들었다. 나는 이불처럼 그를 안은 채로 잠에 빠졌다. 머리를 느리게 쓸어 넘겨 주는 손길, 내려다보는 시선의 다정함이 온기처럼 몸 안에 차곡차곡 쌓였다. 아침에 일어났을 때도 다시 만날 수 있을 것처럼, 눈을 감아도 아무것도 사라지지 않을 것처럼.

⁂

"이서단 씨."

꿈속에도 그가 있었고, 내 이름을 부르는 그의 목소리가 있었다.

"슬슬 일어나요. 점심시간입니다."

그래서 나는 눈을 떠서 보게 된 그의 단정한 얼굴이 꿈인지 현실인지 알 수 없었다. 방 안이 환했다. 내가 가만히 있자 내려온 긴 손가락이 내 턱을 쥐고 가볍게 흔들었다.

"정신 차려야지."

"……으……."

머리가 울렸다. 내가 얼굴을 찌푸리자 그가 그럴 줄 알았다는 듯이 내 상체를 부축해 일으키며 손에 차가운 잔을 들려 주었다.

"마시고, 안 되겠으면 약 먹어요. 숙취해소제는 없어도 두통약은 있습니다."

물이 맑고 차가웠다. 동동 떠다니는 얼음이 낯익었다. 나는 물을 전부 마시고 어제저녁 식사 시간을 떠올렸다. 그 이후에 와인 두 잔에 들떠 내가 저지른 일들도 하나둘씩 생각났다. 그래도 그가 차려 준 밥을 토하지는 않아서 다행이었다.

"……팀장님."

내 표정을 물끄러미 보는 그의 눈가에 웃음기가 묻어 있었다.

"알면 됐습니다. 일어나서 씻고 밥 먹으러 나와요."

나는 열린 문으로 사라지는 그의 등을 바라보다가 고개를 돌렸다. 창밖의 하늘과 바다는 비슷한 빛깔의 푸른색이었고, 해는 벌써 중천에 떠 있었다. 창밖이 바로 모래사장이었다. 야자나무의 둥치가 손에 잡힐 듯 가까웠다.

씻고 나가자 거실에서 밖으로 통하는 유리문은 열려 있었다. 테이블에는 샌드위치와 샐러드가 보였다. 부엌에 서서 키 큰 유리컵에 얼음을 담고 있던 한 팀장이 나를 돌아봤다.

"옷도 갈아입었습니까?"

"……네, 밥 먹고 산책 나가면 좋을 것 같아서……."

"어젯밤에 못 나갔으니까."

그가 동의하듯 대답했다. 목소리가 멀쩡해서 입가의 웃음기가 아니었다면 놀리는 줄 몰랐을 것이다. 나는 대꾸하지 않고, 바다가 내다보이는 각도의 소파에 앉았다. 한 팀장은 과일과 분홍색 액체가 들어간 유리 피처를 들고 오며 테이블을 내 앞으로 쭉 밀었다.

"속 안 좋아도 좀 먹어 둬요. 가라앉혀야 멀미 안 할 겁니다."

"……네."

그러고 보니 오늘 비행기를 타야 했다. 차라리 덜 자고 어제 그와 산책을 나가거나, 누워서 이야기라도 나눴으면 좋았을 텐데. 나는 예쁜 삼각형으로 잘린 샌드위치를 집어 들어 천천히 입에 넣었다. 빵이 부드럽고 안에 들어간 감자와 시금치가 담백했다.

"어제 치우는 것도 하나도 못 도와드려서…… 죄송해요."

어제부터 아무것도 안 하고 그가 만든 음식으로 배를 채우고 있는 게 마음에 걸렸다. 한 팀장이 내 컵에 주스를 따라 주며 대답했다.

"이사 오면 이서단 씨는 빨래 같은 걸 맡는 게 좋겠습니다. 어제 보니 설거지도 못하던데."

"……."

나는 씹는 것을 잠시 멈췄다. 바다를 배경으로, 하얀 셔츠를 입고 기분 좋은 미소를 띠고 있는 남자는 한 폭의 그림 같았다.

"돌아가면 월요일 밤이니까, 화요일에 퇴근하고 이서단 씨 집에 들러서 간단한 짐은 옮겨 옵시다. 오늘 집주인에게 세입자 새로 찾으라고 연락하세요. 이번 주말에 남은 짐 옮기고."

"……."

"웬만해선 다 버리고 옵시다. 가구 같은 건 특히. 나중에 필요해지면 새로 사면 됩니다."

나는 남은 샌드위치를 삼키고 주스 한 모금을 마신 후 조심스럽게 입을 열었다.

"이번 주말은 너무 빠르—"

"안 됩니다."

여전히 웃는 얼굴로 그가 내 말을 끊었다.

"이 문제에 대해서는 앞으로 반론 받지 않겠습니다."

익히 알고 있는 얼굴이었다. 회의실에서의 상사와 플레이 중의 주인님이 겹쳐지는 지점에 저 말투와 저 표정이 있었다. 여기서 한 발짝을 더 나가면 그에게 말로 혹은 손으로 흠씬 두들겨 맞기 십상이었다. 나는 결국 벌렸던 입술을 다시 다물었다. 샌드위치를 하나 더 집어 와서 먹기 시작했다.

"저희 공항은 몇 시에 가요?"

배가 부를 때쯤 그에게 물었다. 한 팀장은 손목에 찬 시계를 확인하고 대답했다.

"다섯 시 오십 분 비행기니까 여기서 한 시간 반 정도 있다가 출발하면 될 것 같습니다."

"……한 시간 반이요?"

생각보다도 시간이 너무 적었다. 저녁 비행기라 오후 시간은 쓸 수 있을 줄 알았는데, 공항에서의 절차가 얼마나 시간이 걸리는지 잊고 있었다. 내 표정에 아쉬움이 그대로 드러났는지 그가 힐끗 나를 쳐다봤다.

"추석 때는 좀 여유롭게 다녀옵시다."

"……네."

"그리고……."

빈 잔을 정리하던 그가 짧게 침묵한 후 입을 열었다.

"이건 지금 꺼내려던 이야기는 아니지만. 내년에 퇴사하고 나서 창업하기 전에…… 같이 육 개월 정도 쉬는 건 어떻습니까?"

"……네?"

"이서단 씨도 나도 앞으로는 그럴 기회가 적을 겁니다. 회사가 굴러가게 되면 한동안은 많이 바빠질 거고. 그 전에 쉬어 두는 게 나을 것 같은데."

말하고 있는 그도 말의 내용을 낯설어하는 것처럼 보였다. 워커홀릭이라는 별명이 붙을 정도로 하루하루를 치열하게 살아온 그가 하는 말이라고는 생각하기 어려웠다. 나는 눈을 깜박이며 되물었다.

"창업하시기 전의…… 준비 기간 같은 거로요?"

"아니, 그런 건 아닙니다."

"……그러면……."

"특별히 하는 일 없이 이서단 씨와 집에 있고, 여행도 좀 길게 다니고. 낮 시간을 같이 보낼 수 있으면 좋을 것 같습니다. 이서단 씨 마음에 드는 나라에서 두어 달 살아 봐도 좋고."

내가 적절한 대답을 못 찾고 있자 그가 덧붙였다.

"물론 나도 진행해야 하는 준비가 있을 거고, 이서단 씨도 공부를 아예 놓을 순 없을 겁니다. 가끔은 시장 조사를 겸해서 여행을 다니는 일도 있을 거고. 그래도 기본적으로는 쉬고 재충전하는 기간으로 생각하고 있습니다. 싫습니까?"

"……아니요, 저야 당연히……."

애인인 그와 6개월을 지낼 수 있고, 평일 낮 시간대를 한가롭게 함께 보낼 수 있다니, 생각만으로도 말이 안 나올 정도였다. 고개만 끄덕거렸더니 테이블을 정리하기 시작한 그가 설핏 웃었다.

"김 대리가 본인이 조만간 이서단 씨에게 쉼의 미학을 가르치겠다고 장담하던데."

"……아."

"쉼에 미학이 있는지는 모르겠지만, 있다면 나한테 배우는 걸로 합시다."

과연 그가 적합한 선생님인지는 의문이 들었지만, 나는 얌전히 고개를 끄덕였다. 내 뺨을 손등으로 가볍게 쓰다듬고 지나간 그가 부엌 싱크대에 트레이를 올려놓고 정리를 시작했다.

"선크림 바르고 있어요."

내가 유리 피처와 잔을 들고 가자 그가 받아 들어 싱크대에 놓으며 말했다.

"욕실에 있습니다. 다리에도 바르고, 모자도 챙기세요."

"네."

나는 설거지를 하겠다고 고집부릴까 하다가 또 놀림당할 게 뻔해 그냥 욕실로 들어갔다. 어제도 발랐던 그의 선크림 튜브를 찾아 손바닥에 조금 짜내서 거울을 보며 얼굴에 발랐다. 두 뺨과 이마에 크림을 문질렀다. 금세 녹아 스며드는 하얀 크림에서는 산뜻하고 기분 좋은 향이 났다.

"팀장님, 이거……."

그를 부르려다가, 물소리에 묻혀 들리지 않을 것 같아 선크림과 뚜껑을 든 채 욕실 밖으로 나왔다. 한 팀장은 수도꼭지를 잠그며 돌아봤다. 벌써 설거지가 끝났는지 부엌도 밥을 먹은 테이블도 깔끔했다. 나는 튜브를 내밀며 말했다.

"이거, 얼마 안 남아서 다리에 바르면 아까울 것 같아요."

"안 아깝습니다."

그가 대답하며 물기가 남은 커다란 손으로 내 손목을 잡았다. 나는 선크림을 빼앗기고 소파의 뻣뻣한 천 위에 앉혀졌다. 한 팀장은 긴 손가락 끝으로 내 턱을 들어 올리고 주의 깊게 내 얼굴을 살폈다.

"뭘 쥐똥만큼 발랐어. 새빨갛게 타려고."

"아…… 아으."

선크림을 손등 위로 듬뿍 짜낸 그가 하얀 크림을 내 뺨과 턱, 콧등에 찍었다. 나는 그의 얼굴이 너무 가까운 것 같아 눈을 감았다. 세심한 손끝이 내 콧날을 쓸어내리고 눈썹과 눈두덩이 사이를 오갔다.

"읏."

목에 차가운 감촉이 닿았다.

"가만히 있어요. 달걀귀신 되고 싶은 게 아니면."

그는 옷으로 덮이지 않은 모든 부위에 선크림을 바를 기세로 내 목에도 귀 밑에도 뒷목에도 크림을 발랐다. 커다랗고 따뜻한 손이 적당한 힘을 주어 미끄럽게 살 위를 오갔다. 숨을 쉴 때마다 선크림의 달콤한 향과 가까이 붙어 앉은 그의 체향이 폐 속으로 빨려들었다. 그와 무릎과 허벅지 일부가 붙어 있었다.

"으응."

"이상한 소리 내지 말고."

그가 내 손목을 잡아 팔에도 선크림을 덜어 냈다. 나는 그의 손가락이 팔꿈치 반대편의 살짝 움푹 들어간 부분을 문지를 때쯤 눈을 떴다. 타박하는 목소리는 건조했는데, 팔뚝 안쪽의 연한 살을 간지럽히는 손길은 의도가 의심스러웠다.

"거긴 해 안 닿는데……."

"팔 들면 닿습니다."

두 팔을 꼼꼼하게 크림으로 덮은 그가 이번에는 내 다리를 잡아 무릎 위로 끌어왔다. 나는 넘어지지 않기 위해 등 뒤로 팔을 짚었다. 선크림을 쭉 짜내서 무릎과 발목 사이에 선을 그린 그가 내 다리를 감싸 쥐고 문질렀다. 슥슥 문지르며 올라온 손가락이 반바지 안쪽을 파고들어 허벅지 안쪽에 슬쩍 닿았다. 나는 그의 숙여진 정수리를 보며 소리를 참았다.

"반대쪽."

나는 양말 차림의 발을 그의 허벅지 위로 올렸다. 쭉 잡아당겨 내 몸을 끌어당긴 그가 선크림 튜브를 한 손에 쥐었다.

"……팀장님."

동그랗게 솟은 무릎에 차가운 감촉이 닿았다. 그가 작품을 감상하듯 조금 몸을 뒤로 물렸다. 그의 숙여진 고개에 가려 잘 보이지 않았는데, 내 무릎에는 하얀 선크림으로 표정이 그려져 있었다. 심지어는 내 쪽을 보고 웃는 얼굴이었다. 높게 올라간 입꼬리가 반듯하고 대칭적이었다.

"어제 궁금하다며."

"네?"

"이서단 씨와 여행 온 내 소감."

내가 멍하니 쳐다보고만 있자 그가 따뜻한 손바닥으로 꾹 무릎 위를 눌렀다. 기껏 웃고 있던 선크림 얼굴이 엉망으로 뭉그러졌다. 내 표정을 보고 희미하게 웃은 한 팀장은 내 다리 아래쪽에 선크림을 바르기 시작했다. 커다란 손이 엄지와 검지로 고리를 만들어 가볍게 내 발목을 쥐었다. 뭔가 실험하듯, 가늠하듯 두어 번 닿았다 떨어지고, 손아귀에 힘이 들어갔다.

"아으."

"돌아가면 다음 플레이용으로 족쇄를 한번 알아보겠습니다."

"……."

"가죽이나 쇠로 제작하면 좋을 것 같네요."

발목에 맥박이 뛰지 않는 게 다행이었다. 갑자기 속도를 높여 뛰는 심장을 그에게 들키지 않기 위해 나는 느리게 숨을 내쉬었다. 한 팀장은 선크림을 칠하는 작업을 끝내고 내 다리를 소파 밑으로 내려 주었다. 나는 다리가 후들거려 일어서면서 넘어질 뻔했다. 찰싹, 그의 손바닥이 가볍게 내 엉덩이를 바지 위로 내리쳤다.

"흐읏!"

"모자."

"……네."

모자를 쓰고 나와서 밖으로 나서기 전에 나는 가져온 유일한 신발인 구두와 양말을 벗어 놓았다. 문 너머의 모래에 맨발이 푹 파묻혔다. 처마 그늘 아래인데도 뜨끈했다.

"물 쪽으로 내려가서 걷죠."

그가 문을 닫고 걸쇠를 확인하며 말했다. 나는 따뜻한 모래 속에서 발가락을 꼼지락거렸다. 그의 말대로 정오의 햇볕을 머금은 모래는 발을 오래 대고 있지 못할 정도로 뜨거웠다. 물에 가까워지자 소금기 섞인 모래가 축축하고 단단했다. 앞서간 한 팀장은 파도 끝이 넘실대는 지점에 멈춰 서 있다가 등 뒤로 팔을 뻗어 내 손을 잡았다. 단단한 손가락이 내 손가락 사이사이 맞아들었다.

"너무 더우면 말해요."

"네."

느린 산책이었다. 나는 그를 따라 걷는 동안 핸드폰을 꺼내 푸른 수평선과 말간 하늘, 그와의 맞잡은 손, 모래 위를 딛는 그의 잘생긴 발을 찍었다. 연한 파란빛의 파도가 느리게 밀려와 발을 적셨다. 모자챙을 덥히는 햇볕이 뜨거웠다.

바닷바람이 불어서 공기는 뜨겁지 않았지만, 땡볕 아래 오래 걷기에는 적합하지 않은 시간대였다. 우리는 조금 걷다가 뜨거운 모래 위를 거슬러 올라가 야자수의 그늘을 찾았고, 앉아서 조금 쉬다가 다시 걸어서 숙소로 돌아왔다. 모래가 묻은 발을 욕실에서 닦고 나니 출발해야 하는 시간까지 40분 남아 있었다.

별로 꺼낸 것이 없어서 다시 챙길 것도 없었지만, 나는 캐리어를 열어 놓고 안에 뒤섞인 물건을 정리했다. 충전기와 스킨, 로션, 칫솔을 넣고 현관 옆에 캐리어를 가져다 놓았다. 부엌을 정리하는 그를 대신해서 그의 옷을 넣은 까만 캐리어도 나란히 세웠다. 그러고 나서 마지막으로 빠뜨린 물건이 없나 침실을 꼼꼼하게 보고 나오는

데, 한 팀장이 널찍한 거실 창문 위로 커튼을 치고 있었다.

"그럼 침실 커튼도……."

나는 말하다가 주춤 멎었다. 하얀 커튼이 유리를 가려서 밖이 보이지 않았다. 뒤를 돌아본 그가 힐끗, 손목에 찬 내가 선물한 시계를 내려다봤다.

"삼십 분 남았네요."

"……네."

"뭐라도 마시겠습니까?"

"……아니요, 괜찮아요."

"앉아 있어요, 그럼."

나는 1인용 소파에 엉덩이를 붙였다. 심장박동이 미세하게 빨라져 있었다. 부엌에서는 냉장고가 열리는 소리가 들렸다. 곧 주스가 든 유리잔과 얼음이 든 보울을 가져온 그가 내 소파와 90도 각도로 놓인 긴 소파에 깊숙이 기대어 앉았다.

나는 그가 말을 하기 전에 먼저 바닥으로 내려와 그의 다리 사이로 무릎을 꿇었다. 그가 눈썹을 느릿하게 들어 올리며 웃었다.

"눈치 많이 빨라졌네요."

소파의 딱딱한 시트가 가슴에 닿았다. 나는 손을 뻗어 그의 바지 지퍼를 내리고 얼굴을 가까이 가져갔다. 가슴 속에 나비가 든 것처럼 울렁거렸다.

"요즘 이서단 씨가 내 좆을 빠는 걸 좋아하는 것 같은데."

느긋하게 지켜보던 그가 말했다.

"내 착각입니까?"

"……흐읍."

나는 대답을 피하기 위해 속옷에서 꺼낸 그의 물건을 입에 물었다. 온화한 햇빛이 하얀 커튼을 투과하는 환한 대낮에, 카펫의 짧은 모가 무릎에 배기도록 꿇고 앉아 그의 성기를 빨았다. 어제와는 달리 내가 주도하고 내가 마음대로 할 수 있는 행위였다. 머리를 움직일 때마다 나는 젖은 소리도, 머리 위의 그의 숨소리도 점점 열기를 띠었다. 그의 단단한 손가락이 내 머리카락 사이로 느리게 파고들었다.

"으, 흐읍…… 하아."

내리깐 눈꺼풀 밑이 뜨거워졌다. 나는 나도 모르게 손을 내려 내 속옷 속의 반쯤 발기한 물건을 잡았다. 그의 딱딱한 성기를 잠시 뱉어 내고 끝부분을 혀로 핥았다. 비릿한 프리컴의 맛까지 야하게 느껴졌다. 빳빳하게 성이 난 귀두에 입술을 가만히 붙였다가 다시 입을 크게 벌려 기둥을 받아들였다. 셔츠 아래 그의 복근에 단단하게 힘이 들어가는 게 느껴졌다.

"손 떼."

그가 거친 목소리로 말했다. 내 바지 안에서 꼼지락거리는 손이 소파에 가려 보이지 않을 거라 생각했던 나는 망설이다가 어쩔 수 없이 손을 빼냈다. 몸을 소파에 붙이고 그의 것을 핥는 일에 집중했다. 얼마 지나지 않아 낮은 신음과 함께 입안에 사출한 그는 나를 무릎 위에 올라오게 해서 내가 사정할 때까지 성기를 만져 주었다.

"아, 흐으……."

절정을 맞고 나서도 몸의 두근거림이 가시지 않았다. 혈관을 타고 흐르는 피에 탄산이 섞인 것처럼 가만히 있을 수가 없었다. 그는 그의 목에 매달리는 나를 떼어 내 다시 무릎 꿇렸다. 웃고 있는 눈으로 내려다보며 물었다.

"키스하고 싶어요?"

"……네."

입술을 맞대고 혀를 섞고 그를 끌어안고 싶었다. 섹스는 못하더라도 옷을 벗고 그와 맨살을 비비고 싶었다. "그래요?"라고 느리게 되물은 한 팀장이 내 등 뒤로 팔을 뻗었다. 테이블 위에는 그가 가져온 보울이 있었다. 달그락거리는 소리가 났다.

"입 벌리세요."

벌어진 내 입술 앞으로 그의 손이 나타났다. 단정한 손가락 사이에는 네모난 얼음이 하나 들려 있었다.

"녹아 없어질 때까지 물고 있어요."

"……흐읏……."

"다 녹이면 키스해 줄 테니까."

열 오른 입안으로 얼음을 쥔 그의 손가락이 들어왔다. 혀 위로 얼음의 매끄러운 면이 눌렸다.

"흐읍……!"

차가웠다. 그의 손가락이 빠져나가자 나는 입을 바로 다물었다. 얼음 하나를 녹이는 건 그렇게 어려운 일이 아닐 것 같았다. 혀에 닿자마자 녹기 시작한 네모난 얼음덩이는 미끌미끌 입안을 굴러다녔다.

내심 자신이 있었던 나는 곧 당황했다. 뾰족하던 모서리가 녹아 없어진 후에도 얼음은 딱딱하고 차가웠다. 입안은 점점 온통 얼어버려 감각이 없어졌다. 나는 입술을 벌린 채로 가쁜 숨을 토해 냈다. 그는 감정을 알 수 없는 눈으로 나를 내려다보고 있었다. 얼음은 아직 한참 남은 것 같은데 입안이 아플 정도로 차가웠다.

"팀장님, 저……."

혀가 얼어서 발음이 뭉개져 나왔다. 나는 얼음을 혀끝에 밀어 두고 안달하며 그의 허벅지를 짚었다.

"참아."

그가 가차 없이 말했다.

"엄살 부리지 말고."

"……하읍……."

얼굴에 구멍을 낼 것처럼 흔들림 없는 시선이었다. 나는 파랗게 질린 입술을 애써 다물었다. 뻣뻣해진 혀 아래로 얼음을 굴렸다. 한기가 작은 가시처럼 연한 속살을 파고들었다. 발을 동동 구르는 나를 물끄러미 보던 그가 내 입술 앞에 손바닥을 댔다.

"뱉으세요."

"……후읍."

웬일인가 싶었지만 정말로 더 버티기 어려웠기에 나는 작아진 얼음 조각을 뱉어 냈다. 내 입안에서 모서리가 마모된 얼음은 작고 동글동글해져 있었다. 손바닥 위에서 녹고 있는 얼음을 말없이 내려다보던 그가 말했다.

"어리광이 늘었네요."

"……."

"이 정도도 못 참고."

사실이었다. 우리가 사귀는 사이가 아니고 내가 그의 요구에 일방적으로 따라야 하는 처지였으면 아마 입안이 다 까지더라도 참았을 것이다. 내가 눈치를 살피는 사이 몸을 일으킨 그가 휴지를 뽑아 손을 닦았다. 그는 소파에 다시 앉지 않고 얼음이 든 보울을 손에 들었다. 그가 향한 곳은 내 예상대로 부엌이 아니라 창가의 윈도우 시트였다. 어제 내가 앉아 그를 지켜봤던 널찍한 쿠션에 그는 걸터앉아 내게 손짓했다.

"옷 벗고 오세요."

나는 일어나다 말고 그의 말에 따랐다. 환한 햇볕과 그의 시선 아래 양말을 뺀 나머지를 전부 벗었다. 윈도우 시트 밑에 꿇어앉으려는 내 어깨를 그가 잡았다.

"올라와서 엎드려요."

"……이렇게."

"아니, 반대로."

엉덩이가 그를 향한 채로 허공에 들렸다. 나는 쿠션 하나를 안은 채로 엎드린 자세를 잡았다. 동그랗게 들린 엉덩이에 그의 손가락이 닿았다. 손바닥으로 구를 감싼 그가 몇 번 느리게 주물렀다. 그가 손아귀에 힘을 줄 때마다 살이 하얗게 질리고, 그가 힘을 풀면 붉게 피가 몰렸다. 몇 번을 반복하자 엉덩이에 얼룩덜룩 붉은 자국이 남았다.

"아!"

찰싹, 그가 엉덩이 한쪽을 매섭게 갈겼다. 따끔거리는 통증에 허리가 저절로 떠올랐다. 한 팀장은 쿠션을 내 허리 밑으로 집어넣었다. 힘을 주지 않아도 허공에 뜨게 된 엉덩이를 단단한 손가락이 잡아 벌리고, 최근의 섹스로 통통 부어 다물린 주름에 차가운 감촉이 닿았다.

"아으!"

얼음이었다. 네모나고 딱딱한 모서리가 예민한 부위를 짓눌렀다. 나는 심장이 턱까지 올라와 뛰는 것을 느끼며 눈을 감았다.

"이대로 넣으면 다치겠네."

얼음의 크기와 모양을 가늠해 본 그가 말했다. 그리고 갑자기 침묵이 이어졌다. 나는 미세한 소리의 정체를 알 수 없어 고개를 돌렸고, 그가 손바닥에 뜨거운 입안에서 녹인 얼음을 뱉어 내는 광경에 머릿속이 뜨거워졌다.

"나머지는 구멍 안에서 녹이세요."

입술이 붉어진 채로 그가 차분하게 말했다. 모서리가 둥글어진 얼음이 다시 내 입구에 닿았다. 나는 심호흡을 하며 힘을 풀었다. 툭, 부딪친 것이 그의 손가락에 밀려 안으로 들어왔다.

"흐으읏!"

뜨거운 것을 만지면 충격이 한 박자 늦게 오듯이, 뜨겁게 부은 내벽에 닿는 얼음의 감각이 한 박자 늦게 나를 후려쳤다. 꿈틀대며 앞으로 기어가려는 허리를 그가 꽉 짓눌렀다. 나는 잡고 있는 쿠션에 손톱을 세우며 몸을 떨었다. 그가 긴 손가락을 써서 얼음을 더 깊숙이 밀어 넣었다.

"팀장님, 저, 안, 흐으윽! 너무, 너무 차가워요……."

"힘줘요. 조이면 녹을 겁니다."

"아, 아흐, 못하, 흐윽!"

벽에 머리가 부딪쳤다. 그는 발버둥치는 나를 잡아당겨서 허벅지 위로 내 엉덩이를 얹었다. 그가 등허리를 누르고 있자 그제야 나는 도망갈 방법이 없음을 실감했다. 이가 딱딱 맞부딪힐 정도로 떨렸다. 한기가 온몸에 퍼지는 것 같았다. 내가 필사적으로 엉덩이를 오므리는 동안 그는 가만히 나를 내려다봤다. 자꾸만 엉덩이로 향하는 내 손목을 잡아 누르고, 물을 질질 흘리는 입구를 엄지로 대충 문질러 주었다. 그 정도의 체온도 나는 감지덕지였다. 가끔 희롱하듯 안을 쑥 파고드는 손가락도 뜨겁게 느껴졌다.

"흐, 하읍, 아…… 하윽……."

몸 안에 감각이 없었다. 내가 쿠션을 잡고 몸을 떠는 동안 안으로 손가락을 길게 찔러 넣어 본 그가 깔끔하게 말했다.

"다 녹았네요."

"흐윽……."

아직도 이물감이 남아 있는 것 같았다. 내가 고개를 흔들자 내 손목을 잡은 그가 손가락을 펴게 해 내 구멍 안으로 내 손가락을 밀어 넣었다.

"하윽!"

"봐, 없잖아."

"읏, 없…… 아, 아으!"

내 손가락으로 몇 번 피스톤질을 반복한 그가 손목을 놔주었다. 손가락이 내려와 내 눈가를 슥 훑었다.

"왜 울어."

"안, 이 아직…… 너무 차가워서……."

"그럼 어떻게 해 주는 게 좋겠습니까?"

목소리도 표정도 부드러웠다. 환한 대낮에도 악마 같은 남자를 올려다보며 나는 체념했다.

"팀장님이, 알아서 해 주세요……."

그의 입꼬리가 들리는 게 눈에 띄었다.

"내가 뭘 할 줄 알고."

짓궂은 눈. 나를 빤히 보던 그는 내 젖은 눈가에 입을 맞추고 나를 다시 제대로 엎드리게 했다. 따뜻한 손이 치켜든 엉덩이를 몇 번 주무르고 그 사이를 벌렸다. 내가 얼어붙은 것처럼 차가운 주름에 닿는 공기마저 따뜻하다고 느낄 때쯤, 뜨겁고 젖은 감촉이 닿았다.

"흐으읏……!"

일어나려 했지만 벌써 그의 손이 허리를 잡고 있었다. 몸이 뒤로 끌려가서 아예 그의 무릎 위로 엉덩이가 올라갔다. 골반을 잡은 그가 고개를 숙여 내 엉덩이 사이로 다시 입술을 파묻었다. 뜨거운 혀가 차가운 구멍 안으로 단숨에 파고들었다.

"아윽, 이거 너무…… 팀장님, 제발……."

몸 안은 아직 시리고 차가운데, 뺨과 귀는 터질 것처럼 붉게 달아올랐다. 힘이 쭉 빠지고 배가 오싹오싹 떨렸다. 커튼이 닫혀 있을 뿐이지 대낮이었다. 침대도 아닌 거실에서, 푹신한 쿠션과 책장이 있는 윈도우 시트에서 그에게 뒤를 빨리고 있으니 배덕감에 머리가 어지러웠다.

그러면서도 몸은 깊게 들어온 그의 혀를 더 깊이 받아들이고 싶어 안달했다. 그가 찬기를 다 핥아 없애 줄 것처럼 엉덩이를 더 들어 올렸다. 젖은 소리와 함께 혀를 빼낸 그가 내 자세를 다시 조정했다.

"뒤 벌려 봐요."

목소리가 까슬하게 가라앉아 있었다.

"흐, 아……."

쪽, 그가 다물린 입구 위로 입을 맞췄다. 나는 수치심도 잊고 손을 뒤로 해서 엉덩이를 잡아 벌렸다. 가쁜 숨을 몰아쉬며 쿠션 위로 뺨을 비볐다.

"읏, 으응…… 으, 흐으응……."

젖은 소리를 내며 혀가 안을 드나들었다. 혀끝으로 입구의 선을 따라 그리고, 벌름거리는 구멍에 삽입하듯 안으로 푹, 푹 찔러 넣었다. 뜨거운 입술이 주름을 비비고 문지르다가 속살을 밖으로 끌어낼 듯이 거세게 빨아들이기도 했다. 나는 완전히 정신이 나가서 몸을 그에게 맡긴 채로 신음했다.

내 몸 안이 언제 차가웠냐는 듯이 열과 타액으로 진탕이 되자 그는 나를 옆으로 눕히고 한쪽 다리를 어깨에 올린 후 천천히 삽입했다.

"응, 하읏……."

"몸 비틀지 마."

그가 내 허리를 잡았다. 몸이 꼼짝없이 붙잡히자 대신 발끝이 오므라들었다. 느리고 부드러운 왕복에 배 속에 다디단 꿀이 고이는 것처럼 달콤한 감각이 밀려들었다.

"아, 흐읏, 너무……."

"너, 지금 목소리가 떨려."

그가 재미있다는 듯이 말하곤 내 부푼 입술에 키스했다. 가슴과 허리를 쓰다듬는 따뜻한 손바닥도, 부드럽게 풀린 뒤를 드나드는 성기도 다정했다. 여행지에서의 나른한 대낮 같은 섹스였다. 느렸고, 안온했고, 시간이 가는 것이 아쉬울 만큼 다디달았다.

그의 품에서 몇 번째인지 알 수 없는 절정을 맞은 후 나는 갑자기 졸음이 쏟아졌다. 그가 나를 씻겨 주는 동안에도, 다시 옷을 입고 아슬아슬하게 시간을 맞춰 숙소를 나서는 동안에도 꾸벅꾸벅 졸았다. 지난 며칠간의 나답지 않은 추진력이 이제 유효기간을 다했다는 듯이 발밑이 푹푹 꺼졌다.

"그냥 자요."

차 옆자리에서 병든 닭처럼 꾸벅거리는 나를 향해 한 팀장이 재미있다는 듯이 말했다.

"공항 도착하면 깨워 주겠습니다."

"아니요, 저 이제 깼어요."

차가 신호에 매끄럽게 멈췄다. 한 팀장은 팔을 뻗어 내 등받이를 뒤로 눕혀 주었다. 나는 그대로 공항까지의 40분 정도를 죽은 듯이 잤다.

⁂

두 번째로 겪는 공항 출국 절차는 처음보다 훨씬 수월했다. 한 팀장이 곁에 있는 공항은 그가 없는 공항과 전혀 다른 곳이었다. 길을 몰라 헤맬 필요도, 절차를 몰라 불안해할 필요도 없었다.

그와 함께 출국 심사를 통과하고 나서 나는 티셔츠나 열쇠고리 같은 기념품을 파는 가게를 보고 졸음이 확 달아났다. 한 팀장은 손가락 사이로 넥타이의 재질을 가늠하다가 팔짱을 낀 채로 내가 가는 대로 따라왔다.

"그건 어디다 쓰려고."

'LA'라고 새겨진 동그란 열쇠고리를 만지작거리다가 그에게 핀잔을 들었다.

"저 환전한 돈 어차피 써야 해서요."

"차라리 먹을 걸로 사세요."

"먹을 건 먹으면 없어지잖아요. 아, 이거…… 어제 거기 맞죠?"

엽서가 죽 늘어선 칸에 그와 어제 갔던 바닷가의 관람차가 있었다. 나는 동일한 풍경을 버전별로 낮 하나, 밤 하나, 해질녘 하나 챙겨 들었다. 한 팀장은 말을 하려다가 꾹 참은 것 같은 표정이었다.

"이런 초콜릿 맛있을까요?"

그 옆의 벽에는 상자에 포장된 초콜릿이 쭉 늘어서 있었다. 겉에 'LA'가 커다랗게 쓰여 있었고 맛도 여러 가지였다. 삐딱하게 벽에 기대어 서 있는 한 팀장이 대답했다.

"모르겠습니다, 안 먹어 봐서."

"그러면……."

나는 취향 타지 않는 무난한 맛으로 골라 가면서 하나씩 챙기기 시작했다. 하나, 둘, 셋, 넷, 다섯……. 거기다가 두 명 더. 그새 어디론가 사라져서 플라스틱 바구니를 가져온 한 팀장이 내가 품 가득 끌어안은 초콜릿 상자들을 보고 눈썹을 치켜올렸다.

"그걸 다 사겠다고?"

"이건 선물하려고요. 저희 팀이랑, 김 주임님이랑 박 대리님……."

"……그래요."

"팀장님은 뭐 안 사세요?"

"나는 됐습니다. 다 골랐습니까?"

나는 망설이다가 결국 냉장고에 붙이는 자석 한 개까지 바구니에 넣고 계산대로 이동했다. 빳빳한 봉투에 내가 고른 기념품들이 차곡차곡 담겼다. 아무것도 안 살 거라던 한 팀장은 내 뒤에 줄을 서 있다가 뭔가를 카운터에 올렸다. 점원의 손이 바코드를 찍고 있어서 뭔지는 잘 보이지 않았다.

"뭐 사셨어요?"

가게를 나서면서 궁금해서 물었더니, 한 팀장이 대답 대신 내 봉투 안으로 뭔가를 툭 떨어뜨렸다. 팔을 집어넣어 찾았더니 손에 작고 부드러운 것이 잡혔다. 손바닥에 들어올 만큼 작은 미키 마우스 열쇠고리였다.

"달고 다녀요."

그가 무덤덤한 얼굴로 말했다. 나는 풀어지려는 입꼬리를 애써 단속했다. 여기서 웃으면 나중에 방심했을 때 앙갚음당할 게 뻔했다.

"한국에서도 구할 수 있는 거니까, 괜찮을 겁니다."

인형을 가방에 다느라 정신이 팔린 내 팔을 붙잡아 올바른 통로로 이끌며 그가 말했다.

"네?"

"날 보러 여기까지 왔다고 회사에서 광고하고 다닐 생각입니까?"

"……아, 그러네요."

그러고 보니 정말이었다. 그때는 우리 둘 다 내가 회사 사람들을 위해 산 기념품 초콜릿을 까맣게 잊고 있었다. 한국에 돌아가서 그 사실을 기억해 내고, 결국 한 팀장이 사 온 것으로 하고 초콜릿을 나눠 줘서 팀 전체를 의문과 불안에 떨게 하는 것은 조금 나중의 일이었다.

⁂

인천공항에 비행기가 착륙한 것은 이미 해가 떨어진 지 오래인 늦은 밤이었다. 비행기 앞쪽의 아늑하고 편안한 좌석에서 잠을 자고 제대로 된 접시에 나오는 기내식을 먹었음에도 불구하고 나는 미리 에너지를 당겨 쓴 것처럼 체력의 한계에 다다라 있었다. 그도 마찬가지인지, 아니면 나를 배려해서인지, 서울로 돌아가는 차 안은 조용했다.

떠나 있던 그 짧은 날 사이 한국의 날씨는 겨울을 향해 추락해 있었다. 곧 단풍으로 화려하게 물들 가로수들은 희미한 노란색으로 색이 빠져 있었고, 그마저도 창백한 가로등 불빛 아래서는 잿빛으로 보였다. 나는 그의 차의 익숙한 승차감에 몸을 맡기고 도로 위로 스쳐 가는 가로등 불빛을 내다봤다. 생각이 한 군데에 오래 맺히지 못하고 잔 가닥들을 남긴 채로 떠돌았다.

한 팀장은 피로를 내색하지 않는 정확하고 매끄러운 운전으로 내비게이션의 안내도 없이 차를 몰았다. 서울 시내로 들어서고부터는 내게도 길이 어렴풋이 낯이 익었다. 곧 몇 시간 후면 출근해야 할 회사 건물도 시야 끝을 스치고, 그의 집으로 향하는 익숙한 길로 접어들었다. 일상의 풍경을 보자 실망감과 안도감을 뒤섞은 것 같은 미지근한 감정이 나를 적셨다. 빨리 내일 출근해 익숙한 사수의 얼굴을 보고 싶기도 했고, 이대로 일상으로 돌아가고 싶지 않기도 했다.

한 팀장은 지하 주차장의 익숙한 자리에 차를 주차하고 시동을

꼈다. 낮은 소음이 사라진 공간을 침묵이 메웠다. 기어 위에 있던 그의 손이 내 허벅지를 가볍게 짚고 내 안전벨트를 풀었다.

"올라갑시다."

나는 고개를 끄덕이고 문을 열었다. 주차장 안의 공기가 서늘했다. 벌써 가방을 꺼내고 트렁크를 닫은 한 팀장은 내 한쪽 손에 캐리어를 양보하고, 반대쪽 손을 잡았다. 우리는 가방 두 개와 사람 두 명으로 이어진 덩어리가 되어 엘리베이터를 탔다.

나는 그가 키패드를 열고 비밀번호를 누르는 동안 옆으로 비켜서 있었다. 그가 조명을 켜자 드러난 깨끗한 거실과 유리 너머의 야경은 사흘 전에 내가 두고 간 그대로였다. 그러고 보니 그에게 내가 이곳에 내내 머물렀다는 것을 설명해야 하는데, 피곤해서인지 생각이 정리되지 않았다.

"씻을 겁니까?"

부엌에서 나온 한 팀장이 물이 든 머그잔을 건네주며 말했다. 받아든 잔이 따뜻했고, 입술을 적시는 물은 미지근했다.

"그래야 할 것 같아요. 내일 아침에는 시간이 없을 것 같아서……."

내일 아침이라고 해 봤자 다섯 시간 정도 후의 일이었다. 한 팀장은 캐리어 두 개를 옷방 앞쪽에 나란히 세운 후, 내 손에서 빈 잔을 가져갔다.

"씻고 나와요, 그럼. 미끄러지지 않게 조심하고."

"네."

나는 뺨에 가볍게 닿는 그의 손등에 얼굴을 잠시 붙였다. 눈을 감자 발밑이 빙글빙글 도는 것 같았다. 한 팀장이 내 얼굴을 손으로 받친 채로 낮게 웃었다.

"많이 피곤합니까?"

"……저 비행기에서도 많이 잤는데."

밝은 조명 아래서 보니 그의 얼굴이야말로 피곤함의 흔적이 뚜렷하게 새겨져 있었다. 그러고 보니 내가 비행기에서 눈을 뜰 때마다 옆자리의 그는 태블릿으로 서류를 보고 있거나 지루해 보이는 영화를 시청하고 있었으니, 잠을 제대로 잔 지 하루는 넘었을 것이다. 나는 뺨에 닿은 그의 손을 잡았다.

"씻을게요. 팀장님 먼저 주무세요."

"그래요."

그가 순순히 손을 떼고 내가 아래층 욕실로 들어가게 두었다. 나는 빠르게 탈의한 후 노곤한 몸을 뜨거운 물로 씻고 꾸벅꾸벅 졸면서 이를 닦았다. 수건을 허리에 두르고 옷방에 들어가 그가 내게 준 셔츠 중 하나를 걸쳐 입었다.

거실은 불이 켜져 있었지만 조용했다. 나는 나란히 선 캐리어를 한 번 둘러보고 거실 조명을 껐다. 계단을 올라가자 수면등의 희미한 불빛이 열린 문틈으로 새어 나오고 있었다.

나는 그를 깨우지 않기 위해 소리를 죽여 문을 닫고 침대로 다가갔다. 이불의 귀퉁이를 잡고 당기자 그의 넓은 맨등이 보였다. 나는 팔을 조심스럽게 뻗어 그의 허리에 감고 바짝 몸을 붙였다. 내 잠옷의 얇은 천 너머로 뜨끈한 체온이 전해져 왔다.

그가 나를 위해 남겨 놓은 베개 위 공간에 머리를 기대고, 한쪽 뺨을 그의 단단한 어깨에 붙였다. 숨을 내쉴 때마다 그의 뒷목의 머리카락이 조심스러운 바람에 흔들렸다. 나는 팔을 뻗어 협탁 위 수면등을 끄기 전에 그의 어깨에 가만히 입술을 눌렀다.

그때 어둠 속에서 그의 배를 가로지른 내 손목이 붙잡혔다.

"이서단 씨."

그가 숨소리가 섞인 느린 목소리로 나를 불렀다.

"카드, 잘 읽었습니다."

"……네."

"그리고, 내가 없는 동안 누가 내 부엌에서 물을 마신 것 같던데."

"……."

"내 침대에서 잠을 잔 것 같고."

얼굴이 안 보이니 화가 난 건지 알 수 없었다. 그렇게 열심히 청소를 했는데 눈치 채는 것도 그다운 일이었다. 나는 잠시 눈을 깜박였다.

"……팀장님이 안 계시니까, 제 집에서는 잠이 안 와서……. 미리 여쭤봤어야 하는데, 죄송해요."

닿아 있는 몸이 들썩이고, 매트리스가 출렁였다. 그는 침대에 바로 누운 채로 나를 몸 위로 끌어 올렸다. 다리가 얽히고 그의 한쪽 뺨에 얼굴이 닿았다. 어둠 속에서 나를 물끄러미 보고 있는 그의 까만 눈동자가 보였다.

"내가 없으면 잠도 못 자고."

"……."

"이서단 씨는 평생 내 집에 살아야겠네요."

만족감이 깃든, 그 만족감을 숨길 생각도 없는 목소리였다. 낙낙한 셔츠 밑으로 파고든 팔이 내 등을 쓰다듬었다. 그가 챙겨 주는 밥을 먹고, 그가 곁에 있어야 잠을 자고. 나는 그의 얼굴을 내려다보며 작게 물었다.

"제가 팀장님한테 너무 의존하는 것 같아서…… 부담되지 않으세요?"

느리게 휘어지는 그의 눈이 보였다.

"이만큼 겪어 보고 아직도 모릅니까."

"……."

"이서단 씨를 필요로 하는 건 오히려 내 쪽입니다."

내 몸이 하나도 무겁지 않다는 듯이, 밀착된 내 체온이 기껍다는 듯이 그가 나를 가까이 당겨 안았다. 두 팔로 나를 꽉 감고, 내 입술에 입을 맞췄다. 나는 힘을 빼고 그에게 온전히 몸을 맡겼다. 오랜 비행을 마침내 끝낸 것처럼, 편안해진 몸이 그의 품 안에 오롯이 잠겼다.

⁂

어느 모로 봐도 비효율적인 선택이었다. 차가 막히지 않을 것을 알고도 일찍 출발해, 15분 걸리는 거리를 10분 만에 주파했다. 파란 하늘 아래 높은 가로수가 줄지어 선 도로를 달렸다. 신호등에 한 번 걸리고, 높이 달린 간판 아래를 빠른 속도로 연이어 지났다.

약속한 시간까지 한 시간을 남겨 놓고 목적지에 도착했다. 넓고 한산한 주차장에 차를 주차하고 밝은 햇살 아래 성큼성큼 횡단보도를 가로질렀다.

예상대로 전광판에는 외워 둔 번호 옆에 예정 시간이 덩그러니 떠 있을 뿐이었다. 붐비는 사람들 틈에 서서 화면에 시선을 고정하고 기다리니, 목록 아래쪽에서부터 점점 위로 올라온 번호 옆에 마침내 기다리던 표시가 붙었다. 이 건물 너머 어딘가의 광활한 공간, 그곳에 이제 그가 있었다.

핸드폰을 꺼내 그가 아직도 확인하지 않은 답장 밑으로 간단하게 메시지를 보냈다. 기다리는 동안 이메일을 확인하려 했지만, 활자가 눈에 들어오지 않았다. 결국 메시지 앱을 확인해 보고 핸드폰을 다시 주머니에 밀어 넣었다.

3시 반, 3시 50분. 한 차례 통로를 통해 나오던 사람들이 끊겼다. 주변의 대화 소음이 커졌다. 쇠로 된 펜스 난간이 차가웠다.

마침내 오랜 침묵을 끊으며 한 중년 남자가 검은 슈트케이스를 끌고 통로에서 모습을 드러냈다. 바로 옆의 여자가 손을 흔들며 반갑게 맞이하는 동안 또 하나의 낯선 얼굴이 통로 입구에 나타났다.

똑똑 흐르던 물방울이 차차 물줄기가 되듯이 수많은 얼굴이 차례로 지나갔다. 앳된 대학생 무리, 짧은 머리의 한국인 여자, 하얀 얼굴의 아이가 바로 앞을 스쳐갔다.

시계, 전광판, 핸드폰을 차례로 확인했다. 미지근한 난간에서 몸을 떼고 제자리를 서성였다. 이렇게 오래 걸리는 것이 정상이었을까. 사라지지 않은 수신확인 표시에서 눈을 떼고 핸드폰을 꽉 쥐었다.

그리고 눈을 드니, 그가 있었다.

벽 뒤에서 막 모습을 드러내고 멈춰 선, 곧은 선의 예쁜 몸이 있었다. 조금 머뭇거리는 걸음, 밝은 하늘색의 슈트케이스 손잡이를 꽉 쥔 하얀 손가락이 보였다.

인파를 헤치고 통로로 나가는 동안 이쪽을 보지 못하고 작고 하얀 얼굴이 계속해서 두리번거렸다. 커다란 눈이 무언가를 찾아 헤매듯 난간을 잡은 사람들을 훑었다. 다물려 있는 섬세한 입술, 코끝이 동그란 예쁜 코, 울면 금세 발갛게 물드는 눈가. 공항의 햇살 어린 조명 아래, 살아 있는 그가 있었다.

허공을 건너 눈이 마주치는 순간 흐릿하던 세상이 선명해졌다. 시간이 멈춘 듯 귀에 희미한 이명이 울렸다. 창백하고 불안하던 그의 얼굴이 믿을 수 없는 것을 봤다는 듯이 멈췄다. 긴 속눈썹이 한 번 크게 깜박거리고, 입술이 단단하게 다물렸다.

바퀴 달린 슈트케이스가 기울어져 흔들리는 것도 신경 쓰지 않고, 수많은 사람들의 시선도 아랑곳하지 않고, 모든 것이 빠짐없이 사랑스러운 존재가 전속력으로 달려왔다. 멀게만 느껴지던 거리를 단숨에 좁히고, 어느새 바로 눈앞에 있었다. 검은 눈동자에 어린 반짝임, 반사된 불빛이 보였다.

두 팔 벌려 그를 온몸으로 받아 안았다. 작은 몸이 허공만 존재하던 품 안에 빈틈없이 들어찼다. 낯익은 체온, 체향. 그제야 몸의 힘을 풀고, 오랜 시간 멈추고 있던 숨을 내쉴 수 있었다.

그토록 머나먼 거리, 까마득한 시간의 간극을 건너. 기나긴 기다림에 대한 대답처럼, 모든 시작과 끝의 이유처럼.

나에게 도착한 너였다.

세상이었다.

쉼의 미학

지이잉— 지이잉—

반쯤 잠든 상태로 반사적으로 손을 뻗었다. 핸드폰을 찾아 알람을 끄는 데 몇 초가 걸렸지만, 다행히 곁에서 들리는 규칙적인 숨소리에는 변화가 없었다.

예전에는 작은 소리에도 금세 깰 정도로 잠귀가 밝으셨던 것 같은데. 나는 핸드폰 화면에 뜬 시간을 확인하고, 한 팀장의 품으로 조금 더 파고들며 나른한 눈꺼풀을 깜박였다.

아침 7시 40분. 일어나서 씻고 준비하고 걸어갈 시간까지 치밀하게 계산해서 설정한 알람이었는데, 막상 눈을 뜨고 보니 10분 더 늦게 일어나도 될 것 같았다. 푹신한 이불 안의 온도도, 내 허리에 팔을 두른 남자의 단단하고 따뜻한 품도 당장은 두고 가기 싫었다.

"으음……."

다시 잠들까 봐 눈을 깜박이며 한 팀장의 어깨에 뺨을 기대고 있다가, 결국 마음을 먹고 이불을 소리 없이 걷었다. 아침의 한기가 느껴지자 몸이 자동으로 움츠러들었다. 한국에서 회사를 다닐 때는 어떻게 새벽 6시에 매일 일어났을까. 반년도 안 된 일이 다른 사람의 인생처럼 까마득하게 느껴졌다.

최대한 조심스럽게 그의 팔 밑에서 빠져나가려 했지만, 마지막 순간에 그의 팔에 힘이 들어갔다. 눈을 뜨지도 않고 내 허리를 잡아챈 한 팀장이 잠긴 목소리로 물었다.

"어디 가요."

"……더 주무세요, 팀장님. 빵 사러 금방 다녀올게요."

반듯한 이마 위로 부드러운 머리카락이 헝클어져 있었다. 미간을 살짝 좁힌 그가 물었다.

"운전해서 가려고?"

"아니요, 산책도 할 겸 걸어서 가려고요."

느리게 걸어도 10분 정도밖에 안 걸리는 거리였고, 며칠 전에도 익숙하지 않은 렌터카로 주차하다가 애를 먹은 적이 있었다. 나를 놓아주지 않고 으으음, 하고 나른한 소리를 낸 한 팀장이 말했다.

"오 분만 더 자고 나서 같이 가요."

"……네."

오픈 시간에 맞춰 가려고 알람까지 맞춘 것이었지만, 얌전히 그가 당기는 대로 품 안으로 파고들었다. 맞닿은 살갗이 단단하고 매끈했다. 5분 후로 알람을 맞춰야 하나. 그냥 잠들었다가는 못 일어날 게 뻔했다. 한 팀장의 팔을 베고 눈을 깜박이고 있으니, 다시 잠든 줄 알았던 그가 느리게 말했다.

"어제는 주말이라 빵이 일찍 팔렸던 거고. 오늘은 좀 늦게 가도 될 텐데, 왜 이렇게 일찍 일어나요?"

말만 들어서는 평생 일찍 일어나 본 적 없는 사람 같았다. 나른한 말투에 한량의 여유가 배어 있었다.

"일찍이라니……. 해 뜬 지 한참 됐는데요."

"무슨 상관입니까. 해는 해고, 사람은 사람이지."

결국 지금 당장은 일어나기 싫다는 소리였다. 나는 기어이 웃음을 삼키며 그의 어깨를 밀어냈다.

"팀장님, 그냥 주무세요. 저만 다녀올게요."

정말로 그를 더 자게 두려고 한 말이었는데, 한 팀장은 눈을 감은 채로 숨을 길게 내뱉고, 나를 안은 채 한 번에 일어났다. 나는 그가 내려 주는 대로 침대 가장자리에 걸터앉아서 욕실로 들어가는 그의 맨등을 구경했다.

침실 커튼을 걷어 보니 하늘이 말갛고 연한 푸른색이었다. 선선한 아침 공기에 희미한 소금기가 묻어 있었다.

그와 교대해서 간단히 씻고, 편한 옷을 입고 슬리퍼를 질질 끌고 숙소를 나서니 벌써 8시였다. 다른 도시였다면 출근하는 차들로 북적였을 시간대였지만, 이곳의 거리는 다른 때보다 약간 활발한 정도였다. 찻길에 차도 별로 없었다. 인도를 따라 걷고 있으면 가끔 반대 방향에서 오는 사람들과 마주치거나 자전거가 두셋씩 옆을 스쳐 갔다.

“자전거 타는 사람들이 많네요.”

방금도 지나간 자전거를 돌아보며 중얼거렸더니, 한 팀장이 대답했다.

“장거리보다 단거리를 이동할 일이 많아서 그럴 겁니다. 도로도 자전거가 다니기 좋게 설계되어 있고.”

“팀장님은 자전거 탈 줄 아세요?”

“모르는 사람도 있습니까?”

가만히 있었더니, 그는 나를 내려다보고 의아하게 물었다.

“설마 자전거 탈 줄 몰라요?”

“……어렸을 때는 잠깐 탔었는데, 지금은 모르겠어요.”

초등학생 때 집 베란다 구석에 어린이용 자전거가 두 대 놓여 있던 기억이 있었다. 처음에는 동생과 둘이서 열심히 아파트 단지 안에서 타다가, 언젠가부터 별 이유도 없이 녹슬게 두었던 것 같았다.

“막상 타면 몸이 기억할 겁니다.”

한 팀장이 말했다.

“타 보고 싶어요? 빌려주는 데가 있을 텐데.”

“여기서요?”

“네.”

“……타 보고 싶어요.”

솔직하게 말했더니, 그가 웃었다. 대충 눌러쓴 검은 야구 모자 밑으로 날카로운 눈매가 희미하게 휘어졌다.

“그래요. 어디서 빌리는지 알아볼 테니까, 여기 있는 동안 타러

가죠."

상점가가 가까워지면서 목적지인 작은 빵집 안이 붐비는 게 보였다. 어제도 생각했지만, 인구가 얼마 되지도 않는 해안가 도시의 현지인들과, 인파에 이끌린 관광객들까지 다 이 빵집에 몰려드는 것 같았다. 나는 한 팀장을 밖에 남겨 두고 빵집 안으로 들어갔다. 좁은 공간에서 몇 분 줄을 선 끝에 며칠 전에 먹었던 빵과 새로운 종류 몇 가지를 계산해서 나왔다.

"팀장님……."

그를 찾아 두리번거리다가 멈췄다. 한 팀장은 저쪽에 있는 벤치의 팔걸이에 기대어 서서 핸드폰을 내려다보고 있었다. 검은 야구모자와 편한 옷차림, 맨발에 신은 슬리퍼. 여행 중엔 자주 봤던 모습인데, 아직도 방심하면 가슴이 불규칙적으로 뛸 정도로 신기했다. 긴 다리를 꼰 비스듬한 자세와 검은 모자 때문인지, 평소의 반듯함은 어디 가고 불량스러운 분위기마저 풍겼다.

봉투를 든 채로 서서 그를 바라보고 있자, 시선을 느낀 그가 눈을 들었다. 멀쩡하게 시선을 마주치더니, 표정 변화 없이 물었다.

"애인 감상은 다 했어요?"

"……아니요, 아직 하는 중이에요."

그 말에 그의 눈에 또 희미하게 웃음기가 스몄다. 핸드폰을 주머니에 넣으며 다가온 그가 내 손에서 봉투를 받아 들고 먼저 걷기 시작했다. 좁은 인도 위를 가까이 붙어서 거의 나란히 걸었다. 그가 걸음을 늦추고 내가 걸음을 재촉할 때마다 팔이 가볍게 비벼지듯 맞닿았다.

무거운 빵 봉투와 슬슬 고픈 배가 아니었으면 더 오래 걷고 싶었을 정도로, 산책하기에 딱 알맞은 날씨였다. 숙소 쪽으로 올라오며 바닷가가 가까워지자 선선한 공기에 바다 내음이 섞였다. 길 건너에 개를 데리고 산책 나온 사람들이 보였다. 모퉁이에 있는 작은 주택 앞마당에서 팔까지 붉게 탄 노인이 잔디를 깎고 있었다.

"오늘은 일 좀 하셔야 하죠?"

숙소가 시야에 들어올 때쯤 그에게 물었다. 한 팀장은 손목시계를 힐끗 확인하고 대답했다.

"두 시간 정도. 점심 먹기 전엔 끝날 겁니다."

"네, 저도 그 시간에 공부할게요."

하루 두 시간이면 공부라고 말하기에도 민망한 양이었다. 거의 보지 못한 슈트케이스 안의 책들을 생각하며 살짝 죄책감이 들었을 때, 걸음을 멈춘 그가 나를 보고 불쑥 물었다.

"오후에는 자전거 타러 갈까요? 빌려주는 데는 찾았는데."

"오늘이요? 저는 좋아요."

"해안가 따라서 타는 코스가 있다고 하던데, 일단은 숙소 근처에서 타 보고…… 이서단 씨가 자전거를 탈 줄 아는 것으로 판명이 나면 더 멀리 나갑시다."

"……네."

대답하면서도, 왠지 운전을 그에게 처음 배울 때와 비슷한 상황이 되풀이될 것 같은 불길한 예감이 들었다. 자전거를 한번 배우고 나면 몸이 기억한다는 말은 들어본 적 있었지만, 그게 모든 사람에게 해당이 되리라는 보장도 없지 않을까. 이번에 여행을 다니며 그와 수상 스포츠를 하거나 새로운 운동을 배울 일이 있을 때마다, 나름대로 열심히 하다가 고개를 들면 그의 시선이 내게 머물러 있었다. 어떻게 사람의 운동 신경이 이럴 수 있냐는 듯이, 어이없음을 넘어 유심히 관찰하는 눈길이었다.

일주일째 묵고 있는 작은 별장 앞에 도착하자, 한 팀장은 열쇠를 꺼내 문을 열고, 내가 먼저 들어갈 수 있게 말없이 비켜 주었다.

"감사합니다. 아침 지금 드실 거죠?"

거실과 이어진 부엌으로 향하면서 그에게 물었다. 익숙해진 역할 분담대로, 그가 커피를 내릴 동안 빵을 접시에 담고 과일을 씻고 달걀을 꺼내 놓을 생각이었다. 한 팀장은 대답 없이 아일랜드 식탁에 빵 봉투를 내려놓고 내 팔을 잡아끌었다. 나는 질질 끌려가며 고개를 돌려 그를 올려다봤다.

"팀장님—"

"아침 먹기 전에 한 시간만 더 잡시다."

농담인 줄 알았는데, 정말로 발끝이 침실 문턱을 넘고 있었다. 영문도 모르고 그의 품에 안긴 채 같이 침대에 풀썩 넘어졌다. 한 팀장은 벌써 외투를 벗고 내 외투까지 벗겨 주고 있었다.

"벌써 일어났는데, 다시 자요?"

그냥 일어난 게 아니라 씻고 밖에 나갔다 오기까지 했는데. 내 외투를 침대 밖으로 던진 그가 이불을 끌어와 겹쳐진 몸 위로 덮었다.

반 바퀴 뒹굴고 나자 자연스럽게 아침에 일어났을 때와 비슷한 자세가 되었다. 부스럭거리는 이불이 아늑했다. 시트에 아직 가시지 않은 잠의 내음이 묻어 있었다.

"자기 싫으면 내가 자는 동안 가만히 누워 있어요."

한 팀장은 벌써 눈을 감고 있었다. 맞닿은 가슴의 오르내림이 편안하게 가라앉은 것 같았다. 나는 그의 다물린 입술을 올려다보다가, 신기해서 작게 중얼거렸다.

"팀장님, 이제…… 쉬는 것도 잘하시네요."

"뭐 어려운 일이라고."

그가 느리게 대답했다. 외출했다가 들어와서 다시 침대로 돌아가는 것쯤은 아무렇지 않은 듯한 평온한 얼굴을 보고, 나는 새삼 시간이 흘렀음을 실감했다. 반년 전에 처음 퇴사했을 때 그는 오히려 일할 때보다 더한 스트레스를 받는 것 같은 신경질적인 모습이었다. 남아나는 시간과 에너지를 퍼부을 곳이 없어서 초조한 사람처럼, 매일 새벽에 일어나 운동을 다녀오거나, 내가 일어나길 기다리며 서재에서 창업 준비를 앞당겨서 하고 있었다. 아마 하루를 빈틈없이 일과 취미로 채우며 살아온 그에게는 아무것도 하지 않고 쉬는 것이야말로 어려운 과제였을 것이다. 몇 개월 만에 쉬는 법을 완벽하게 터득한 것까지 그다웠다.

편안한 표정의 단정한 얼굴을 보자 내 가슴에도 알 수 없는 만족감이 차올랐다. 별로 졸리지는 않았지만, 같이 잠들 수 있을 것처럼 덩달아 눈꺼풀이 무거워졌다.

자세를 고쳐 그의 품 안으로 더 꾸물꾸물 파고들며 작게 물었다.

"한 시간 있다가 제가 깨워 드릴까요?"

한국에 있을 때는 같이 침대에서 일어나지 않고 며칠을 보낸 적도 있으니, 한 시간이 아니라 몇 시간을 더 자도 문제 될 건 없었지만. 그래도 기껏 빵을 사 왔는데, 아침은 먹고 나서 빈둥거리고 싶었다.

한 팀장은 벌써 잠들었는지 대답이 없었다. 나는 아침의 빛이 서린 반듯한 콧날을 구경하다가 충동적으로 턱을 들어 그에게 입을 맞췄다. 그가 깨지 않을 정도의 조심스러운 접촉이었다.

어쩌면 그는 예전에 하루에 한두 시간씩 자며 밀린 잠을 지금 조금씩이라도 자고 있거나, 미래를 위해 잠을 비축해 놓는 것인지도 모른다. 후자면 좋겠다고 생각했다. 한국에 돌아가 회사를 차린 직후에는, 그가 래원에서 TF를 이끌던 시기만큼 강행군이 이어질 게 뻔했다.

눈을 감았다가 다시 떠서 그의 잠든 얼굴을 관찰했다. 일어나면 침대가 휑하니 비어 있거나 그가 자는 나를 지켜보고 있는 것에 익숙해서, 그가 내 앞에서 잠든 게 아직도 신선했다.

"체력은 여전히 팀장님이 몇 배로 좋으신데."

"……."

"그래도 내가 이십 대라 그런 건가……."

무심코 중얼거리고 입을 다물었을 때였다. 눈을 뜬 그가 내 어깨를 잡으며 침대에 내리눌렀다.

"아—"

"남이 자는데 뭘 그렇게 조잘거려."

낮은 목소리가 귀에 닿고, 긴 손가락이 내 옷을 걷어 올리며 안으로 파고들었다. 갈비뼈가 시작되는 부분을 어루만지는 손길에 몸이 튀어 올랐다. 목에서 신음 반, 웃음 반인 소리가 샜다.

"그러려던 게, 으읏!"

한 팀장은 눈을 가느스름하게 뜬 채로 나를 꼼짝없이 내리누르고 간지럽혔다. 옆구리와 겨드랑이와 팔뚝 안쪽을 교묘하게 건드리는 손길에 나는 소리도 못 내고 웃기 시작했다. 나중에는 숨이 가쁘고 눈물로 시야가 흐릿했다. 팔다리에 힘이 빠져서 그를 밀어낼 수도 없었다. 축 늘어져서 올려다보고 있자, 그는 그제야 만족스러운 얼굴로 입 맞춰 주었다. 맞물린 입술이 뜨겁고 말랑했다.

"빨리 자요."

"……네."

탈력감 때문에 금방 잠들 수 있을 것처럼 어지러웠다. 다시 편안하게 잠을 청하는 그의 품에서 숨을 고르고, 순순히 눈을 감았다.

⁂

막상 잠들고 나니 한 시간은 10분처럼 금방이었다. 기분 좋게 뒤척거리다가도 다시 잠들고, 눈을 떴다가도 잠든 그에게 졸음이 가물가물 옮았다. 결국 함께 일어난 것은 오전 9시가 훌쩍 넘은 시각이었다. 욕실에서 졸린 얼굴로 세수하고 나오니, 그는 잠기운이 사라진 말끔한 얼굴로 커피를 내리고 있었다.

그는 아침을 먹고 나서 일을 하기 위해 책상이 있는 작은 방으로 들어갔고, 나는 책을 들고 처마가 있는 데크로 나왔다. 어제 근처 마트에서 샀던 주스를 얼음과 함께 컵에 따르고, 노트와 펜을 옆의 테이블에 놓고, 게으른 각도의 데크 체어에 반쯤 누웠다.

주스는 여러 과일을 혼합한 듯한 특이한 맛이 났다. 한 모금 먹었을 때는 미묘했는데, 몇 모금 더 마셔 보니 나쁘지 않았다. 나는 가끔 컵을 들어 한 모금씩 마시며 책장을 넘겼다. 느긋하게 공부하다가 가끔 올려다본 정원은 초가을의 짙은 녹색으로 물들어 있었고, 나뭇잎을 흔드는 조용한 바람이 불고 있었다.

정오가 되기 조금 전에 책을 정리해서 안으로 들고 들어왔다. 갑자기 겉옷이 필요할 정도로 쌀쌀해지더니, 무거운 회색 구름이 하늘을 뒤덮었기 때문이다. 빗방울이 떨어질 것처럼 공기가 습했다.

"오늘 비 얘기는 없었던 것 같은데……."

핸드폰을 찾아 확인해 보니, 그새 일기 예보 위젯의 '오후' 밑에 회색 구름 아이콘이 떠 있었다. 구름 조금, 소나기. 어두침침해지는 하늘을 내다보다가 소파에 앉았다.

이러다가 오늘 자전거는 못 타겠다 싶었다. 말이 소나기지, 오락가락 내리면 퍼붓는 것이나 다름없었다. 한 팀장이 있는 방의 방문 쪽을 힐끔 보고, 핸드폰을 다시 확인했다. 아침에 잠깐 메시지를 주고받았던 박 대리로부터의 답장이 도착해 있었다.

[뭐, 또? 여행을 또 갔다고요?]

[한 팀장님도 몇 달째 연락만 드리면 여행 중이라고 하시던데.]

[하여간 둘이 은근 성격 비슷해.]

박 대리다운, 예리하면서도 둔감한 지적이었다. 곰곰이 생각하다가 아예 화제를 바꿔서 [부서에서 담당하시는 프로젝트는 잘 되어가세요?]라고 보내자, 수신확인 표시가 바로 떴다. 몇 초도 안 돼서 답장이 쏟아져 들어왔다.

[일주일째 야근 중]

[스트레스 받아서 탈모 옴.]

[하 내가 정말…….]

[나도 그냥 일찍 퇴사하고 놀 걸 그랬다고 후회하는 중이에요.]

"……."

이번 여행을 떠나기 전인 불과 3주 전에도 한국에 있었는데, 지금 박 대리의 눈앞에 있을 빌딩 숲의 풍경이 다른 세상처럼 가물가물했다. 시차를 봐도 퇴근 시간이 이미 지났을 시각이었다. 반년 전에는 매일 지겹도록 봤던 래원 앞 교차로를 떠올렸다.

힘내라는 말을 보내고 위로 삼아 [그래도 얼마 안 남았잖아요.]라고 덧붙였다. 그 말의 무언가가 야근 중인 박 대리를 자극한 듯했다. 눈 밑에 다크서클이 길게 늘어진 이모티콘이 오더니, 또 답장이 연달아 빠르게 들어왔다.

[도저히 기대가 안 되네요]

[한 팀장님 회사로 옮겨 봤자 그때부터 새로운 스트레스가 시작

이겠죠]

[하……]

[TF때 기억 안 나요? 한 팀장이 팀장일 때도 빡셌는데, 대표가 되면 어떻겠어요?]

[한 대표님이라니 벌써부터 손 떨리네.]

"……한 대표님."

이제 정말 한국으로 돌아갈 날이 얼마 남지 않아서인지, 가슴이 울렁거리는 느낌이었다. 나는 박 대리에게 위로의 답장을 몇 번 더 보내고 나서 자리에서 일어났다. 작은 방의 문 앞에 서서 잠깐 귀 기울여 보니, 아까 지나갈 때 들리던 화상 회의 소리는 더 이상 나지 않았다.

문을 두드리고 기다렸다. 네, 하고 낮고 정확한 목소리가 돌아왔다.

"일은 거의 끝나셨어요?"

문을 살짝 열고 고개를 들이밀어 물었다.

"대표님."

장난스럽게 덧붙이자, 책상 앞에 앉아 나를 돌아보는 잘생긴 남자의 입가에 어이없다는 듯이 웃음이 맺혔다.

"이제 십 분이면 끝납니다. 왜 그래요?"

"비 올 것 같아서요."

한 팀장의 앞에도 창문이 있었다. 힐끗 올려다본 그는 그제야 하늘의 빛깔을 알아차린 듯했다.

"소나기 같은데. 와도 금방 지나갈 겁니다."

"그래도 점심은 사 와서 여기서 먹을까요? 일 끝내시는 동안 제가 금방 다녀올게요."

비가 그칠 때까지는 숙소에 있는 게 나을 것 같아서 말하니, 그가 선선히 고개를 끄덕였다.

"멀리 가지는 말아요."

"네. 저 그거 먹고 싶어요. 그때 그 해산물 올라간 피자. 괜찮으세요?"

"좋네요. 혹시 모르니 우산은 들고 다녀와요."

"네."

그를 더 방해하면 안 될 것 같아서 조용히 문을 닫았다. 외투와 우산을 챙겨 숙소에서 나가면서 아직도 기분이 묘했다. 머지않아 그가 대표인 회사의 사무실에서, 그가 있는 대표실의 문을 이런 식으로 노크하게 될 것이다. 생각만으로도 낯선 기분이었다. 거의 반년을 상사로서의 그를 만나 보지 못했더니, 곧 닥칠 공사 구분의 과제들이 걱정되기도 했고, 약간은 기대되기도 했다.

⁂

그의 말대로 소나기는 금세 지나갔다. 점심을 먹은 후 창문 밖으로 손을 내밀어 보니, 쌀쌀해진 공기가 느껴질 뿐 손에 닿는 빗방울은 없었다.

"그래도 자전거 타려면 땅이 말라야겠죠?"

부엌에서 설거지하는 그를 돌아보며 물었다. 몇 개 안 되는 접시를 벌써 식기 건조대에 올려 둔 그가 수도를 끄며 답했다.

"이서단 씨 운동 신경으로는 상관있을 수도 있겠네요. 소화도 시킬 겸 삼십 분 정도 후에 나갑시다."

"네."

구름이 슬슬 걷히는 걸 보니 금세 쨍쨍해질 것 같았다. 나는 그가 설거지를 마무리하는 동안 식탁으로 돌아와서 정리를 마치고, 분리수거를 위해 피자 상자를 편편하게 폈다. 식당에서 손잡이 삼아 묶어 준 검은 끈이 상자의 홈에 걸려 잘 빠지지 않았다.

리본과 노끈 사이의 재질이기는 했지만, 매듭을 풀려고 애쓰는 동안 한 팀장의 슈트케이스가 생각났다. 2주 전에 헝가리에서 프랑스로 건너올 때 공항에서 그의 가방이 분실될 뻔한 일이 있었다. 유명 슈트케이스 브랜드의 잘 알려지고 흔한 디자인이다 보니 수하물을 찾다가 누군가가 착각한 모양이었다.

이 리본이라도 일단 매는 게 좋을 것 같아서 매듭을 이리저리 돌려 보고 있는데, 손을 말리며 가까이 온 한 팀장이 물었다.

"그건 왜."

"풀 수 있으면 팀장님 가방에 달려고요."

그는 "검은색이라 눈에 띌 것 같진 않은데."라고 말하면서도 내 손에서 상자를 받아 갔다. 내 손에서 풀리지 않던 매듭은 그의 손에 들어가자 몇 초 만에 손쉽게 풀어졌다.

"잘 푸시네요."

리본에서 풀려난 상자를 받아 들며 감탄했더니, 그가 무심히 대답했다.

"많이 묶어 봤으니까."

"……."

목소리에 내가 익히 아는 낮고 위험한 기운이 깔려 있었다. 입을 열었다가 다문 나를 물끄러미 보던 남자가 말했다.

"손 붙여서 내밀어 봐요."

"……이렇게요?"

심장이 빠르게 뛰고 있었지만, 순순히 손바닥을 맞대고 손목을 붙였다. 그는 내 손목을 잡아 자세를 조정해 주었다.

"팔꿈치까지 붙여서. ……그래요."

가지런한 손가락이 리본으로 내 손목을 능숙하게 휘감았다. 끈으로 만든 고리 안쪽에 손가락을 넣어 너무 조이지 않도록 조절하며, 처음 보는 매듭을 만들었다. 집중하느라 내리깐 눈매에 긴 속눈썹이 매달려 있었다.

내 묶인 손목을 놓아준 그가 말했다.

"이건 보우라인 매듭이라고 부릅니다. 낚시할 때도 많이 쓰고, 인명 구조할 때도 종종 쓰죠."

별로 튼튼해 보이지 않는데, 실험 삼아 팔을 움직여 봐도 단정한 매듭은 풀어지지 않았다. 그는 나를 가만히 보다가 손을 뻗어 손목을 풀어 주었다.

"여기 있어 봐요."

침실로 들어갔다가 나온 그의 손에 남색 타이가 들려 있었다. 여기 와서 맨 적은 없으니, 아마 대비용으로 가져왔을 것이다. 나는 토달지 않고 얌전히 그가 있는 소파로 건너갔다. 금세 타이의 차갑고 매끄러운 감촉이 손목을 감았다. 그는 손을 움직이며 듣기 좋은 목소리로 무심히 해설해 주었다.

"손목을 묶을 때 몇 가지 대표적으로 쓰이는 매듭이 있습니다. 사람 따라 취향이 갈리지만. ……이건 수갑 매듭이라고 흔히들 말하는 기본적인 매듭을 변형한 건데, 당기면 조여든다는 특징 때문에 구조용으로는 적합하지 않아요."

끈보다 타이가 묵직했다. 이번에도 그가 손을 놓아주자, 내 힘으로는 도저히 풀 수 없었다. 몇 번 손을 이리저리 비틀어서 시도해 보고 그를 올려다봤다. 내 묶인 손을 뚫어져라 보고 있던 그가 낮게 말했다.

"이제 내가 풀어 줄 때까지는 아무 데도 못 가겠네요."

"……네."

"내가 무슨 짓을 하든 얌전히 당해야 할 거고."

농담 같은 말 안쪽에 새까맣고 사나운 욕망이 숨어 있었다. 나는 아무 말도 못 하고 숨만 쉬었다. 그는 긴 손가락으로 내 묶인 손목 위를 내리누른 채 나를 소파 위로 눕혔다. 몸의 무게로 나를 짓누르고, 턱을 들게 해 입을 맞췄다.

한밤중의 플레이에서나 만나 볼 수 있는 강압적인 키스였다. 그의 혀는 처음부터 내 입안을 짓누르고 점령했다. 아랫입술과 안쪽의 여린 살이 아프도록 깨물렸다.

그는 도망치는 내 혀를 붙잡아 입술 밖으로 끌어낸 후, 움츠러든 혀끝을 머금고 핥아 주었다. 부드러워진 접촉도 잠시, 곧 안쪽으로 짓쳐들어온 그의 혀가 숨구멍을 틀어막을 듯 깊숙하게 들어왔다. 입천장을 간지럽히며 빠져나갔다가, 다시 삽입하듯 안으로 거칠게 찔러 넣었다.

"흐읍, 아, 흣……."

어차피 묶여 있지 않더라도 도망칠 생각은 없었고, 발이 묶인 것도 아니었지만, 키스하는 내내 손목을 속박한 타이의 묵직함이 느껴졌다. 묶인 손가락이 전율로 움찔거렸다.

마침내 그가 놓아주었을 때, 입술이 부어서 욱신거리는 게 느껴졌다. 뜨끈한 이마를 맞대고 숨을 고르던 그가 한숨을 내쉬며 나를 들어 허벅지 위로 앉혔다.

"이러다가 밖에 못 나가겠네. 풀어 줄 테니까 팔에 힘 빼요."

"……네."

바지의 천을 뚫고도 허벅지 옆에 수납된 그의 성기가 묵직하게 흥분한 게 느껴졌지만, 나는 대낮부터 소파에서 뒤엉키고 싶지는 않아서 얌전히 있었다. 심장 뛰는 소리가 귓불까지 올라와 울렸다. 그는 그새 조여든 매듭을 몇 번 당겨서 쉽게 풀어 내고, 희미하게 붉은 자국이 남은 내 손목을 매만져 주었다.

"슬슬 나가죠. 옷 갈아입고 올 테니까 겉옷 챙기세요."

"……네."

그다운 깔끔한 자제력이었다. 나는 그의 등을 멍하니 올려다보다가, 그가 일어서며 스르륵 소파에서 흘러내리는 남색 타이의 끝자락을 가까스로 붙잡았다.

"팀장님, 타이……."

약간 구겨진 게 보이는데, 다시 원 용도로 쓸 수는 있을까. 최대한 펴서 한 팀장에게 내밀었더니, 돌아본 그가 말했다.

"거기 그냥 둬요."

"네."

집어 든 김에 아직 희미하게 욱신거리는 손목에 감아 봤다. 신발끈을 묶을 때의 매듭 말고도 종류가 많은 것을 알고는 있었지만, 대낫에 직접 보니 신기했다. 그가 했던 대로 고리를 만들어 타이 끝부분을 넣고 당겨 보았다.

서서 지켜보던 그가 설핏 웃더니 물었다.

"가르쳐 줄까?"

"……네."

어설픈 매듭이 스르륵 풀어졌다. 나는 그에게 두 손과 타이를 내밀며 말했다.

"아까 식탁에서 쓰셨던 매듭 배우고 싶어요."

"……잘 봐요."

그가 다시 소파에 앉아 천천히 내 손목을 감았다. 긴 손가락이 유려하고 부드럽게 움직였다. 그는 내가 볼 수 있도록 과정을 두 번 반복하고, 타이를 풀어서 내게 건넸다. 머릿속으로 순서를 기억하려는 내 시야에 그의 손이 들어왔다.

"나한테 한번 해 봐요."

"……정말로요?"

그가 표정 없이 고개를 끄덕였다.

"배우고 싶다며."

"……그러면……."

망설이다가 타이를 들었다. 한 팀장은 두 손목을 내게 내민 채, 정말로 내가 손을 묶는 동안 별말이 없었다. 타이를 두를 때 언뜻언뜻 닿는 그의 팔뚝의 피부가 뜨겁고 부드러웠다. 내 손목에서 불규칙적으로 뛰고 있는 맥박을 그가 눈치 챌 것 같았다.

나는 한 번 순서를 틀려 그에게 물어야 했고, 그다음엔 허술한 매듭이 마음에 안 들어 풀어 내고 다시 처음부터 묶었다. 완성된 매듭은 그가 만들었던 모양과 꽤 닮아 있었다.

몇 번 손목을 양옆으로 당겨 본 그도 고개를 끄덕였다.

"처음 치곤 꼼꼼하게 잘했네요."

"감사합니다."

"……왜 웃어."

그가 말했을 때에서야 내 입꼬리를 잡아당기는 웃음기를 알아차렸다. 평소와 역할이 뒤바뀐 게 신기해서였을까. 내 손에 묶인 그를 보는 게 이상했고, 왠지 기분이 좋았다.

한 팀장은 내 표정을 힐끗 보더니 미간을 찌푸렸다.

"다 배웠으면 이제 풀어요."

그가 지시하며 손을 내미는데도, 나는 장난기가 발동해서 한 걸음 물러섰다.

"조금만 있다가……."

"……."

"좀 쉬고 계시면, 저는 밖에 나가서 볼일 보고 올게요."

어지간히 어이가 없었는지, 그의 눈가에도 웃음기가 진하게 스몄다. 그는 여전히 웃는 얼굴로, 낮게 가라앉은 목소리로 내 이름을 불렀다.

"이서단 씨."

경고가 분명했지만, 앞으로 다시는 이런 기회가 없을 것 같았다. 나는 소파에 앉아 있는 그를 보다가 고개를 내려 그에게 입을 맞췄다. 그가 내게 했듯 그를 소파에 누른 채로 올라타서 키스했다.

떨어진 지 얼마 안 된 입술은 붙자마자 금세 뜨거워졌다. 젖은 혀가 얽히자 계단을 하나 놓쳤을 때처럼 몸에서 힘이 빠지는 기분이었다. 배 속이 뻐근해지고 가빠진 호흡이 섞였다.

입술을 떼자 그가 나를 물끄러미 올려다보고 있었다. 후들거리는 다리로 일어나며 말했다.

"저는 아무래도 묶는 쪽이 취향인 것 같아요."

"이제라도 알았으니 잘됐네요."

그가 건조하게 대답했다. 나는 다시 이유 없이 치미는 웃음을 참으며 그에게 손을 내밀었다.

"주세요, 풀어 드릴게요."

잠자코 기다리는 그의 손목에서 타이를 벗겨 냈다. 풀 때도 한 번 헷갈렸지만, 튼튼했던 매듭은 한순간에 스르륵 풀렸다. 자유인이 된 그는 말도 없이 소파에서 일어나며 내 허리를 잡았다.

"아!"

몸이 허공으로 훌쩍 들렸다. 나를 두 팔로 꽉 안아 든 그가 떨어지지 않도록 안전하게 받치고 침실로 들어갔다. 실내 슬리퍼를 신은 그의 발이 침실 문턱을 넘는 게 보였다. 오늘 벌써 두 번째로, 등이 침대 매트리스에 푹신하게 부딪혔다.

"팀장님…… 자전거—"

그의 손이 벌써 내 셔츠를 벗기고 있었다.

"내일 타요."

짧게 말한 그가 내 목에 입술을 묻었다. 나는 지은 죄가 있어서 더는 항의하지 못하고 결국 한 팀장의 목에 팔을 둘렀다. 대낮의 노랗고 환한 빛이 창문으로 비쳐 들고 있었다.

⁂

오후 내내 침대에서 섹스하다가 자다가 일어나니, 늦은 오후의 나른한 빛으로 숙소가 물들어 있었다. 자전거를 타자면 못 탈 것도 없는 시간이었지만, 허리가 아프고 의욕이 부족했다. 결국 우리는 특별한 계획 없이 느긋하게 씻고, 30분 정도 거리에 있는 작은 등대로 드라이브를 나갔다.

등대는 인터넷에서 봤던 사진과 마찬가지로 평범한 등대였지만, 바다 바로 옆에 나 있는 해안가 도로가 아름다웠다. 돌아오는 길에는 하늘 가득 노을이 지고 있었다. 창문을 열고, 음악을 틀어 놓고, 그의 옆에 앉아서 분홍색으로 물든 바다를 내다봤다. 이따금 음료수를 건네거나, 눈이 마주치면 한두 마디를 사소하게 나누었다. 굳이 말을 하지 않아도 충분할 정도로 편안하고 부드러운 침묵이었다.

숙소 근처에 도착하자 예전에 봐 두었던 식당에서 저녁을 먹고, 마트에서 식료품을 산 후 숙소로 돌아왔다. 조명의 조도를 낮추고 소파에 함께 기대어 앉았다. 그는 맥주를 마시며 태블릿을 보고, 나는 디저트를 먹으면서 핸드폰으로 자전거 코스를 검색했다. 그가 말한 해안가 자전거 코스는 초심자에게도 그렇게 어렵지 않은 모양이었다.

원래라면 그러다가 적당한 시간에 자러 들어갔을 테지만, 오늘 늦잠을 자고 오후에도 또 잔 게 문제였다. 침대에 누워 뜬눈으로 한두 시간은 뒤척일 것 같은 기분이 들었다. 그에게 먼저 자라고 하고 공부라도 더 해야 하나 생각하고 있을 때, 한 팀장이 내 어깨를 가볍게 건드렸다.

"피곤합니까?"

"아직이요. 오늘 낮잠을 많이 자서……."

말짱한 얼굴을 보니 그도 마찬가지인 것 같았다. 불현듯 든 생각에 몸을 일으켰다.

"안 피곤하시면, 잠깐 산책 가실래요?"

곧바로 답하지 않고 나를 가만히 보던 그가 불쑥 말했다.

"영화 보러 갈까?"

"……지금요?"

밤 10시가 다 되어가는 시각이었다. 어디로요? 라고 물었더니, 한 팀장이 당연하다는 듯이 대답했다.

"영화관."

그러고 보니 시내에서 지나가며 작은 영화관을 보긴 했었다. 나는 갑자기 기분이 들떠서 자리에서 일어났다.

"좋아요."

"옷 두껍게 입어요. 밖에 춥습니다."

"네."

잠옷에서 다시 편한 외출복으로 갈아입고 외투를 걸치자, 그가 벌써 숙소 문을 열고 기다리고 있었다. 슬리퍼에 발을 밀어 넣고, 그를 따라 나갔다. 별장과 주택이 늘어선 어두운 길거리에는 사람이 거의 보이지 않았다. 발소리가 그대로 울릴 정도로 조용했고, 밤공기가 깨끗하고 서늘했다.

한국에서는 자주 그와 심야 영화를 보러 갔어도, 여행지에서는 처음이었다. 나는 찬 기운을 느끼며 외투를 뒤늦게 여미면서 그에게 물었다.

"영화 뭐 보고 싶으신데요?"

"이 시간대엔 선택의 여지가 없을 겁니다. 상영하는 게 전부 프랑스어 영화일 수도 있고."

"……그러게요. 영어 자막도 없을 텐데……."

영어로 된 영화가 있길 바라는 수밖에 없었다. 내 걸음에 맞춰 나란히 걷던 그가 말했다.

"예전에 혼자 여행 다닐 때는 온갖 영화관에서 영화를 봤었는데, 나중에 알고 보니 내가 이해했던 것과 전혀 다른 내용이었던 적도 있습니다."

"……영어로 된 게 하나는 있지 않을까요?"

해외에서 영화를 보는 게 처음이라 감이 잡히지 않았지만, 할리우드 영화의 비율이 절반 정도는 되지 않을까. 큰 영화관이 아니어서 상영 시간이 문제일 것 같았다.

아니나 다를까, 도착해서 보니 시간이 얼추 맞는 할리우드 영화는 하나밖에 없었고, 20분 더 기다려야 하는 데다가, 결정적으로 둘 다 안 본 영화의 속편이었다. 결국 우리는 5분 전에 시작한 프랑스 액션 영화의 티켓을 사서 상영관으로 들어갔다. 영화관 로비에도 카운터 직원 말고는 아무도 없더니, 상영관에도 사람이 없는 것 같았다.

중앙 자리에 그와 나란히 앉았다. 화면에서는 벌써 주인공인지 악역인지 모를 남자가 화려하게 얻어터지고 있었다. 알아들을 수 없는 프랑스어 대사들이 빠르게 지나갔다. 직원이 팝콘 기계 밑에서 긁어모아 담아 준 팝콘은 눅눅했고, 얼음이 달그락거리는 콜라는 밍밍했다.

옆을 힐끔 쳐다보니 한 팀장은 평온한 얼굴로 화면을 보고 있었다. 어슴푸레한 불빛이 그의 무릎 위의 손을 비췄다. 화면이 바뀌며 도드라진 손마디에 불빛이 맺혔다가 사라졌다. 나는 시계를 찬 그의 손목과 손등의 미세한 핏줄, 긴 손가락을 시선으로 좇다가 속삭였다.

"팀장님."

"왜."

"지금 우리 말고는 사람이 없는 것 같은데…… 손은 잡아도 괜찮지 않을까요?"

내 쪽을 힐끗 본 그가 따라 하듯 목소리를 낮춰서 말했다.

"사람이 없는데 왜 속닥거려요."

"……모르겠어요. 그냥—"

한 팀장의 커다란 손이 팔걸이 위에 있던 내 손을 덮고, 손바닥이 마주 닿도록 돌렸다. 그의 손가락이 내 손가락 사이사이로 깍지를 끼며 파고들었다.

말을 꺼낸 건 나인데, 막상 손을 잡게 되니 갑자기 그의 눈을 마주칠 수 없었다. 따뜻한 손을 잡고 화면을 뚫어져라 쳐다봤다. 뺨에 점점 열이 올랐다.

"지루해요?"

그가 귓가에 닿을 듯 가까이에서 낮게 물었다.

"……아니요. 지루하진 않은데, 내용을 잘 모르겠어요."

"내용이 문제가 아니라."

그가 말을 끊고 혀를 찼다.

"영화가 형편없네요."

"……콜라 드실래요?"

"줘 봐요."

빨대가 그의 입에 닿도록 종이컵을 들어 주자, 그가 한 모금 마시고는 단번에 눈가를 찌푸렸다. 아마 얼음이 녹아서 지금은 더 밍밍해졌을 것이다. 덜 달아서 그의 입에 맞을지도 모른다고 생각했는데, 아닌 모양이었다.

결국 나는 영화의 내용을 끝날 때까지도 파악하지 못했다. 아무도 없는 영화관에 그와 둘이 있는 것만으로도 충분히 즐거워서, 굳이 화면을 볼 필요성도 느끼지 못했다. 그는 내 손을 만지작거리며 그나마 영화에 집중하는 듯했지만, 크레딧이 올라가기 시작하고 조명이 들어오자 대놓고 표정을 구겼다.

"끔찍하네."

언뜻 본 것만으로도 그의 말이 맞는 것 같았지만, 진지하게 대꾸했다.

"그치만 프랑스어였으니까…… 알고 보면 생각하시는 것과 전혀 다른 내용일 수도 있잖아요."

자리에서 일어난 한 팀장은 어이없다는 표정으로 내려다보다가, 고개를 숙여 내게 입을 맞췄다. 입술만 살짝 맞물리는 가볍고 다정한 키스였다.

“입만 살아서는. 일어나요, 갑시다.”

“네.”

다 못 먹은 팝콘과 반 이상 남은 콜라를 로비 쓰레기통에 버리고 영화관을 나왔다. 카운터 뒤의 직원도 어딜 갔는지 없었고, 작은 시내의 상점들은 닫은 지 오래였다. 불 꺼진 창문이 대부분인 거리는 숙소에서 나왔을 때보다도 조용했다.

우리는 숙소 쪽으로 올라가다가 근처의 바닷가 쪽으로 방향을 틀었다. 가로등 불빛이 닿지 않는 모래와 새까만 물 위로 달빛이 희미하게 서려 있었다.

“안 피곤합니까?”

모래 위를 나란히 걷다가 그가 물었다. 오래 잡은 손의 편안한 온기가 그의 목소리에도 깃들어 있었다.

“괜찮아요. 하루 종일 놀기만 했으니까…….”

말을 끝내기 무섭게 하품이 나왔다. 한 팀장은 졸린 눈을 깜박이는 나를 보고 웃었다.

“잠깐만 쉬고 나서 슬슬 들어가죠.”

우리는 방향을 돌리기 전에 마른 모래 위로 잠시 엉덩이를 붙였다. 바닷물이 불투명하고 검어서 수평선이 보이지 않았다. 달빛이 물 위로 이어진 길처럼 미약하게 반사되어 있을 뿐이었다.

그의 어깨에 뺨을 기대고 숨을 들이쉬었다. 오늘 밤도 지나가면, 다음 주에 비행기를 타고 한국으로 돌아가는 날까지 하루 더 성큼 가까워지는 것이었다. 지난 몇 개월간 아직도 많이 남은 시간에 감탄한 적도 있었는데, 오늘따라 반년이 어떻게 흘렀는지 모르겠다는 생각이 들었다.

"시간이 빨리 가는 것 같아요."

맥락 없이 작게 말하자, 그가 나직하게 대답했다.

"그러게."

"처음에 퇴사했을 땐 반년이 정말 길게 느껴졌는데……."

비양심적이기까지 느껴졌던 긴 시간이었다. 뭘 해서 그 시간을 다 채우나, 지루해지지는 않을까 걱정한 적도 있었다.

고개를 조금 돌려 나를 비스듬히 내려다본 그가 물었다.

"아쉬워요?"

"……아니요."

"서운하네요. 나는 아쉬운데."

농담인 걸 모르고 고개를 들어 올렸다가, 그의 얼굴에서 웃음기를 발견하고서야 어깨에서 힘이 빠졌다. 설핏 웃은 그가 내 머리를 다시 어깨에 기대게 하며 말했다.

"그래도 이제 마음이 좀 편해졌나 보네요."

"네?"

"처음에는 쉬는 법을 모르는 사람처럼 쓸데없이 불안해하더니."

금시초문이었다. 나는 턱만 들어 그를 올려다보며 반박했다.

"팀장님이야말로 쉬면 큰일 나는 것처럼 계속 새벽에 일어나셨었잖아요."

"그건 몸이 그게 익숙해서 그랬던 거고."

그가 표정 하나 변하지 않고 대꾸했다. 뻔뻔함에 말문이 막히자, 그가 내 얼굴을 보고 다정하게 웃었다. 손을 내려 내 머리카락을 넘겨 주며 담백하게 물었다.

"다음 주에 비행기 타지 말고, 그냥 여기 있는 게 어떻습니까."

"……네?"

"회사 차리는 것도 관두고."

"……."

진지하게 하는 말은 아니었겠지만, 헷갈릴 정도의 목소리였다.

"나는 지금이 좋은데. 이서단 씨와 같이 이곳저곳 여행 다니고, 늦잠 자고, 산책하고. ……평생 이렇게 좋았던 적이 없었던 것 같습니다."

나직한 말이 온기처럼 천천히 스며들었다. 나는 심장이 화답하듯 빠르게 뛰는 것을 느끼며, 조심스럽게 말했다.

"저도 그렇지만…… 그래도 반년이나 놀았으니까, 이제 슬슬 일해야 하지 않을까요?"

이성적인 대답에 그가 내키지 않는 것 같은 소리를 냈다. 그답지 않은 억지가 신기했다. 아마 그만큼 한국에 돌아가면 그는 바빠질 테고, 이렇게 둘만 느긋하게 시간을 보내는 것도 한동안 어려울 터였다.

그땐 그와 보낸 반년의 휴식이 꿈처럼 느껴질 것 같았다. 매일 같이 늦잠을 자고, 새로운 풍경을 함께 보고, 시간을 빈틈없이 공유하고. 익숙해진 지금도 매일 경이로울 만큼의 행복이었다. 할 수만 있다면, 나도 이 시간이 평생 끝나지 않기를 바랐다.

"다시 생각해 보니까 좀 아쉬운 것 같아요."

작게 말했더니, 그가 웃었다. 나는 점점 무거워지는 눈꺼풀을 감고, 그와 그동안 돌아다녔던 멀고 가까운 여행지들을 떠올렸다. 한국에 있는 그의 집에서 한 발짝도 나오지 않고 일주일을 틀어박히거나, 목적지 없이 무작정 차를 타고 국내 여행을 떠나기도 했었다. 유럽에서는 항공편이 취소되어서 일정을 통째로 변경한 적도 있었고, 감기에 걸려서 하루 종일 숙소에서 앓았던 적도 있었다.

돌아오지 않을 모든 순간이 갑자기 아쉬웠다. 새로운 회사와 그곳에서의 시작이 기다리고 있다고 해도, 눈앞에 보이는 휴가의 끝이 오늘따라 막막하고 섭섭했다.

눈을 들어 그를 바라봤다. 시선이 길게 맞닿았다. 나는 입을 다물었다가, 나도 모르는 무언가를 확인받듯 물었다.

"앞으로도…… 좋은 일이 많이 있겠죠?"

그는 잠시도 망설이지 않고 대답해 주었다.

"그럴 겁니다. 틀림없이."

허리를 감싸 안는 팔이 안정적이었다. 옆에 없는 시간보다 같이 있는 시간이 훨씬 많아서, 어느덧 당연해진 타인의 체온이었다.

발치에 닿을 듯 하얀 파도가 느리게 넘실거렸다. 편안하고 다정한 침묵 끝에, 함께 앉아서 바다를 바라보던 남자가 말했다.

"이제 그만 갈까요."

"네."

그가 먼저 일어나고, 손을 뻗어 나를 일으켜 주었다. 옷에서 모래를 털어 내고 다시 그의 손을 잡았다. 한밤의 바닷가를 등지고, 멀리 보이는 불빛들을 향해 나란히 걸음을 옮겼다.

〈토요일의 주인님 마침〉

작가 후기

섬온화

흔하고도 참혹한 이야기들이 연일 뉴스란을 장식할 때. 마주 앉아 같은 언어를 써도 전혀 다른 언어로 대화하는 것 같은 느낌이 들 때. 잘 안다고 생각했던 친구의 완전히 낯선 얼굴을 보았을 때. 미끈거리는 무언가가 손가락 사이로 빠져나가는 듯한 허무감, 검게 입을 벌린 허공 앞에서 허우적거리는 듯한 무력감이 들곤 합니다.

《토요일의 주인님》은 몇 년 전에 '고립', '관계', '소통' 같은 키워드를 적어 두고 썼던 글입니다. 서로를 이해할 수 없을 것처럼 완전히 다른 두 명이 만나, 그럼에도 불구하고 상대를 마주 보기 위해 최선을 다하는 기적을 그리고 싶었습니다.

우리 모두와 마찬가지로 1인칭의 세상에 갇힌 화자가 낯선 타인의 윤곽을 조심스럽게 더듬고, 빛도 언어도 가로지르지 못할 것 같은 간극 앞에서 어쩔 줄 몰라 하다가, 끝내는 그 어둠 너머로 자신을 내던지는 이야기. 그리고 반대편에서 그를 받아 안는 사람으로부터, 그 용기에 대한 보답이 충분하게 주어지는 이야기……. 몇 년이 지난 지금, 《토요일의 주인님》은 제게 그런 글로 남은 것 같습니다.

이 글을 읽어 주시는 모든 분께서 언제나 다정하고 따스한 나날을 보내시기를 진심으로 바랍니다.

토요일의 주인님 3

초판 1쇄 인쇄 2020년 9월 2일 **초판 1쇄 발행** 2020년 9월 10일

지은이 섬온화
펴낸이 연준혁

웹소설본부 본부장 이진영
책임편집 최은정
디자인 하은혜

펴낸곳 ㈜위즈덤하우스 **출판등록** 2000년 5월 23일 제13-1071호
주소 경기도 고양시 일산동구 정발산로 43-20 센트럴프라자 6층
전화 031)936-4000 **팩스** 031)903-3893 **홈페이지** www.wisdomhouse.co.kr

ISBN 979-11-6525-342-4 04810
ISBN 979-11-6525-339-4 (세트)

이 도서의 국립중앙도서관 출판예정도서목록(CIP)은 서지정보유통지원시스템 홈페이지(http://seoji.nl.go.kr)와 국가자료종합목록시스템(http://www.nl.go.kr/kolisnet)에서 이용하실 수 있습니다. (CIP제어번호: CIP2020036392)